Enrico Par

Fuoco

Rizzoli

Pubblicato per

Rizzoli

da Mondadori Libri S.p.A.

Pubblicato in accordo con Grandi & Associati, Milano

ISBN 978-88-17-16075-9

Prima edizione: gennaio 2022

Fuoco

A Stefano Di Marino,
caro amico che ci ha lasciati troppo presto

I morti sanno soltanto una cosa:
che è meglio essere vivi.
Joker
(*Full Metal Jacket*, Stanley Kubrick)

Quando i miei figli erano molto piccoli, facevo un gioco con loro. Gli davo in mano un bastoncino, uno ciascuno, e gli chiedevo di spezzarlo. Non era certo un'impresa difficile.

Poi gli chiedevo di legarli insieme, in un mazzetto, e di cercare di nuovo di romperlo, ma non ci riuscivano. Allora gli dicevo: vedete quel mazzetto? Quella è la famiglia.

Alvin Straight
(*Una storia vera*, David Lynch)

UNO

Un lavoro da fare

[illegible]

[illegible]

UNO

Un lavoro da fare

Giovedì 2

Max prese un fiammifero dalla tasca, lo sfregò sulla gamba dei pantaloni, e accese con calma la vecchia pipa Butz-Choquin Camargue che teneva stretta tra i denti. Aspirò un paio di boccate con una certa soddisfazione, poi levò qualche foglia dalla lingua sputacchiando per terra. Riportò il cannello tra le labbra e diede una terza boccata, che gli andò di traverso facendolo tossire. Cercò di schiarirsi la gola ma riuscì soltanto a peggiorare le cose e un grumo di saliva gli provocò un vero e proprio accesso di tosse che lo costrinse a piegarsi in avanti mentre il suo corpo veniva scosso da violenti spasmi. Gli ci volle quasi un minuto per riprendere il controllo della respirazione e, cristonando come un carrettiere, si raddrizzò asciugando le lacrime con il dorso della mano, poi rimise gli occhiali sul naso.

Rimise la pipa in bocca e diede altri due tiri che portarono solo un po' d'aria che sapeva di bruciato. Guardò dentro il fornello e vide che era vuoto. Sparso in terra fra i suoi piedi, il tabacco stava ancora bruciando. Doveva essere caduto mentre tossiva. Con una bestemmia prese dalla tasca della giacca la scatola rotonda di St. James Park e l'aprì. Aspirò con piacere il profumo di Virginia e Latakia, con un'ombra di Orientale e un pizzico di Black Cavendish, una miscela che prima di uscire di produzione era stata venduta dalla Dunhill con il nome di "Apéritif".

Riempì con cura la pipa facendo attenzione che la densità del tabacco non fosse troppo compatta né troppo esigua, poi chiuse la scatola e la posò accanto a sé sulla panchina. Frugò nelle tasche alla ricerca di un fiammifero mentre la voglia di fumare si faceva sempre più pressante, ma l'unica cosa che trovò fra le briciole e i residui fu un ultimo stecchino di legno dal quale lo zolfo si era del tutto staccato. Masticando tra i denti un'antica maledizione armena, si lasciò andare contro lo schienale guardando la pipa spenta con aria affranta.

Che prima di aprire un ristorante avesse fatto molte altre cose, a Max Ventura lo si leggeva in faccia, nella barba grigia macchiata di nero, nei capelli spettinati che conservavano parte del colore originale e in quella ragnatela di piccole rughe che gli segnavano il volto simili a geroglifici indecifrabili. Era il racconto della storia complessa e disordinata della sua vita, gli errori, le cazzate, le cadute e le tante volte in cui era riuscito a rimettersi in piedi. Pure la galera che si era fatto, anni che adesso parevano lontani ma che sapeva quanto rapidamente sarebbero potuti tornare.

Sopra la sua testa le piante del giardino si muovevano piano nella brezza, provocando un fruscio come di seta dai cui rami ogni tanto si staccava qualche foglia che scendeva lenta per andarsi a posare sul terreno. Si guardò attorno e tre panchine più in là vide un vecchio che lo stava osservando senza alcuna curiosità, il busto spinto in avanti ed entrambe le mani posate sul manico del bastone da passeggio. Aveva il volto raggrinzito come una prugna e indossava una camicia a quadri sulla quale portava un gilè di lana grigia.

«Ha mica da accendere?» domandò mostrando la pipa.

L'uomo scosse il capo con un movimento tranquillo, senza cambiare espressione. Max lo ringraziò con un cenno. Si aggiustò gli occhiali, poi si alzò e si diresse di malumore verso il suo ristorante, che si trovava all'angolo con via Mercadante, sul lato opposto della piazza. Invece di passare, la voglia di tabacco era addirittura aumentata.

All'ora di pranzo diversi clienti sedevano già sotto gli ombrelloni del dehors, di fronte alla brutta facciata del locale. L'Évêché, come lo aveva chiamato Max in memoria del momento più difficile della sua vita, aveva aperto i battenti sei anni prima e grazie alla qualità del cibo – un misto di cucina italiana e francese, con influenze mediterranee e qualche sapore dei Paesi dell'Est – era ben presto diventato, se non proprio un punto di riferimento, un locale che attirava affezionati da ogni angolo della città. Soprattutto per la politica che Max aveva adottato fin dall'inizio, vale a dire un ristorante aperto a tutti coloro che avevano i soldi per pagare e pure a chi non ce li aveva. Un piatto di buon cibo non lo si poteva negare a nessuno.

Per questo, quando attraversò il dehors per raggiungere l'ingresso, passò in mezzo a un'umanità piuttosto varia. Tra la clientela eterogenea, come succedeva spesso, vide anche due senzatetto che stavano consumando un piatto di spaghetti al pomodoro e una mezza caraffa di vino. Unica accortezza, il loro tavolino era discosto dagli altri e sopravvento, in modo che certe fragranze tipiche della specie non disturbassero chi stava pranzando. Poco lontano, una famiglia cinese stava facendo fuori uno spezzatino di spalla di manzo al Barolo e, due tavoli più in là, una coppia di giovani elegantoni, forse avvocati, consultava alcuni documenti, discutendo a voce alta e cercando di non farli finire nel sugo del filetto di merluzzo al curry che stavano mangiando.

Questo amava, il fatto che nel suo ristorante si creasse quella sorta di magia che permette a persone di ceto, estrazione e fortune diverse di condividere i piaceri della buona cucina senza alcun problema. Era probabile che i clienti che arrivavano dal centro città trovassero eccentrico, addirittura chic, pranzare o cenare con un clochard seduto al tavolo accanto. Non immaginavano che il conto di quest'ultimo, in un modo o nell'altro, lo avrebbero pagato loro.

Quel lavoro lo metteva a contatto con gente di ogni tipo e col tempo aveva acquisito una certa affinità, a volte più superficiale, altre meno, con qualsiasi ambiente sociale. Nulla della condizione umana gli era del tutto estraneo e questo lo divertiva, perché si trattava di una formazione umanistica piuttosto simile a quella di uno sbirro.

Max controllò i tavoli ancora vuoti, sistemando piatti e posate con piccoli gesti esperti delle dita, e scambiò qualche parola con alcuni fedelissimi che quasi tutti i giorni mangiavano all'Évêché.

Un signore distinto, sulla settantina, stava gustando un piatto di agnolotti in compagnia di due vigili urbani. Li salutò con un cenno del capo, informandosi sulla qualità del cibo, sorrise a Nirina, la ragazza eritrea che serviva ai tavoli, ed entrò nel ristorante, dove la temperatura era più fresca.

Parecchie persone affamate affollavano anche l'interno del locale e Angela e Pascal, gli altri due camerieri, correvano da una parte all'altra portando piatti di cibo e bevande.

Federica, la sua socia e compagna di vita, stava stappando due bottiglie di vino bianco dal collo sottile, coperte di goccioline gelate. La donna sbuffò cercando di levare il turacciolo con il cavatappi da sommelier.

«Ambrogio ha bisogno di te ai fornelli» disse. «Hanno un problema con la cappa aspirante.»

La raggiunse, le tolse lo strumento di mano con un gesto galante, e terminò l'operazione aprendo anche la seconda bottiglia, poi le diede un leggero bacio sul collo.

«Vado in cucina» disse.

L'ora successiva trascorse in maniera frenetica come sempre succedeva nel momento di massimo afflusso. Con l'aumento dei coperti, anche ai fornelli erano costretti al faticoso *tour de force* tipico delle ore di punta. Anche se i biglietti delle comande parevano moltiplicarsi per partenogenesi, lo chef Ambrogio e i suoi tre aiutanti si facevano in quattro per soddisfare al meglio la loro clientela. La cucina risuonava del vociare dei cuochi, del tintinnio di pentole e padelle e di qualche risata, mentre il profumo delle vivande giungeva leggero in sala stimolando il piacere della tavola.

Non si diventava ricchi, con quel mestiere, ma a Max era sempre piaciuto il buon cibo e, una volta pagati affitto, stipendi e bollette, lui e Federica riuscivano a camparci dignitosamente.

All'inizio del pomeriggio, anche gli ultimi clienti si decisero a chiedere il conto. Grazie al cielo uffici e negozi riaprivano i battenti e l'ora di pranzo poteva dirsi terminata.

Max si era appena sistemato dietro al bancone, intento a preparare gli ultimi caffè, quando vide entrare il tizio anziano, accompagnato dai due vigili urbani. L'uomo, non molto alto, indossava un vestito blu di taglio antiquato ma stirato a pennello, camicia bianca e cravatta rosso scuro. In testa portava un cappello a lobbia in lapin nero dal quale sporgevano folti capelli di un bianco quasi abbagliante. Il volto cascante, alla cui bocca la gravità faceva prendere una piega insoddisfatta, raccontava una vita trascorsa frequentando individui che dovevano averlo deluso. Sul naso erano posati un paio di occhiali dalle lenti scure attraverso le quali trasparivano due occhi azzurri che ricordavano quelli di un cane da slitta. Mentre si avvicinava al bancone, Max pensò che portava in giro la sua dignità, come altri facevano con la propria eleganza.

«Andava tutto bene?» chiese all'ospite con tono cortese.

«Un pranzo eccellente» disse l'uomo.

Lasciò i due vigili qualche passo indietro e posò sul bancone le mani giunte, dalle unghie ben curate. Mani da quadro superiore, pensò Max, cercando di capire cosa volesse da lui quel singolare personaggio.

«Che altro posso fare per lei?» domandò.

«C'è un posto dove possiamo parlare senza essere disturbati?»

Max lo fissò per qualche momento, incapace di nascondere la propria sorpresa. «Mi dica pure» lo invitò infine. «Non ho segreti per i miei dipendenti.»

«Mi creda» sorrise l'uomo, «sono certo che se ne pentirebbe. È meglio se discutiamo a quattr'occhi.»

«È per caso un controllo fiscale? Qui lavoriamo secondo le regole, glielo posso garantire.»

«Niente di tutto ciò, signor Ventura, non si preoccupi. Si tratta di una questione personale.»

Rimasero a fissarsi per lunghi istanti, finché l'uomo non si tolse gli occhiali con un gesto impaziente. Quei suoi occhi da cagnone tranquillo gli parvero mansueti, privi di ogni cattiveria, e questo convinse Max a dargli un po' di corda. Del resto, cosa poteva volere da lui, quel tizio? Forse un vecchio cliente affezionato era passato a miglior vita lasciando il suo patrimonio in eredità al ristorante.

«Venga con me» disse indicando l'ingresso della sala del biliardo.

Vi si diresse seguito dal terzetto. Entrò nella stanza e tenne aperto il battente per lasciarli passare, ma l'uomo prese una ventiquattrore dalle mani di uno dei vigili urbani e li chiuse fuori dalla porta. Cercando di darsi un tono, roso da una curiosità che rischiava di trasformarsi in ansia, Max si avvicinò al tavolo e si mise a giocherellare con una delle palle da carambola che qualcuno aveva lasciato sul panno verde.

«Siamo soli» borbottò. «Mi dica cosa vuole.»

Senza una parola, l'uomo aprì la cartella e ne trasse un plico di documenti dall'aria ingiallita e consunta. Si accostò al biliardo e con calma li dispose uno per uno coprendo quasi del tutto il piano di ardesia.

Max intanto si era avvicinato con l'intenzione di dare un'occhiata distratta a tutti quei fogli. Bastò un singolo sguardo e il suo volto divenne terreo.

Eccolo, pensò. L'appuntamento che da anni temeva di dover affrontare si presentava infine in quella stanza per metterlo di fronte al proprio passato, senza appello o scampo, nelle sembianze di quell'ometto dall'aria innocua che in realtà si rivelava fatale.

Il suo sguardo si spostò piano da un'immagine all'altra, la foto segnaletica di ventiquattro anni prima, il mandato d'arresto, le carte processuali, la condanna a venticinque anni di galera e tutto ciò che ne era conseguito. Si trovava tutto su quel tavolo, ogni parola, ogni sentenza, nero su bianco. La voce del vecchio l'udì a malapena.

«Il suo vero nome è César Colucci» disse. «Lei è nato a Marsiglia nel 1966, ha perso i genitori in un incidente quando aveva tredici anni ed è stato cresciuto da una zia. Il giorno del suo primo arresto aveva vent'anni, si trattava di furto con scasso, se non sbaglio. In quell'occasione è riuscito a convincere la corte che stava solo facendo il palo, così se l'è cavata per il rotto della cuffia con la sospensione condizionale della pena. Fin qui le torna tutto quanto?»

Aveva sempre pensato che fosse meglio tacere e passare per un coglione, piuttosto che parlare e non lasciare alcun dubbio sulla questione. Quindi, bianco come un cencio, Max non rispose. Continuava a fissare le carte che aveva davanti, come se quei segni fossero una sorta di formula magica il cui incantesimo lo aveva pietrificato. Il solo movimento visibile nella sua persona era il pulsare ritmico di una guancia che si intuiva sotto la barba.

«Ha rigato dritto per un bel pezzo» continuò quindi l'altro, «oppure – e questo mi pare più plausibile – ha imparato la lezione ed è diventato più furbo. Fatto sta che per giungere al suo secondo appuntamento con la legge ha impiegato parecchi anni. Nel 1998 è stato arrestato dalla brigata antigang parigina per una serie di rapine. Nel corso di un colpo in banca a Montreuil c'è scappato il morto, signor Colucci, per questo una sentenza definitiva l'ha condannata a venticinque anni di prigione. Mi risulta che nel carcere di Fleury-Mérogis ne abbia scontati poco più di cinque.»

Max si tolse gli occhiali, alitò sulle lenti e li pulì con un lembo della camicia. Quindi li rimise al loro posto.

«Non sono stato io a sparare a quell'uomo» disse con tono lugubre, ben sapendo che di morti ce n'erano stati tanti altri.

«La cosa non mi riguarda» rispose il vecchio. «Per arrivare al nocciolo della questione, invece, è necessario un piccolo salto temporale al 2004. Questa data le ricorda qualcosa?»

Max gli saltò addosso, lo prese per il collo e con una violenza di cui non si credeva capace gli picchiò diverse volte la testa contro il bordo del biliardo, poi lo gettò a terra, lo riempì di calci e per finire lo afferrò per le caviglie e lo fece roteare sbatacchiandolo come un fagotto di stracci contro ogni possibile ostacolo in giro per la stanza. Fece tutto questo con il pensiero, perché in realtà non era in grado di muovere un muscolo. Ciò che stava raccontando il vecchio lo aveva come inchiodato al pavimento, togliendogli ogni forza, privandolo dell'energia necessaria a reagire e mozzandogli quasi il respiro.

Voltò il capo e ricambiò lo sguardo di quel viso bonario. Gli occhi da cane da slitta lo stavano osservando senza alcuna emozione, quasi comprensivi, del tutto privi del biasimo che si sarebbe aspettato.

«È evaso il 15 gennaio del 2004, mentre la stavano trasferendo da Parigi al carcere di Lyon-Corbas» continuò l'uomo con lo stesso tono piatto e informale. «Il furgone che la trasportava è stato coinvolto in un disastroso tamponamento a catena nel quale ci sono stati diversi morti. In quel frangente è riuscito a darsi alla macchia, non è così, signor Colucci? Da allora è un latitante ricercato dall'Interpol.»

«E questo cosa sarebbe, una specie di ricatto?» ebbe la forza di domandare Max.

Si rese conto che stava stringendo la palla del biliardo con una tale forza da sbiancare le nocche della mano. Siccome non era certo di resistere all'impulso di spaccargli la testa, la lasciò andare facendola rotolare sui fogli. Pensò a Federica che si trovava fuori dalla stanza, dietro al bancone del loro ristorante, e che presto sarebbe stata tanto distante da essere irraggiungibile. L'idea di perderla per sempre attraversò dolorosa la sua testa, come la grossa punta di un trapano spinta con cattiveria.

«Lei dev'essere una persona fuori dal comune» ammise l'altro, «questo bisogna riconoscerlo. Non è facile riuscire a rifarsi una vita durante la latitanza, mentre tutti ti cercano, quando ogni errore può costarti la libertà. Per giunta è riuscito a mettere in piedi un'attività coi fiocchi, mi permetta di farle i complimenti.»

«Non so che farmene dei suoi complimenti» sbottò Max rabbioso. «Mi dica quali sono le sue intenzioni. Immagino che ci sia una ragione se non si è portato dietro un plotone di sbirri.»

«Ogni cosa a suo tempo, signor Colucci. Prima dobbiamo discutere di una questione tutt'altro che insignificante. Quel pomeriggio, sul furgone penitenziario non era solo, dico bene?»

Max riuscì a trovare dentro di sé un briciolo di lucidità, cosa che gli permise di fingersi sorpreso.

«Non so di che diavolo stia parlando» disse riuscendo a malapena a non balbettare.

Il cagnone mansueto prese dalla ventiquattrore tre fogli che gli mise davanti aggiungendoli agli altri. Con una sensazione simile al dolore fisico, Max riconobbe Abdel, Sanda e Vittoria.

«Rachid Belghazi, Florence Narindra e Giselle Hartmann» disse l'uomo. «Tre detenuti che si trovavano su quel furgone assieme a lei, signor Colucci. Strano destino quello che vi ha uniti in questa fuga rocambolesca.»

«Non li ho più visti da quel giorno» borbottò Max. «Ci siamo separati subito dopo essere fuggiti. Non ho la più pallida idea di che fine abbiano fatto.»

«Davvero? Questo è piuttosto nobile, da parte sua...» Prese l'ennesimo foglio e lo posò sugli altri. «Ma inutile. Ecco un mandato di cattura per voi quattro, emesso nel 2009 dalla questura di Milano. Anche quella volta vi siete tolti brillantemente d'impaccio, bisogna darvene atto. Siete addirittura riusciti a far credere all'Interpol di aver lasciato il Paese. All'apparenza le vostre tracce si sono perse in territorio austriaco, mentre in realtà nel 2010 vi stavate già costruendo una nuova identità in questa città. Un'identità piuttosto solida, devo dire. Fino a oggi, per lo meno.»

«Se pensa che le darò delle informazioni su di loro» lo affrontò Max, «si sbaglia di grosso.»

«Non ce n'è bisogno. Dei suoi amici conosco il domicilio, so come vivono, chi vedono e con chi vanno a letto. Mi basterebbe una telefonata per farvi tornare dietro le sbarre.»

«Immagino ci sia una ragione, se ancora non ha fatto quella telefonata» disse Max con tono neutro. Una volta accettata l'impossibilità di uscirne, aveva preso atto in maniera definitiva del vicolo cieco in cui si trovava. Tale decisione lo aveva in qualche modo calmato. «Cosa vuole da noi?» chiese di nuovo.

L'uomo accennò un sorriso, forse la soddisfazione per quel "noi" che rappresentava un chiaro segno di ammissione. Pescò dal taschino della giacca un cartoncino color avorio e lo porse a Max.

«Vi aspetto tutti e quattro all'indirizzo che vede segnato» disse. «Dopodomani, alle due del pomeriggio. L'eventualità che non vi facciate vedere verrà considerata come mancanza di collaborazione. In quel caso sarò costretto ad agire di conseguenza.»

«Quali sono le sue intenzioni?» chiese Max furibondo.

«Le conoscerete a tempo debito. Per adesso sappia che darvela a gambe non servirebbe a niente. Non andreste lontano. E non si faccia venire strane idee, signor Colucci» aggiunse vedendo le mani strette a pugno che l'altro riusciva a stento a trattenere. «Ho fatto in modo che queste informazioni mi sopravvivano.»

Raccolse i fogli posati sul biliardo e li rimise nella cartella.

«E quei due là fuori?» disse Max indicando la porta.

«Non sono a conoscenza della vostra storia. Per ora.»

Dopo quell'ultima, nemmeno tanto velata minaccia, l'uomo lo salutò con un cenno del capo e lasciò la stanza. Rimasto solo, Max si sentì molle, come disossato. In pochi minuti quello strambo personaggio lo aveva riportato a diciotto anni prima, quando la continua impressione di essere braccato lo faceva sentire senza scampo. Si chiese da dove fosse saltato fuori. Aveva un lieve accento che lì per lì Max non era riuscito a individuare, forse francese, o belga.

Adesso che l'uomo se n'era andato, tutta la drammatica realtà della situazione gli pesò come un macigno sulle spalle. Doveva chiamare gli altri, organizzare un incontro, prendere delle decisioni. Per giunta era certo che per Vittoria sarebbe stata dura; ai tempi di Milano era andata a un pelo dal crollare. In qualche modo, lui si era accollato la responsabilità di tutti loro, della sicurezza di ognuno, quindi era il caso di reagire. Soprattutto doveva scrollarsi di dosso l'agitazione che gli impediva di ragionare con lucidità. In vita sua aveva visto ben di peggio.

Fece un respiro profondo, poi uscì dalla sala del biliardo e tornò dietro al bancone. Federica stava lavando le tazzine del caffè. Gli diede un'occhiata curiosa.

«Cosa voleva quella gente?» domandò. «Hanno intenzione di fare un controllo?»

Max riuscì a sorriderle. «Tutt'altro» disse. «Vogliono organizzare una cena sociale. Il corpo di polizia municipale della circoscrizione» aggiunse con un'alzata di spalle. «Entro qualche giorno ci comunicheranno la data.»

«Nient'altro?» Federica lo fissò di sguincio, la bella testa piegata da un lato.

Quella donna era capace di leggergli dentro, davanti a lei si sentiva trasparente come una lastra di vetro. Le vicende che era riuscito a nasconderle erano tante e adesso sarebbe stato costretto a dirle ogni cosa. L'abbracciò da dietro e posò una guancia contro la sua. I capelli di Federica avevano un leggero profumo di agrumi.

«Devi soltanto sapere che ti amo» sussurrò. «E che adesso me ne vado finalmente a fumare.»

Prese una manciata di fiammiferi dal cassetto, li mise in tasca e uscì dal ristorante. Cercò il cellulare e mentre attraversava la strada diretto verso il giardino di piazza Bottesini fece scorrere la rubrica per trovare il numero di Abdel. Avevano un lavoro da terminare.

DUE

Estremamente precario

«Potremmo farlo sparire» disse Abdel, lo sguardo cupo e le mani sprofondate nelle tasche dei pantaloni. «Non pensi che sarebbe la soluzione migliore?»

«Non risolverebbe nulla» rispose Max stringendo tra le labbra il cannello della pipa. «Qualcun altro ha le sue stesse informazioni e per noi sarebbe finita.»

«Magari ti ha mentito.»

«Può darsi, ma le carte che abbiamo in mano non sono abbastanza buone da permetterci di vedere il suo bluff.»

Avevano lasciato il ristorante pochi minuti prima. Percorsa via Foroni, sbucarono sulla piazza del mercato. Quasi tutti i banchi erano smontati e quelli ancora in piedi stavano servendo i pochi clienti ritardatari. Max amava quel posto. Tutte le mattine accompagnava Federica a fare la spesa per il ristorante, sempre all'alba, quando il mercato aveva appena aperto. L'idea di poter perdere ciò che aveva costruito con tanta pazienza gli diede una fitta allo stomaco. Nell'aria si sentiva ancora il profumo delle spezie misto all'odore di pesce e al puzzo dei rimasugli di frutta e verdura che stavano marcendo al calore del sole. Gli addetti del Comune avevano già cominciato a pulire la piazza.

«Non ho nessuna intenzione di tornare in galera» brontolò Abdel dando un calcio a una mezza patata, che rotolò lontano.

«Neppure io, ma quello ci ha messo un cappio al collo, che la cosa ti piaccia o meno. Comunque non possiamo decidere noi due, dobbiamo parlare con Sanda e Vittoria. È giusto sentire anche la loro opinione.»

«Io gli sparo nel culo, a quel tipo» disse Abdel tra i denti.

In quel momento Max scorse la persona che stavano cercando. Toma Caramitru, detto ironicamente don Ciccio, era fermo davanti a un bar di dubbia fama, intento a minacciare un gruppetto di persone composto da neri, gialli e bianchi, ai quali voleva di certo portare via qualcosa. Quando vide i due che lo stavano puntando perse di botto tutta la sua spocchia e, fingendo un impegno dimenticato, si allontanò a passo svelto verso uno dei vicoli lì attorno.

Max e Abdel lo seguirono senza fretta, certi di non poterlo perdere. Per una decina di minuti gli tennero dietro mentre l'uomo si addentrava più a fondo nel cuore della Barriera. Ogni tanto don Ciccio voltava il capo per tenerli d'occhio, mentre la sua espressione prendeva un aspetto sempre più scocciato. A un certo punto si infilò all'interno di uno stretto portone. Era la sua solita via di fuga, ma non questa volta.

«Hai capito quello che devi fare?» chiese Max.

«Stai tranquillo.» Abdel sorrise. «In certe occasioni so essere abbastanza creativo.»

«Basta che dopo possa andarsene via con le sue gambe.»

I due amici percorsero l'androne maleodorante che sbucava in un cortile angusto, pavimentato con pietre di fiume in mezzo alle quali cresceva un'erbetta striminzita e giallastra. Sulla facciata scura si aprivano le porte arrugginite di quelli che dovevano essere magazzini o botteghe abbandonate. Al fondo, oltre una fila di bidoni della spazzatura, l'uomo stava tirando la maniglia di un cancello di ghisa grigia che non voleva saperne di aprirsi a causa di una catena con lucchetto nuova di zecca.

Max si fermò all'inizio del cortile e lasciò che il kabilo procedesse da solo. Vedendo che si stava avvicinando, don Ciccio si voltò verso di lui tentando di assumere un'aria spavalda. Aveva il viso coperto di sudore e gli occhi cattivi.

«Che cazzo vuoi?» sbottò.

«Ti avevamo chiesto di lasciar perdere» disse Abdel. «Ma tu non ci hai dato retta.»

L'uomo diede un'occhiata veloce all'acciaio della catena che luccicava al sole, poi tornò a guardare Abdel.

«L'abbiamo messa ieri sera» disse il kabilo con un sorriso. «Volevamo farti una sorpresa.»

Godendosi il suo sconcerto, fece un passo di lato per impedirgli il passaggio. L'uomo era spaventato, anche se cercava di non mostrarlo. Doveva essere uno di quei bulli la cui prepotenza è direttamente proporzionale al numero di persone che gli guardano le spalle. Da solo non valeva un granché.

«È meglio che ti levi di torno, negro» minacciò pulendosi la bocca con il dorso della mano.

Senza una parola, Abdel si avvicinò e lo colpì con un pugno al centro del ventre sporgente, da bevitore di alcol. Don Ciccio si piegò in due con un verso afono e la sua guancia intercettò un secondo montante che lo fece ruzzolare assieme ai bidoni dell'immondizia che aveva alle spalle. Si appoggiò al muro e mentre tentava di alzarsi cercò il calcio della pistola che portava dietro la schiena, nella cinta dei pantaloni.

Non appena vide il riflesso del metallo, Abdel lo spinse indietro con una pedata sul petto. Don Ciccio picchiò la nuca sullo spigolo del gradino e l'arma gli sfuggì di mano. Il kabilo si chinò e la raccolse, passandola da una mano all'altra. Era una Zastava M88 di fabbricazione jugoslava, quasi del tutto priva di brunitura e con la matricola abrasa. Sfilò il caricatore e vide che conteneva ancora tre pallottole.

Nel frattempo il rumeno si era rovesciato su un fianco cercando un appiglio per sollevare il busto. Abdel lo afferrò per il bavero del giubbotto senza maniche che aveva indosso e dopo averlo rimesso in piedi lo spinse contro il cancello.

«Apri bene le orecchie, stronzo.» Il rumeno lo fissò con aria afflitta. «Ho saputo che sei andato in una certa palestra a chiedere il pizzo. Capisci di cosa sto parlando?»

L'altro non rispose, ma il suo sguardo divenne diffidente. Continuava a guardare la pistola che il kabilo teneva in mano come un oggetto qualsiasi. Abdel fece il gesto di dargliela in testa e don Ciccio sollevò un braccio per proteggere il capo.

«D'accordo, capito» belò. «La palestra di negra...»

«Un po' grossolano, ma sveglio» lo interruppe. «Bene, devi sapere che la proprietaria è una nostra cara amica.» Si scambiò uno sguardo con Max che osservava compiaciuto dall'altro lato del cortile. «Quindi, sarebbe il caso che per i tuoi traffici da quattro soldi cambiassi zona.»

«Non sapevo che era tua amica» ribatté accigliato l'uomo. «E poi non ho chiesto molto. Devo pur campare, no?»

«L'importante è che tu vada a campare da un'altra parte. Quella palestra non si tocca. E ricorda che in questo quartiere abbiamo tanti altri amici, finiresti comunque per pestarci i piedi.»

«È anche mio quartiere» puntualizzò offeso. «È qui che ho tutti miei affari.»

L'intelligenza è un po' come un paracadute, quando non lo si possiede ci si schianta. Quell'individuo lo irritava, la sua stupidità lo irritava. Per giunta, tutta la tensione accumulata poco prima per ciò che era successo a Ventura trovò un punto di sfogo in quel momento propizio.

Abdel avanzò di un passo. Mise una mano sulla slitta della pistola e la fece scattare mettendo il colpo in canna. Afferrò don Ciccio per il collo e gli infilò la canna in bocca. Il rumeno si mise a gemere come una partoriente.

«Pensi di essere fortunato?» gli chiese.

Terrorizzato, don Ciccio scosse freneticamente il capo facendo segno di no.

«Vediamo» disse Abdel, e premette il grilletto.

Lo scatto a vuoto del percussore fece un rumore agghiacciante. Don Ciccio sobbalzò, poi si lasciò scivolare lungo le sbarre del cancello e sedette sul gradino, i pantaloni bagnati di piscio e il volto più bianco della merda di un lattaio.

«Vedi che sei fortunato, invece?» sorrise l'algerino rimettendo l'arma in tasca. «Ma ti suggerisco di non tentarla troppo, la sorte. La prossima volta potrebbe andarti male.»

«Voi...» balbettò, «siete due pazzi...»

«Questo non è da escludere. Il mio consiglio è che tu vada a lavorare lontano da qui, magari in un'altra città. Fossi in te non me lo farei dire due volte.»

Abdel si accucciò davanti a lui. Accese una sigaretta intanto che gli teneva un dito piantato nel petto.

«Vorrei che ti fosse chiaro un ultimo particolare» disse. «Se a uno di noi succede qualcosa, *qualsiasi* cosa, tu sei un uomo morto. Non esiste posto al mondo dove ti potresti nascondere. Afferri il concetto?»

Di malavoglia, don Ciccio rispose con un muto cenno di assenso. Era spossato, se l'era fatta addosso e non vedeva l'ora che quei due si levassero dai piedi per tirare il fiato e poter fumare in santa pace, rammaricandosi, magari, della sfiga che li aveva messi sulla sua strada. Lo seguì con lo sguardo mentre raggiungeva il suo amico più vecchio. Attese che uscissero dal cortile, poi si frugò in tasca alla ricerca delle sigarette convinto che, per qualche tempo, l'aria di Genova sarebbe stata salutare.

Max e Abdel tornarono in strada e si diressero verso l'Évêché. Al sole del pomeriggio la Barriera pareva quasi un quartiere tranquillo. I banchi del mercato erano scomparsi e le spazzatrici meccaniche stavano ripulendo piazza Foroni.

«Mi è piaciuto lo scherzetto della pistola» disse Max. «Come diavolo ci sei riuscito?»

Abdel sorrise. «Velocità nelle mani. Quando ho controllato il caricatore ho tolto tutte le pallottole e quando ho armato la pistola, in realtà ho levato il colpo in canna.» Fece saltellare un proiettile nel palmo della mano.

«Pensavo che a don Ciccio sarebbe venuto un infarto.»

«Figurati, quello ha la pelle dura.»

Si fermarono nel giardino davanti al ristorante e sedettero su una delle panchine. Ventura riempì la pipa e l'accese con un fiammifero. Dall'altra parte della piazza, Nirina e i suoi colleghi stavano ancora sparecchiando i tavoli. Abdel lo osservò per qualche momento, poi sogghignò.

«Un giorno o l'altro mi spiegherai perché hai dato al tuo locale il nome del commissariato centrale di Marsiglia» disse.

Max fece spallucce. «Mi piace carezzare i ricordi.»

Sorrise, poi prese il cellulare criptato – tutti e quattro ne possedevano uno – e chiamò Sanda.

«Allora?» disse la voce profonda della ragazza. «Com'è andata?»

«Penso che tu possa stare tranquilla» la informò Max. «Quella gente non ti darà più fastidio, Abdel e io abbiamo messo le cose in chiaro.»

Sanda rise. «Sei sempre il solito delinquente. Ti ringrazio, comunque stavo per chiamarti.»

«Che altro succede?»

«Non ne sono sicura, ma ho l'impressione che da tempo qualcuno stia gironzolando attorno a casa mia.»

«Ti hanno seguita?»

«È possibile, ma forse mi sto immaginando tutto. Sai che a volte sono paranoica.»

«Credo di sapere di cosa si tratta» sospirò Ventura. Oggi ho ricevuto una visita piuttosto spiacevole.»

«Ci hanno scoperti?» La voce di Sanda si fece affannata.

«Ne parliamo domani pomeriggio. Ci vediamo tutti da Abdel in officina, appuntamento alle diciotto.»

«Devo prepararmi a…»

«Non fare nulla» la interruppe. «È più prudente non parlarne al telefono, domani ti spiego ogni cosa.»

Si salutarono e Ventura chiuse la comunicazione. Fissò il cellulare chiedendosi se fossero ancora sicuri, se davvero potessero impedire qualsiasi tipo di intercettazione. Erano stati il primo acquisto che avevano fatto dopo la spiacevole fuga da Milano e li cambiavano ogni due anni. Secondo Vittoria, che aveva bazzicato banche con sedi *off-shore*, il solo modo sicuro per comunicare tra loro era farlo con telefoni non rintracciabili.

«Che dice?»

La voce di Abdel lo scosse dai suoi pensieri. «Sanda è una tipa in gamba» borbottò. «Al contrario di noi, dev'essersi accorta che qualcuno ci stava addosso.»

«Non mi piace questa storia. E non mi piace l'idea di perdere tutto.»

«Nemmeno a me, ma temo che a questo punto non dipenda più da noi. Domani decideremo assieme come affrontare la questione.»

Abdel si alzò. «D'accordo. Ora è meglio che torni al lavoro.»

Si strinsero la mano, un gesto all'apparenza formale, ma che tra loro aveva un significato più profondo. Rappresentava un'amicizia difficile, cresciuta su fondamenta fragili, che soltanto la necessità di una fiducia reciproca era riuscita a consolidare.

Max lo seguì con lo sguardo mentre attraversava la strada e montava sulla sua Peugeot 403 cabriolet del 1956, un'elegante sportiva color verde bottiglia. Le belle auto erano sempre state la passione di Abdel, passione che a un certo punto l'aveva messo nei guai.

Diede qualche tiro alla pipa per riaccendere il tabacco. Non ricordava di essersi mai sentito così spaventato. Per la prima volta da anni, quell'equilibrio che con tanta fatica erano riusciti a consolidare gli parve estremamente precario.

TRE

Una dentro l'altra

Il parcheggio davanti all'ospedale San Giovanni Bosco era pieno di automobili, un'enorme tavolozza di colori che brillavano al sole caldo di fine pomeriggio. L'asfalto spaccato della sede stradale e le erbacce che crescevano accanto al bordo dei marciapiedi aumentavano la sensazione di abbandono che si percepiva in quella zona della città. Soltanto il viavai continuo dentro e fuori dal pronto soccorso restituiva una qualche impressione di efficienza, tipica di una sanità provata, martoriata, defraudata, ma che ancora non si arrendeva.

Max mise il bocchino della pipa tra le labbra e l'accese con un fiammifero, che poi spense agitandolo piano nell'aria. Fumò per qualche momento a occhi chiusi, assaporando il gusto legnoso del Latakia che si mescolava alla dolcezza complessa del tabacco Cavendish, creando sul palato quell'armonia della quale non poteva fare a meno, infine diede uno sguardo all'orologio.

Il flusso di visitatori cominciava a diradarsi. Parecchi portavano ancora la mascherina sul viso, un retaggio lasciato dal passato recente che in qualche modo aveva messo tutti sullo stesso piano. *Quasi* sullo stesso piano. Sapeva di gente che si era enormemente arricchita a scapito di altri che invece avevano dato il giro.

Ripensò ai mesi in cui aveva rischiato di dover chiudere il

ristorante. In quel frangente, soltanto la tenacia di Federica e la disponibilità dei suoi dipendenti avevano potuto impedire che il peggio potesse accadere. Riprendere in mano le proprie vite per cercare di tornare a una normalità, all'inizio solo apparente, aveva richiesto a tutti uno sforzo estenuante.

Per questo, forse, per l'affanno che avevano dovuto patire tutti quanti nel periodo delle chiusure, vedere ancora in giro gente con la mascherina gli comunicava un senso di disagio.

Si appoggiò alla carrozzeria dell'auto che aveva alle spalle e continuò a fumare osservando l'umanità sempre più rada che gli circolava accanto. Il sole aveva cominciato la sua parabola discendente che nel giro di qualche ora lo avrebbe fatto scomparire dietro ai brutti condomini attorno alla piazza.

Erano da poco passate le diciotto quando vide Vittoria uscire dal pronto soccorso in compagnia di due colleghe. Si fermò sul piazzale per salutare le due infermiere, poi proseguì nella direzione in cui Max la stava aspettando. Si accorse della sua presenza soltanto all'ultimo momento, per questo si fermò sorpresa, prima di avvicinarsi sorridendo.

«Ciao» disse.

«Come stai, Vittoria?» la salutò Ventura.

Si strinsero la mano, poi si abbracciarono scambiandosi un bacio veloce sulle guance. Il suo profumo si mescolava a quello di disinfettante e di fumo.

«Che ci fai da queste parti?» chiese la donna.

«Ho bisogno di parlarti. Se ti va, possiamo andare a bere qualcosa.»

«Ne ho giusto bisogno. Ci sono delle novità?»

«Poi ti racconto.»

La prese a braccetto e si avviarono verso largo Sempione.

«Come sta Matilde?» domandò Max.

«Bene. Se dio vuole siamo a giugno e la scuola sta per finire.

Da quando è ripresa con regolarità, li hanno messi sotto per recuperare il tempo della didattica a distanza.»

«Continua a darci sempre dentro con l'informatica?»

«Le piace sempre di più. Adesso disegna siti web per le sue amiche. Le ho regalato un nuovo computer, più potente.»

«Così potrà seguire meglio anche le nostre faccende.»

Vittoria scosse il capo «È affascinata dagli hacker, non vorrei che una volta o l'altra si ficcasse nei guai.»

«Quello sarebbe un problema» rise Max. «Forse dovremmo dirle quali sono i rischi.»

«Non è così facile, credimi, a quell'età si sentono invincibili.»

Matilde era la figlia di Vittoria, un'adolescente sveglia e simpatica che non aveva mai conosciuto suo padre. Non che la madre lo avesse incontrato molto più a lungo. Una sola notte passata con il pezzo di merda, diciassette anni prima, era stata sufficiente; nove mesi più tardi era nata la bambina.

Attraversarono il Trincerone, la vecchia linea dismessa della ferrovia, dentro cui cresceva una vegetazione incolta dall'aria selvaggia, e raggiunsero un bar sull'angolo dei giardini, dove sedettero a un tavolino. Tra le piante si udivano le urla dei bambini che giocavano sotto lo sguardo vigile di mamme appartenenti a una mezza dozzina di Paesi diversi.

«Come va il tuo lavoro?» domandò Max.

Lei fece spallucce. «Le solite difficoltà, come puoi immaginare. Comunque è più tranquillo dell'anno scorso, quando eravamo in piena emergenza.» Mise una mano su quella di Max. «E Federica?»

«Sempre in gran forma, il ristorante sta andando a gonfie vele.»

«Una di queste sere volevo passare con Matilde. È dal mese scorso che non veniamo e chiede sempre di voi. Non so da chi abbia preso, ma le piace cenare fuori.»

«Basta che mi avverti e vi tengo il tavolo migliore.»

All'inizio, pochi mesi dopo la fuga, avevano avuto una breve storia d'amore. Era proseguita fino alla nascita di Matilde, poi lei aveva preferito interrompere e Max si era sempre chiesto perché. La cosa aveva comunque lasciato tra loro un legame particolare, e quello era rimasto, una dolcezza che si faceva sentire quando erano soli, come in quel momento.

Un cameriere portò le ordinazioni a un tavolo vicino, poi si fermò da loro. Vittoria prese uno spritz e Max ordinò un bicchiere di vino bianco. Si rese conto che la donna era tesa. Poteva essere la stanchezza della giornata, ma era più probabile che la visita inaspettata l'avesse agitata. In genere si incontravano tutti e quattro e gli appuntamenti erano organizzati con parecchio anticipo; lui invece si era materializzato da solo, senza avvertire, e questo significava uno strappo alla regola. E gli strappi alla regola, fino a prova contraria, significano problemi.

«C'è qualcosa che non va, vero?» disse infine Vittoria. «Altrimenti mi avresti chiamata.»

Indossava un vestito aderente di maglina di seta arancione, con le maniche lunghe e il collo a camicia. I capelli neri, lucidi, erano acconciati in una sorta di elegante conchiglia attorno alla testa, molto anni Sessanta, pensò Max. Era una donna di una bellezza animalesca, lo sguardo circospetto di chi ne ha passate molte, una di quelle donne che – per via di una sensualità naturale, difficile da tenere sotto controllo – gli uomini si giravano a guardare per strada.

«Ci hanno scoperti» disse senza mezzi termini. Era inutile girarci troppo attorno.

Vittoria impallidì. Prese un pacchetto di Gauloises Blondes dalla borsa, ne mise una tra le labbra e l'accese. Ventura vuotò la cenere dal fornello e riempì di nuovo la pipa di tabacco. Lei l'osservò corrucciata per qualche istante, esalando il fumo in maniera nervosa.

«Chi?» domandò.

«Un tizio che si è presentato questa mattina al ristorante. Conosce a menadito la mia storia e sa tutto anche di voi. I motivi per cui ci hanno arrestati, le condanne, l'evasione. È pure al corrente della nostra fuga da Milano.»

Mentre Vittoria si guardava attorno con aria spersa, la sigaretta che bruciava lenta tra le dita, Max prese un fiammifero e accese la pipa. Questa volta il Latakia non gli diede alcun piacere, trovò che anche il tabacco avesse preso un sapore amaro. Osservò l'amica e si rese conto che la notizia sembrava aver aggiunto una decina d'anni al suo bel volto. Il pallore aveva lasciato il posto a un'espressione spaventata, la stessa che aveva avuto lui dopo che l'uomo aveva sparso fogli sul biliardo.

«Mi sento male» disse Vittoria, quasi tra sé. «Come ha fatto a sapere di noi?»

«Non ne ho idea. Aveva nomi, documenti, le foto, le date. Non ho dubbi che sapesse tutto.»

«Dovremo sparire di nuovo?» chiese lei, gli occhi che parevano supplicare.

«Dubito che ce ne lasci la possibilità. Sembrava piuttosto sicuro del fatto suo.»

«Come farò a dirlo a Matilde?»

Max le prese una mano con delicatezza. «Ne usciremo anche questa volta» disse stringendo fra i denti il cannello della pipa. «Devi fidarti di me, tutti insieme ce la faremo.»

Il cameriere portò i drink e li posò sul tavolino. Max pagò, poi bevve un sorso di vino. Senza nemmeno toccare il suo, Vittoria spense la sigaretta in un posacenere di vetro, poi si chinò in avanti e nascose il viso tra le mani. Tre donne arabe, una nonna, una madre e una figlia, erano sedute a poca distanza da loro. Bevevano del tè in silenzio e li stavano osservando incuriosite. Erano vestite pressappoco nella stessa maniera, con i caftani scuri e gli hijab che lasciavano scoperto solo il viso. Pensò che avevano il buffo aspetto di tre matrioske separate.

Vittoria sospirò rimettendosi dritta, le spalle abbandonate contro lo schienale della sedia. Pareva annientata dalla notizia.

«Come faccio a dire a Matilde che dobbiamo mollare tutto?» si lamentò lasciando cadere le mani in grembo. «Lei non sa niente di questa storia. Per proteggerla, o forse per vigliaccheria, non le ho mai detto come stavano le cose. Non credo le farebbe piacere sapere che sua madre è una delinquente ricercata.»

«Il fatto che ti abbiano coinvolta in un crimine non fa di te una delinquente» disse Max. «Penso che faresti meglio a parlarle, sono certo che abbia l'età e l'intelligenza per capire. E poi ti vuole bene. Vuole bene a tutti noi, nonostante quello che siamo.»

«È già successo in passato. Aveva poco più di tre anni, quando siamo dovuti scappare da Milano. E quella volta ci siamo andati vicini, ricordi? A momenti ci prendevano tutti quanti. Io non potrei sopportare di perderla, Matilde è tutto ciò che mi rimane.»

«Si sistemerà ogni cosa, Vittoria, non dobbiamo lasciarci prendere dal panico.»

«Come vivrà mia figlia se mi mandano in galera? Ci riporteranno in Francia e non la vedrò più.»

Max avvicinò la sedia a quella di lei. Doveva arginare la crisi di panico che stava prendendo il sopravvento.

«Ascolta» disse. «Farò in modo che non accada, d'accordo?» La donna annuì, le braccia strette attorno al corpo come per proteggersi da qualcosa che nemmeno riusciva a vedere.

«E se anche dovesse succedere, Federica si occuperà di Matilde e la porterà da te, dovunque tu sia.»

Vittoria si lasciò scappare un singhiozzo. Sembrava sul punto di piangere, ma ricacciò indietro le lacrime.

«Ma andrà tutto bene» aggiunse Ventura per rassicurarla, «te lo garantisco. Ne usciremo anche questa volta.»

«Come fai a esserne sicuro?» chiese lei tirando su col naso.

«Perché se intendevano arrestarci, sarebbe già successo.»

Le raccontò in parole povere il brutto incontro della mattina, quando quel tizio aveva letteralmente messo le carte in tavola. Le disse delle foto, dei documenti, dell'appuntamento e tutto il resto. Cercò di farle capire che voleva qualcosa da loro e che prima di dare tutto per scontato dovevano sentire che diavolo aveva da proporre. Poi avrebbero deciso insieme.

«Chi è quell'uomo?» domandò Vittoria. Sembrava un poco più tranquilla.

«Non lo so, forse un poliziotto. Non capisco come sia riuscito a trovare quel materiale su di noi. Ma ha il coltello dalla parte del manico, questo è certo.»

«Vuole ricattarci?»

«Sì, temo sia una specie di ricatto, ma non so cosa pretenda in cambio della nostra libertà. Ce lo dirà quando lo incontreremo.»

«Mi fido di te, Max» mormorò. «So che impedirai che mi portino via la mia bambina.»

«Nessuno te la porterà via, hai la mia parola.»

Vittoria annuì. Prese il bicchiere, tolse le cannucce e bevve un lungo sorso di spritz. Infine le sue iridi chiare incontrarono lo sguardo di Max.

«Cosa devo fare?» disse.

«La vita di tutti i giorni, come se questo incontro non fosse mai avvenuto. Domani pomeriggio nell'officina di Abdel vediamo gli altri e ne parliamo.»

«E Matilde?»

Ventura si mordicchiò l'unghia di un pollice. «Penso che con calma dovresti cominciare a raccontarle di noi, di quello che siamo davvero. Sono certo che capirà e che questo non diminuirà il suo affetto.»

«È un discorso difficile da fare.»

«Lo immagino, ma è una ragazza intelligente, ti verrà incontro. E ricorda che non sei sola.»

Lei sorrise. Le tre matrioske si erano alzate e adesso si stavano allontanando dal bar dirette verso i giardini. Camminavano in fila indiana, dalla più alta alla più bassa, e questo accentuava ulteriormente l'impressione che potessero vivere una dentro l'altra.

QUATTRO

Cosa ci aspetta

Venerdì 3

I minuti seguiti al suo ingresso nell'officina, anche se non era successo assolutamente nulla, Max li avrebbe ricordati per un pezzo. Merito dei disegni misteriosi della memoria che tendono a fotografare momenti insignificanti o banali che, per motivi incomprensibili, rimangono impressi nel ricordo e tornano a farsi sentire, quasi fossero incancellabili. Questo strambo meccanismo provocava in lui un'inquietudine che tendeva a dare a questi istanti un'importanza maggiore di quanta ne avessero in realtà.

A rifletterci bene, tutti i momenti della sua vita, con il carico di ansia che si portavano dietro da anni, lo avevano ormai convinto che intorno a lui succedessero più cose di quanto fosse in grado di controllare, ma che soltanto alcuni di quei momenti, per ragioni a lui sconosciute, erano più nitidi di altri. Si rivelavano col tempo, come fotografie immerse nel liquido di sviluppo.

Guardandosi attorno, cercò di focalizzare l'attenzione su ciò che aveva attorno, gli odori, i colori, gli oggetti, su ogni possibile sensazione per quanto sfuggente potesse essere.

Max si era convinto che quando la tua vita trascorre nell'attesa, finisci per lasciarti prendere da un sentimento ambiguo;

aspettare era diventata un'abitudine. Per questo, forse, aveva smesso di cercare altro, anche perché ciò che poteva succedere non avrebbe solo posto fine all'attesa, ma anche a tutto ciò che sarebbe venuto dopo.

Eppure, mentre si muoveva tra le vecchie auto d'epoca sparse per l'officina, alcune delle quali non erano che rottami privi di vera e propria forma, si rese conto all'improvviso che conoscere il proprio destino – la fine di un'attesa che ora capiva quanto fosse stata estenuante – lo aveva in parte tranquillizzato. Non doversi più guardare alle spalle, una volta successo l'inevitabile, era una sensazione quasi inebriante.

Come diceva sempre Rénaud, l'autista della banda ai tempi di Parigi, soltanto quando puoi decidere come affrontare l'ignoto, passa davvero la paura.

Il frastuono della serranda lo distolse dai suoi pensieri. Abdel stava chiudendo l'officina, ora illuminata soltanto dalla luce che passava attraverso gli shed sul soffitto. Ventura sapeva quanto quell'edificio fosse a prova di bomba. Quella sera, come del resto molte altre sere, tra la mezza dozzina di vetture parcheggiate là dentro almeno tre superavano i centomila euro di valore. Abdel lo aveva progettato per resistere a qualsiasi tipo di intrusione. Lui e Max avevano sempre trovato divertente che l'antifurto dell'officina di un evaso ricercato da diverse polizie europee fosse collegato al commissariato di zona. Tra i suoi clienti, del resto, c'erano un paio di alti ufficiali dei carabinieri e addirittura un questore.

Si avvicinò agli altri lasciando scorrere le dita sulle forme quasi femminili di una Jaguar XK 120 coupé.

«Non pensi che qualcuno ci abbia traditi?» domandò Sanda.

Fino a quel momento nessuno di loro aveva accennato al vero argomento di quella riunione estemporanea, di conseguenza Ventura considerò aperta la discussione.

«Per tradire è necessario che qualcuno sappia» disse. «Io non ho mai raccontato a nessuno gli affari nostri. Quindi, a meno che uno di voi non ne abbia parlato a qualche amico, non vedo chi avrebbe potuto tradirci.»

«Nessuno di noi l'ha fatto» sbottò la donna. «Non siamo mica cretini. Ma qualcuno ha saputo e ci ha denunciati.»

Indossava le braghe di una tuta da ginnastica e una maglietta girocollo nera, entrambe aderenti, che mettevano in risalto il suo fisico sottile e la muscolatura lunga e scattante. La folta criniera di riccioli scuri che le circondava il viso, quasi celandone i tratti, le dava l'aspetto di una Medusa nera e inviperita il cui sguardo cercava qualcuno da pietrificare all'istante.

«Quel tipo che è passato da te» si intromise Abdel. «Sei sicuro di non averlo mai visto? Magari è già venuto a pranzare nel tuo ristorante.»

Max scosse il capo. «È un tipo ordinario, allo stesso tempo comune e singolare. Non è escluso che sia successo e non me ne sia accorto.»

«E le presenze che ti sembra di aver notato attorno alla palestra?» domandò Abdel a Sanda. «Non è che per caso ti sei immaginata tutto?»

La nera lo fulminò con lo sguardo. «È stata un'impressione che si è ripetuta più volte» sibilò. «Quando hai alle spalle una vita come la nostra diventi paranoico, lo ammetto, ma non mi era mai successo di sentirmi osservata.»

«Potrebbe essere la stessa persona?» chiese Max, e le descrisse il personaggio che aveva incontrato al ristorante il giorno precedente.

«Il tizio che gironzolava attorno alla palestra lo ricordo diverso, sempre che non me lo sia sognato, come sostiene Abdel.» Lo guardò e gli mostrò la lingua. «Nelle ultime settimane l'impressione di essere seguita l'ho avuta spesso.»

«Se ne avessi parlato con noi, forse avremmo potuto prendere dei provvedimenti» disse Abdel finendo di lavare con la pasta abrasiva le mani sporche di grasso.

«Mi avreste solo presa per il culo» ribatté Sanda. «Come del resto state facendo adesso.»

Il kabilo le fece l'occhiolino, poi si sciacquò la faccia. Dopo essersi asciugato, si tolse la tuta da lavoro lurida, sotto la quale indossava una camicia bianca e pantaloni neri. «Può darsi» disse infine, «ma saremmo stati pronti.»

«Pronti per cosa?» intervenne Vittoria. «Quello sa tutto di noi, mentre noi non abbiamo la più pallida idea di chi sia e che intenzioni abbia.»

Era in piedi un poco discosta, le braccia conserte in una posa quasi di difesa, e li fissava accigliata. Indossava ancora il vestito arancione del giorno prima. Prese una sigaretta dalla borsa e l'accese con gesti nervosi.

Per un certo tempo rimasero in silenzio. Max sedette su uno sgabello traballante, sistemò gli occhiali sul naso e osservò i suoi amici rivivendo gli istanti che avevano preceduto la loro fuga da Milano. Allora avevano avuto il tempo di prepararla, la minaccia era stata latente, non precisa e immediata com'era in quel momento.

Sanda spostò una seggiolina di plastica e metallo e si accomodò accavallando le gambe. «Non possiamo tagliare la corda?» chiese.

«Siamo qui per decidere tutti insieme» le ricordò Max. «Scappare vuol dire mollare tutto, immagino che lo abbiate messo in conto. In questa città ognuno di noi ha più di quanto aveva a Milano. Abbiamo vite, relazioni, questa volta ci sono tante cose a cui dovremmo rinunciare. Io non so se me la sento.»

Prese la scatola del tabacco e cominciò a riempire la pipa.

«L'alternativa è quella di finire dentro» sbottò Abdel. «Oltre al resto perderemmo anche la nostra libertà.»

«Per Matilde sarebbe uno shock pazzesco» disse Vittoria, che non si era mossa dal suo posto. «Dovrebbe lasciare la scuola, gli amici, tutto quanto, senza parlare del futuro che l'aspetterebbe. Questo non lo posso permettere, piuttosto sono pronta ad affrontare le conseguenze dei miei errori.»

«Te la toglierebbero» la avvertì Sanda. «Se ti riportano dentro verrebbe affidata ai servizi sociali» aggiunse con un tono di voce più dolce.

Vittoria buttò a terra il mozzicone e lo pestò con la punta di un sandalo. «Sta crescendo» disse come per convincere se stessa. «Una volta maggiorenne tornerebbe da me. Se, al contrario, dovessi costringerla a subire il trauma di una fuga, la perderei per sempre.»

«Ho io la soluzione» brontolò Abdel.

Si avvicinò a un mobiletto di metallo grigio appeso sopra un banco da lavoro coperto di attrezzi e scatole di ricambi. Sganciò qualcosa sotto la base, poi lo fece ruotare su cardini invisibili, aprendolo come uno sportello. Dietro era nascosta una nicchia che si apriva nel muro. Su un fondo di legno erano appese due pistole semi-automatiche e un silenziatore.

«Sono prive di matricola» continuò il kabilo. «Prendiamo quel tipo, lo portiamo in campagna e lo leviamo di mezzo. È il solo sistema per risolvere il problema alla radice.»

«Abdel ha ragione» gli diede man forte Sanda. «Quel ricattatore non merita altro. Facciamolo fuori.»

Silenzio. Max accese la pipa e pigiò appena la brace in modo che bruciasse per bene. I suoi compagni si scrutavano, quasi stessero cercando di sondare i reciproci pensieri.

«Voi siete pazzi...» mormorò infine Vittoria.

Sempre immobile allo stesso posto, le braccia strette attorno al busto, la donna pareva sconvolta. Ventura si alzò dalla sedia e si avvicinò alla nicchia che aveva aperto Abdel. Prese una delle pistole e la osservò con aria distratta. Era una CZ 82 cecoslovacca in calibro 9x18 Makarov; si chiese dove diavolo l'avesse recuperata Abdel. Sfilò il caricatore e vide che era vuoto. Lo rimise al suo posto, la pipa stretta tra le labbra e l'aria accigliata.

«Vittoria ha ragione» disse, «questa strada sarebbe una follia.» Sollevò l'arma e la sventolò mostrandola agli altri. «Il giorno dell'incidente, quando la sorte ci ha dato una nuova chance, abbiamo preso la decisione comune di allontanarci da ciò che eravamo stati nelle nostre vite precedenti, lo ricordate?» Ripose la pistola nella nicchia. «Se utilizzassimo la violenza per uscire da questa situazione torneremmo a essere dei criminali, cosa che per giunta ci metterebbe di fronte a un grosso rischio: se dovesse andare male sarebbe la galera a vita. Non è così difficile da immaginare.»

«E quindi?» lo affrontò Sanda. «Che cosa proponi?»

La sua bocca dalle labbra grandi e ben disegnate manteneva una piega scontenta. Ognuno di loro reagiva al pericolo in maniera differente, pensò Max. Il suo compito era quello di arginare i malumori per incanalarli nella giusta direzione. Qualsiasi errore o leggerezza sarebbe stato fatale per tutti.

«Abbiamo due possibilità» disse.

«Io in carcere non ci voglio tornare» ribadì Vittoria.

La calmò con un gesto tranquillo della mano. «La prima» continuò «è quella di sparire in fretta e furia, abbandonando tutto ciò che siamo riusciti a mettere in piedi. Ammesso che si riesca a farlo, vorrebbe dire ricominciare ogni cosa da zero.»

La donna chiuse gli occhi con forza. Una gentilezza inaspettata può essere più efficace delle minacce o delle urla. Può tranquillizzare una persona che ha passato troppo tempo a carezzare la propria tensione. Sfregò le mani sul viso con un gesto stanco, poi guardò Max, ancora impaurita.

«E la seconda?» chiese.

«La seconda è andare a sentire cosa vuole da noi quell'uomo.»

Abdel si guardò attorno come per valutare ciò che possedeva, l'officina ampia e spaziosa, le bellissime automobili d'epoca che i suoi clienti affidavano a lui perché le curasse come oggetti preziosi. Sospirò pensando a Teodoro, l'avvocato con cui condivideva due passioni, rotolarsi in un letto e la Porsche 356 Speedster del 1956. Si rese conto che, nel caso della prima possibilità che aveva ventilato Max, questo era il problema più grosso: ognuno di loro aveva degli affetti, persone che con ogni probabilità avrebbero dovuto abbandonare o addirittura perdere per sempre.

Diede un'ultima occhiata alle pistole sul loro supporto, poi richiuse l'armadietto, nascondendo la nicchia. Vittoria intanto si era avvicinata. Sedette sulla punta di una poltroncina, il busto rigido e il volto alterato dalla tensione.

«Matilde è la mia priorità» disse. «Una fuga sarebbe un trauma insopportabile, specie alla sua età. Soprattutto se dobbiamo farlo da un giorno all'altro, senza un piano preciso.»

«Non c'è tempo, per quello» borbottò Sanda.

«Allora preferisco andare fino in fondo e rischiare l'arresto. Per un buon avvocato non sarebbe difficile farci ottenere uno sconto sulla pena.»

«Tutte ipotesi» disse Abdel. «Ci sbatteranno dentro e butteranno via la chiave, fatevene una ragione. La latitanza ce la farebbero pagare cara. E comunque, una cosa è certa: una volta che ci mettono le mani addosso, indietro non si torna.»

Max li stava osservando e intanto fumava la pipa, sorpreso dalla calma glaciale che riusciva a mantenere dal momento in cui aveva accettato quella sorta di compromesso con se stesso.

Mentre i tre discutevano, rinfocolò la brace nel fornello e, dopo aver assaporato l'aroma del tabacco, si alzò dallo sgabello.

«Ascoltate» li interruppe. «Un giorno in più o in meno non fa nessuna differenza. Andiamo a sentire cos'ha da dirci quell'uomo, poi prenderemo la nostra decisione.»

«Forse sa del nostro conto segreto e punta a prendersi il denaro» disse Sanda.

«Ha ragione» le diede corda Abdel, «non ci avevo pensato. Quel conto farebbe gola a chiunque, ci saranno sopra almeno centocinquantamila euro.»

«Nessuno sa dell'esistenza di quei soldi.» ribatté Max con tono paziente. «Siamo sempre stati prudenti. Per giunta, grazie all'abilità di Matilde, negli ultimi anni le operazioni di deposito erano criptate e non rintracciabili.»

«Al mondo ci sono hacker migliori di lei» disse Abdel.

«Pochi, ma ce ne sono» ammise Ventura con un sorriso. «Ma se quell'uomo puntasse davvero ai nostri soldi, la questione si risolverebbe da sola. Glieli diamo e ce lo leviamo di torno.»

Tacquero per diversi secondi, come sorpresi dal fatto che la soluzione a tutti i problemi potesse essere tanto semplice. Non ci volle molto perché si rendessero conto di quanto fosse assurda un'ipotesi del genere. Il fondo comune sul quale ogni mese versavano tutti una parte del proprio guadagno era stata un'idea di Ventura subito dopo il loro arrivo a Milano. Quel denaro li aveva già salvati una volta, quando avevano dovuto sparire in fretta e furia. A quello serviva, a permettere che ogni attività si potesse interrompere da un momento all'altro, senza rimanere al verde.

A parte loro quattro, nessuno poteva essere a conoscenza del conto cifrato. Cinque, con Matilde. Ma la ragazzina era una persona intelligente: pur essendo all'oscuro delle vicende giudiziarie di sua madre e dei suoi tre amici, sapeva quanto fossero importanti i soldi in quella banca negli Stati Uniti. Di sicuro non ne aveva mai parlato a nessuno.

Sanda si avvicinò a Max e gli si parò davanti, le gambe ben salde e le mani sui fianchi.

«Fin dall'inizio ti abbiamo affidato le nostre vite» disse. «Con noi sei sempre stato pieno di attenzioni, ci hai tenuti insieme come una vera famiglia. Quindi, penso di parlare a nome di tutti se dico che anche questa volta ci fideremo del tuo intuito e accetteremo le tue decisioni.»

Ventura le passò un braccio attorno alle spalle e l'avvicinò a sé con un gesto affettuoso. Dopo tanti anni erano giunti di nuovo a un bivio e senza alcun cartello a indicare la retta via ch'era smarrita. Gli anni si erano accumulati sulle spalle e non era più tanto sicuro del suo ruolo di Virgilio, né di possedere ancora la lucidità per guidare quel gruppo di viandanti attraverso l'inferno della latitanza.

«Le decisioni si prendono insieme» disse. «Ma un consiglio ve lo posso dare. Se quel tizio ci voleva in gabbia, avremmo già le manette ai polsi. Sentiamo cos'ha da dire, poi faremo le nostre scelte.»

«Sia ben chiaro» puntualizzò Vittoria, «non mi farò coinvolgere in nessuna attività criminale. Piuttosto mi costituisco.»

«Nessuno di noi accetterà quel genere di ricatto» la tranquillizzò Abdel. «Se devo proprio finire in galera, mi basta quella che già dovrei scontare.»

Anche gli altri annuirono. Il kabilo si avvicinò a quello che sembrava lo scheletro spoglio di una Mercedes degli anni Sessanta e ne carezzò le curve morbide che la sabbiatura aveva riportato al nudo metallo. Fu un gesto affettuoso, quasi si stesse chiedendo se avrebbe avuto il tempo di portare a termine quel restauro.

«Allora siamo d'accordo» concluse Max. «Domani andiamo a incontrare quel tizio e sapremo cosa ci aspetta.»

CINQUE

Numero Uno

Sabato 4

Sui quotidiani, quel giorno, non era successo niente di che, a parte i boschi di mezzo mondo che stavano bruciando grazie ai cambiamenti del clima e alla mano dell'uomo, Europa e Stati Uniti sembravano allontanarsi sempre più, russi e cinesi si contendevano il mondo e populisti e progressisti che se le suonavano di santa ragione. I termini della questione erano sempre gli stessi, Dio contro Maometto, cattolici contro protestanti, atei contro credenti, e un sacco di gente finiva per andarci di mezzo. Se la religione non fosse esistita, pensò, l'avrebbero inventata i militari, questo era certo.

Max chiuse il giornale che stava scorrendo e voltò il capo verso la lunga sterrata che portava alla provinciale. Nell'aria il profumo dell'erba tagliata si mescolava al lezzo che proveniva dal fiume poco distante.

«È in ritardo» disse Sanda.

Si trovavano in una zona verde, circondata da piante ad alto fusto che giungevano fino all'acqua, in quella parte di città che si chiamava Sassi. La grande cascina dai muri scrostati sembrava disabitata e nell'ultima mezz'ora lì attorno non si era vista anima viva. Dall'altra parte della strada, oltre una siepe di bosso che nessuno curava da anni, vi era una distesa di orti urbani divisi da stradine di terra battuta e reti metalliche, dominati da un edificio simile a un finto castello male in arnese, di cui si scorgeva una torre.

Il fruscio delle auto che sfrecciavano sul viale che portava in città si udiva a malapena, filtrato dalla vegetazione rigogliosa. Max guardò l'orologio. Il tizio che li aveva convocati avrebbe già dovuto essere lì. Appoggiato alla portiera della sua Peugeot Spider, Abdel pazientava, le braccia conserte e l'aspetto di uno studente che deve passare la maturità senza essersi preparato.

Vittoria camminava a passo lento sul piazzale, fumando una sigaretta. Aveva l'aria angosciata. C'erano giorni in cui si sentiva vulnerabile. Si era svegliata con la sensazione di essere inadeguata. Inadeguata e incapace di sopravvivere in un mondo che le sembrava sbagliato, cattivo, pieno di ingiustizie. Aveva sentito dentro di sé una specie di morso che le bloccava stomaco e pensieri. Di solito le bastava guardarsi allo specchio sopra il lavandino e bagnarsi la faccia con l'acqua fredda. L'aiutava a tornare con i piedi per terra. Ma quella mattina non aveva funzionato.

Erano sul punto di andarsene, quando il fruscio di una vettura che si avvicinava parve formarsi nell'aria come un'impressione. Una coupé di colore grigio si stava avvicinando. Non si udiva altro suono che il calpestio delle gomme sulla strada priva di asfalto. La Tesla Model 3 passò loro davanti e parcheggiò poco distante dall'auto di Abdel. Era targata ESCURSIONISTA ESTERO.

Ne scese un vecchio ben vestito, lo stesso incontrato da Ventura al ristorante, che andò loro incontro sistemando per bene sul capo il suo cappello a lobbia. Una mano reggeva una cartella marrone.

«Vi chiedo scusa per il ritardo» disse a nessuno di loro in particolare. «Ho avuto un contrattempo.»

Sanda lo fermò parandoglisi davanti. «Lo sa che potremmo tirarle il collo, prima di buttarla nel fiume?» lo apostrofò puntandogli un dito sul petto. «Qui non ci vedrebbe nessuno.»

L'altro non fece una piega. «Lo so benissimo, signora Narindra» le sorrise bonario. «Ma temo che commettereste un errore madornale.»

Accigliata, la nera si fece da parte per lasciarlo passare. Era da un pezzo che nessuno le si rivolgeva con il suo vero cognome e questo le diede l'impressione di tornare indietro nel tempo, una sorta di *madeleine* amara che le fece storcere la bocca.

L'uomo si avvicinò a Max. Non fece nemmeno finta di porgere la mano, ben sapendo che nessuno di loro l'avrebbe voluta stringere. L'energia ostile che percepiva in quei quattro personaggi, quegli sbandati dalla vita, parve dargli un compiacimento privo di rimorsi o cattiveria.

«Grazie per aver accettato il mio invito» disse. «Vedo con piacere che ci siete tutti.»

«I suoi sistemi non ci lasciavano alternative» borbottò Ventura. «Ma questo non deve farle pensare che accetteremo qualsiasi cosa lei ci proponga.»

«Si tratta pur sempre di una libera scelta, signor Colucci. Siete adulti e vaccinati.»

In quel momento Max si accorse che portava sul bavero della giacca la rosetta di ufficiale della Légion d'honneur. Questo suggeriva che non si trattasse dell'ultimo arrivato; a parte alcune poco dignitose eccezioni, la più alta onorificenza francese veniva data a persone che se l'erano guadagnata sul campo.

L'uomo volse il capo verso Abdel, poi sorrise a Vittoria. «Signor Belghazi» disse con un cenno del capo, «signora Hartmann.»

Lo sguardo teso della donna e quello indifferente del magrebino furono tutto ciò che ottenne in cambio. Non che si aspettasse nulla di più cordiale.

«Volete seguirmi?» li invitò quindi.

Si avviò verso un corpo di fabbrica adiacente all'edificio, una sorta di annesso dal tetto in vecchi coppi, circondato da una folta siepe che avrebbe avuto bisogno di un giardiniere. Vi si apriva un passaggio che portava a un ingresso in legno scuro. Max e gli altri gli si misero alle calcagna con l'allegria di un gruppo di condannati diretti alla propria esecuzione. L'uomo aprì il battente e li fece passare prima di richiuderlo alle proprie spalle.

La camera cieca nella quale si trovarono non aveva l'aria abbandonata dell'esterno. Era pulita, imbiancata a calce, e vi aleggiava un vago sentore di chiuso. Il loro ospite li condusse in un ambiente più ampio, con una grande finestra che guardava sul cortile interno della cascina e due più piccole che affacciavano sul piazzale. Attraverso i vetri polverosi si scorgeva un giardino di aspetto selvaggio, dove le piante non curate crescevano a dismisura. Due vecchie poltrone gialle e un divano ad angolo di velluto blu consunto occupava il fondo della stanza. Il pavimento di legno, in parte rovinato, era spazzato per bene, come se a intervalli regolari qualcuno si occupasse delle pulizie.

Percorsero un corridoio buio, poi salirono al piano di sopra per mezzo di una scala moderna in legno e metallo. La stanza superiore era una sorta di torretta ampia e luminosa, con le pareti gialline. Due finestre si aprivano su ciascun lato offrendo una vista a trecentosessanta gradi sulla campagna circostante, dagli orti urbani alla fitta boscaglia che giungeva fino al fiume.

Un grande tavolo da riunioni e una mezza dozzina di sedie occupavano il centro della stanza. Un certo numero di dossier dall'aria polverosa e una lunga fila di CD occupavano alcune basse librerie. Due computer iMac di qualche anno prima erano posati su una scrivania industriale.

Max notò una coppia di pannelli appesi alle pareti. Uno era coperto da un panno grigio, sul secondo erano puntate quattro schede segnaletiche dall'aria datata, in cui riconobbe se stesso e i suoi compagni.

«Prego, accomodatevi» disse l'uomo.

Nell'attesa che ognuno scegliesse la propria sedia attorno al tavolo, fece il giro delle finestre e ne aprì qualcuna per dare aria alla stanza. Poi tolse il cappello e lo posò sulla cartella che aveva lasciato sul ripiano di una delle librerie. Si avvicinò al pannello sul quale erano appese le loro quattro facce e le indicò col gesto di un prestigiatore mentre mostra al pubblico la scatola vuota che poco prima conteneva la sua assistente.

«Del signor Colucci ho già parlato e sul suo conto ne sapete certo più di me» esordì con il tono di chi tiene una lezione di anatomia. «Potremmo iniziare da lei, signora Narindra, che ne dice?» Trasse di tasca un foglio che spiegò e scorse rapidamente. «Florence Narindra, nata a Bordeaux poco meno di una quarantina di anni fa. Da padre malgascio e madre francese, se non sbaglio. Dopo un breve passato come prostituta nella propria città, si è trasferita a Parigi, dove ha iniziato una carriera di spogliarellista ballando nei locali di strip-tease. Doveva essere in gamba, perché infine è approdata al Crazy Horse. Non era proprio ciò che si dice una *vedette*, ma so che aveva parecchi estimatori. Uno di questi, purtroppo, una sera ci ha lasciato le penne.»

«È stata legittima difesa» sbottò Sanda.

«Già, pare che l'avesse drogata e stesse cercando di stuprarla.»

«Ci può giurare, quel verme mi aveva ridotta male, non so dove ho trovato la forza di difendermi.»

«Lei, però, aveva accettato il suo invito a cena.»

«Dice bene, amico, a *cena*. Ma quel porco aveva altre idee. Se non l'avessi fermato mi avrebbe violentata. E forse non si sarebbe limitato solo a quello. Le donne sono prede da cacciare, in questo mondo, niente di più, niente di meno.»

«Non sono qui per giudicarla, signora Narindra, io mi attengo ai fatti. Giusto o sbagliato che sia, purtroppo l'ha ucciso, quindi la polizia non ha potuto ascoltare anche la sua campana. Per lei il pubblico ministero aveva chiesto dieci anni e non mi risulta che avesse molte chances di cavarsela con una pena minore.»

«Quel maiale era un pezzo grosso, e io non ero che una spogliarellista, il che nella visione delle persone perbene equivale a essere una puttana, non è così?»

«È possibile che abbia ragione, ma la giustizia non sempre va a braccetto con la verità. In ogni caso, nel 2004, lei ha avuto occasione di evadere e da allora è una latitante ricercata. E questo è ciò che ci riguarda.»

Sanda si lasciò andare contro lo schienale della sedia, i muscoli tesi sotto la leggera maglia a maniche lunghe che indossava. I suoi occhi neri lo fissavano con la rabbiosa intensità di una belva chiusa in gabbia.

Prima che Max potesse impedirglielo, Abdel si alzò di scatto e si accostò all'uomo. Nonostante fosse più alto di lui di tutta la testa, l'altro resse il suo sguardo sprezzante senza batter ciglio. Con un gesto rapido il kabilo tirò fuori dalla tasca la pistola che aveva preso a don Ciccio e gli premette la canna sotto il mento.

«Posso risolverli in fretta, i suoi *fatti*» disse a denti stretti. «Mi basta premere il grilletto, che ne dice?»

«Sarebbe un gesto piuttosto sconsiderato, signor Belghazi» rispose l'uomo. Gli sorrise scostando con un gesto calmo la mano che stringeva l'arma. «Specie nei confronti dei suoi amici.»

Abdel lo fissò accigliato, indeciso se andare o meno fino in fondo. Poi rimise in tasca la pistola allontanandosi da lui e si fermò accanto a una finestra dando loro le spalle. Max vide che tremava, di rabbia e di frustrazione.

«Rachid Belghazi» disse il vecchio, «nato a Parigi nel 1979 da genitori algerini. Omosessuale, appassionato d'auto d'epoca e *bon vivant*. Al contrario dei suoi compagni lei non è un assassino, ma ha comunque fatto la sua parte.»

«Mi hanno messo in mezzo» brontolò il kabilo senza voltarsi. «Una trappola vera e propria.»

«È stato arrestato nel 2003 con l'accusa di associazione a delinquere a scopo di furto e traffico di vetture rubate. Auto d'epoca di gran lusso, signor Belghazi.»

Nemmeno un muscolo si mosse sulla figura di Abdel, che simile a una statua guardava fuori dalla finestra immobile, i pugni stretti, posati sul davanzale.

«L'aspettava una condanna a parecchi anni di galera» riprese il vecchio con il suo tono morbido e per niente aggressivo. «Ne rischiava dai sette ai dodici, ma quel pomeriggio del 2004 la sorte ha favorito anche lei. E così si è dato alla macchia.»

Tacque qualche istante, come per raccogliere le idee, quindi si voltò verso Vittoria che lo stava fissando pallida.

«Allora, signora Hartmann» disse infine, «cosa mi racconta?»

Per tutta risposta lei prese un pacchetto di sigarette dalla borsa, ne mise una tra le labbra e l'accese con mano tremante. Max si rese conto che la donna era sul punto di crollare. Gli venne da pensare all'ironia del momento. In tutti quegli anni, specie quando le cose andavano male, i suoi compagni avevano spesso avuto la tentazione di rimettersi a delinquere, intenzione che lui aveva faticato ad arginare. E adesso rischiavano di tornare in galera per una colpa ormai dimenticata.

«Giselle Hartmann» disse la voce dell'uomo. Lei sussultò. «Nata a Mulhouse nel 1974, da madre francese e padre tedesco, una famiglia di ceto sociale piuttosto agiato. Per un pezzo la sua vita è stata irreprensibile: laurea in Infermieristica, assistente in sala chirurgica e un lungo servizio in Mali per Médecins Sans Frontières. Questo fino al '97, quando ha deciso di trasferirsi a Parigi con un certo Gaston Dremel. Grazie alla pessima reputazione del suo fidanzato è riuscita a farsi coinvolgere in una grossa truffa bancaria alla Société générale...»

«Gaston non era il mio fidanzato e nemmeno un amico» lo interruppe Vittoria, la cui voce era quasi un sussurro. «Era soltanto un figlio di puttana. Ci andavo a letto perché sono una stupida.»

«La stupidità non è mai un'attenuante, signora. In ogni caso ha accettato che Dremel la coinvolgesse in una truffa da cinquanta milioni di franchi, ai danni del marchese Brillat-Savarin, un facoltoso cliente della banca. Quando i suoi amici hanno gettato la vittima del vostro raggiro da una finestra del suo appartamento, lei è diventata complice di un omicidio.»

«Ho cercato di avvertire il marchese» si difese Vittoria, «ma sono arrivata troppo tardi.»

«Le donne preferiscono le canaglie, signora Hartmann, è un dato di fatto. Purtroppo per lei, Dremel e l'altro vostro complice sono morti in uno scontro a fuoco con la gendarmeria, per questo il giudice istruttore ha gettato tutta la colpa sulle sue spalle. Il fatto poi che lei non abbia voluto dire dove fossero i sei milioni di franchi che mancavano all'appello è stato considerato un'aggravante.»

«Non so nemmeno di cosa stia parlando.»

«Dubito che sia così, ma questo non cambia nulla.»

La donna nascose il viso in una mano e si mise a singhiozzare in silenzio. Max le tolse la sigaretta che stava bruciando tra le dita e la gettò dalla finestra. «Perché ci sta facendo questo?» chiese infine.

«Perché è necessario» disse l'uomo. Per la prima volta il suo tono ebbe una nota dura. «L'arresto di madame Hartmann è avvenuto nel 2001 e nel 2003, dopo un lungo processo, è stata condannata in via definitiva a quindici anni di carcere. Per sua fortuna, anche lei si trovava con voi su quel furgone, un destino comune che alla fine vi ha portati davanti a me in questa stanza.»

Abdel lasciò la finestra con un gesto di insofferenza e tornò a sedere assieme agli altri. Fissò l'uomo tamburellando con le dita sul piano del tavolo.

«Non pensa che questo gioco sia durato abbastanza?» sbottò. «Non ha fatto altro che parlare di noi. Ora vorremmo sapere chi è lei e, soprattutto, perché ci sta minacciando.»

L'uomo fece il giro del tavolo camminando con calma e si avvicinò al secondo pannello, ancora coperto dal drappo grigio.

Li osservò in silenzio. Poteva quasi udire i loro pensieri, li sentiva correre, rotolare dentro la testa come sassi giù da una scarpata. Li sentiva accumularsi e fare rumore. Non sempre un corpo colpevole è una mente che non pensa. Un corpo colpevole può trasformarsi a volte in una prigione.

«Per cominciare» disse infine, «potete chiamarmi Numero Uno.»

SEI

Cenno d’assenso

Rimorso, dal latino *rimosus*, significa “pieno di crepe, fenditure o buchi”, buchi che a loro volta vengono da “rimordere”, “mordere di nuovo”. Rimorso è il tormento che si prova per la coscienza di aver fatto del male e non il bene che sarebbe stato possibile.

Max si rese conto che quell’ometto dall’aspetto insignificante aveva scatenato in lui non soltanto la paura e il desiderio di fuga, ma anche una sorta di rimorso per ciò che aveva commesso in passato e che adesso tornava a presentare il conto. Capì che tutte le azioni che un tempo gli erano sembrate esaltanti, quasi sovrumane, e che invece non erano state altro che un’enorme follia, gli avrebbero impedito per sempre di avere una vita normale.

«Cos’è, uno scherzo di cattivo gusto?»

Sentì la voce di Sanda che apostrofava il vecchio con aria di sfida. Non si era nemmeno presa la briga di alzarsi in piedi. Lui le sorrise come un professore paziente nei confronti di un’allieva non troppo sveglia.

«Niente affatto. Numero Uno sarà il nome con il quale mi contatterete d’ora in avanti, sia nelle comunicazioni scritte, sia in quelle telefoniche o verbali.»

«Numero Uno di cosa?» chiese Abdel.

Il suo tono derisorio parve non scalfire l’uomo, che continuò a rivolgersi a Sanda.

«Da oggi sarete un gruppo ben affiatato» continuò. «Del lavoro che dovrete portare avanti riferirete soltanto a me. Questo perché io ne sono responsabile e perché in tal modo i vostri trascorsi rimarranno confinati in questa stanza. Penso che teniate al riserbo in modo particolare, dico bene?»

Sorpreso, Max lo fissò nello stesso modo in cui una bomba intelligente avrebbe puntato un bunker pieno di terroristi.

«Se pensa di trovare quattro disperati che torneranno a delinquere per farle piacere, si sbaglia di grosso» disse. «È bene che sappia che rifiuteremo di commettere qualsiasi tipo di crimine.»

«La pensiamo tutti come lui» si intromise Sanda. «Nel caso questa fosse la sua intenzione, se ne può andare al diavolo.»

Ne nacque una breve discussione che il vecchio lasciò raffreddare senza batter ciglio. Attese che tornasse il silenzio prima di riprendere la parola.

«Farete esattamente il contrario» li informò. «Ciò che mi aspetto da voi è che vi mettiate a lavorare su un crimine di alcuni anni fa.»

I quattro lo guardarono sorpresi. Per alcuni istanti nessuno ebbe il coraggio di aprire bocca, cosa che sottolineava quanto le parole dell'uomo li avessero lasciati di stucco. Era come se nell'aria stesse svanendo la speranza che l'impressione di trovarsi per l'ennesima volta di fronte all'inevitabile fine fosse soltanto un abbaglio dovuto all'abbandono che impregnava i muri spogli di quel luogo.

«Cosa intende per "lavorare su un crimine"?» chiese Abdel, nel goffo tentativo di convincere se stesso di non aver capito bene.

«Esattamente ciò che ha compreso, signor Belghazi.» Numero Uno tolse il panno che copriva la seconda bacheca rivelando una serie di foto, documenti e articoli di giornale che vi erano appuntati. «Ciò che voglio da voi è che diventiate, come dire... la mia squadra investigativa, se mi passate questo termine da telefilm dozzinale. Lavorerete per mio conto.»

Ci fu un lungo momento in cui tutti quanti si misero a protestare parlando gli uni sugli altri, un pandemonio che con gesti imperiosi il vecchio riuscì infine a placare.

«Abbiamo già le nostre attività da seguire» disse Max cercando di mantenere un tono calmo. «Forse non se ne rende conto, ma diverse persone dipendono da noi...»

«Si tolga dalla testa che io chiuda la mia officina per far piacere a lei» lo interruppe Abdel.

«Se lascio il mio posto in ospedale, me lo pagherà lei lo stipendio?» aggiunse Vittoria.

Adesso erano tutti in piedi, come se qualcuno avesse acceso loro il fuoco sotto la sedia. Ripresero a parlare creando una cacofonia incomprensibile che conteneva le ragioni di ognuno e le mescolava a quelle degli altri in un crescendo di disaccordo e irritazione.

Alla fine, vedendo che il vecchio rimaneva impassibile a guardarli, smisero di gridare e uno dietro l'altro tornarono a sedere.

Una nuvola di passaggio oscurò il sole e per un certo tempo parve che nella stanza la luce si fosse spenta, appiattendo le ombre e spogliando i pochi oggetti del loro colore.

«Quella che vi sto mettendo davanti non è una scelta» disse il vecchio. «Quindi è inutile discuterne. Negli ultimi due mesi ho valutato con attenzione il vostro caso e alcune caratteristiche fanno di voi le persone adatte per il compito che ho deciso di affidarvi.»

«Cosa ci rende così speciali ai suoi occhi?» borbottò Sanda.

Con due dita il vecchio si carezzò il mento perfettamente sbarbato. «Avete doti fuori dal comune» disse, «che vi hanno permesso di sfuggire per anni alla cattura. Vi saranno senz'altro utili per portare avanti il compito che vi ho assegnato. Lei, se non sbaglio, si sa difendere molto bene, le sue capacità di reazione sono sorprendenti.» Fissò Max. «E non è necessario ricordare quanto a lungo il signor Colucci abbia frequentato le cattive compagnie. Pochi conoscono il sottobosco criminale e le sue dinamiche quanto lui.»

«A lei manca qualche rotella» protestò Abdel.

«Niente affatto, signor Belghazi. Sono certo che la sua lunga esperienza nel campo dei commerci illegali le tornerà utile. Ho letto con attenzione il suo dossier e so che non c'è traffico al mondo di cui lei non conosca il funzionamento.»

«Cosa che non ha impedito che mi catturassero...»

«Sono certo che anche questo le ha insegnato qualcosa» ribatté il vecchio. «Così come è successo alla signora Hartmann.»

Fissò Vittoria, che ricambiò accigliata lo sguardo.

«È una donna colta, che al contrario di voi ha studiato. Per giunta proviene da un ceto sociale più elevato e questo le permette di sapersi muovere in ambienti diversi dal vostro. I suoi consigli potrebbero esservi molto utili. Senza contare le conoscenze mediche che le derivano dalla sua professione di infermiera.»

«Immagino che rifiutarsi significhi la galera» borbottò Ventura.

«Sono i termini dell'accordo. E non si limitano a questo: se non riuscirete a concludere con successo il vostro incarico, verrete comunque arrestati e dovrò dare l'incarico a qualcun altro. Mettetevi bene in testa che il fallimento non è considerato un'opzione.»

I suoi compagni stavano di nuovo per reagire, ma Max li zittì con un gesto.

«Quanto tempo abbiamo a disposizione?» chiese.

Numero Uno fece spallucce. «Tutto quello di cui avrete bisogno. Mi rendo conto del fatto che dovrete occuparvi delle vostre attività, ma si tratterà soltanto di organizzarsi al meglio. Del resto siete riusciti a sottrarvi alle ricerche della polizia per quasi vent'anni, quindi immagino che siate persone creative. Mi aspetto comunque che la durata dell'indagine non sia eccessiva. Vi sarà fornita tutta l'assistenza necessaria.»

«Se, come dice, si tratta di un'operazione legale» protestò Sanda, «perché non se ne occupa la polizia?»

«La polizia se n'è già occupata, senza riuscire a concludere niente. Per via ufficiale temo che la questione sia archiviata. Voi potrete spingervi oltre.»

«Quali sono i rischi?» domandò Max.

«A un certo punto dovrete fare molta attenzione. Non è escluso che qualcuno cerchi di impedirvi di raggiungere il risultato.»

«Con ogni mezzo?»

«Non possono permettersi troppo clamore, ma temo che faranno di tutto per mettervi i bastoni tra le ruote.»

«Ci sta per caso nascondendo delle informazioni?»

«Sono ipotesi che non posso provare, altrimenti non avrei bisogno di voi. D'altra parte, saperle vi condizionerebbe impedendovi di raccogliere gli elementi che mi sono necessari.»

Ci fu come una pausa di riflessione, un silenzio teso in cui tutti quanti ebbero il tempo di elaborare ciò che era stato appena detto. Sulle loro facce si mescolavano incredulità e preoccupazione, come quando hai la sensazione di non riuscire a evitare la buccia di banana che vedi a terra davanti a te. Eppure nessuno di loro si era alzato per andarsene. Erano ancora tutti lì, ad ascoltare quella sorta di strana condanna.

«Quali sono le regole d'ingaggio?» chiese a un tratto Abdel.

«Le regole d'ingaggio?» ripeté il vecchio perplesso.

«Sì, cose come rompere culi e sparare alla gente, quel genere di regole intendo.»

«Sarebbe preferibile evitare simili situazioni» sospirò il vecchio, «ma mi rendo conto che potrebbero capitare. Avrete quindi dei documenti che vi permetteranno una certa libertà di movimento.»

«E se dovessimo trovarci tra i piedi polizia e carabinieri?» insisté Abdel.

«Le credenziali che vi consegnerò dovrebbero esservi utili per levarvi d'impiccio. In ogni caso, il mio consiglio è di valutare bene fin dove sia il caso di spingere i limiti della vicenda. Altrimenti rischierete seri problemi e questo rallenterebbe l'indagine.»

«Io ho una figlia, cristo santo» sbottò Vittoria. «Si rende conto di cosa significa?»

«Sono certo che riuscirete a tenerla fuori dai guai.»

«Ha solo sedici anni, non voglio che sia coinvolta in questa porcheria.»

«Sua figlia è una ragazza in gamba, signora Hartmann» disse Numero Uno. «Anche le sue capacità hanno pesato sulla decisione di coinvolgervi in questa faccenda. Vi sarà di grande aiuto.»

«Lei è un vero bastardo.»

«A volte esserlo è necessario. Mi creda, se non fosse importante mi sarei evitato un simile grattacapo.»

«Pure noi ne avremmo fatto volentieri a meno» sbuffò Sanda.

L'uomo le sorrise. «Deve solo ringraziare il cielo per questa occasione. Se non avessi avuto bisogno di voi, sareste già al fresco da almeno due mesi.»

Guardando la figura dall'aspetto falsamente fragile, Max pensò che non dovevano farsi trarre in inganno dall'aria da vecchio padre comprensivo, dai capelli bianchi e dai suoi occhi da cagnone tranquillo. Le pieghe agli angoli della bocca erano quelle di una persona determinata e con un semplice movimento potevano diventare scostanti. L'amico aveva ben chiaro ciò che voleva e sapeva come ottenerlo; non avrebbe esitato a servirsi di loro. Le sue minacce, pur se dette con il tono educato con cui le velava, non erano da sottovalutare. Sarebbe andato fino in fondo senza lasciarsi condizionare da scrupoli o ripensamenti.

«Ma lei chi diavolo è, per poter disporre di noi in questo modo?» udì chiedere alla propria voce. «Chi la manda?»

Numero Uno spazzò l'aria con un gesto lento della mano. «Mi fa domande a cui non posso rispondere, signor Colucci. Risposte che d'altra parte non cambierebbero di una virgola la situazione.»

«Non mi piace lavorare per persone senza nome» disse Sanda fissandolo in cagnesco. «Non è corretto. Lei di noi sembra sapere ogni cosa.»

«In questa storia, ciò che mi riguarda è meglio che non salti fuori. E voi non potrete dire ciò che non sapete.»

«Sa cosa mi infastidisce? La sensazione che al momento buono lei possa lasciarci in braghe di tela.»

«Non sono quel genere di persona.»

«Direi di sì, visto che il ricatto fa parte dei suoi sistemi.»

«Nessun ricatto, signora Narindra» sbuffò. «Quella che vi sto offrendo è l'occasione di dare un colpo di spugna al passato.»

«Davvero?» lo sbeffeggiò Sanda. «Abbiamo tutte le fortune...»

«È proprio così.» Prima di continuare si soffermò con lo sguardo su ognuno di loro. «A costo di ripetermi, vi garantisco che se non avessi preso in mano la situazione, a quest'ora sareste tutti dietro le sbarre. Senza saperlo, eravate già su una nave che stava affondando. Io vi ho procurato una scialuppa di salvataggio e la rotta per la spiaggia più vicina. Vedetela così: trovarsi a bordo di una barca a remi in un mare in burrasca, per quanto possa essere scomodo, è sempre meno rischioso che doversela fare a nuoto. Sono stato chiaro?»

Queste ultime parole dovevano averli colpiti, perché nessuno rispose. Si scrutarono a vicenda con l'espressione di chi, giocando a battaglia navale, si è appena sentito dire le coordinate della propria portaerei.

«Quindi la dobbiamo pure ringraziare» disse con tono amaro Abdel dopo qualche momento.

L'altro stava per ribattere, ma Max lo bruciò sul tempo.

«Vedi di darci un taglio» disse al kabilo. Quindi si rivolse al vecchio. «Abbiamo capito l'antifona» tagliò corto. «Adesso ci spieghi cosa dobbiamo fare.»

Senza riuscire a nascondere una certa soddisfazione, Numero Uno ricambiò le sue parole con un breve cenno d'assenso.

SETTE

E adesso?

Alla fine, questo soltanto rimaneva, pensò Ventura, uno sguardo indietro che non coglie nulla. Fu il solo motivo che lo fece voltare controvoglia verso il tabellone che Numero Uno aveva appena liberato dal panno grigio. Quello che vide non era altro che ciò da cui aveva sempre cercato di fuggire: il pessimo sapore delle giornate trascorse nella polvere alla ricerca di un nascondiglio, giornate che gli avevano lasciato in bocca un sapore acre, come di sconfitta. E poi, ovviamente, il passato irreversibile che aveva sperato invano di lasciarsi alle spalle. Compresa l'illusione che prima o poi avrebbe trovato un po' di pace.

La cosa che più lo sorprese in quel momento fu notare che di colpo stava recuperando una certa lucidità, qualcosa di simile a un'energia indotta dalla luce del sole che attraversava la stanza. Sentì svanire la confusione dei giorni precedenti, quando aveva capito di essere stato scoperto, e si ritrovò vigile e attento, pronto per affrontare l'incognita che gli si era parata davanti.

Adesso anche Sanda e Abdel e perfino Vittoria sembravano fare attenzione a ciò che il vecchio stava mostrando loro. Le foto appese sul pannello erano scure, qualcosa di bruciato, gli parve di capire. Si vedeva del legno carbonizzato, acqua sul pavimento, calcinacci anneriti e detriti di ogni sorta, fogli bruciati, frammenti di mobili, vetri. Altre immagini mostravano i mezzi dei pompieri in un'alba livida, circondati da una folla di curiosi raccolti dietro le transenne e, a terra, una fila di corpi umani coperti da lenzuola sudice. Erano tanti, almeno una quindicina.

«Diverse persone hanno lavorato su questo incendio per quasi tre anni» stava dicendo Numero Uno, «prima che il magistrato decidesse di archiviare la pratica come incidente.»

«Se l'inchiesta è stata chiusa» domandò Abdel, «perché pensa che il nostro lavoro possa servire a qualcosa?»

«Nel 2016, in quell'incendio, sono morte sedici persone, quasi tutte sotto i trent'anni. La notte del 12 novembre, in una frazione a nord della città, è bruciata una palazzina di due piani che ospitava una comunità per rifugiati, la Onlus Il Ponte. Si sono salvati solo due neri e una donna, una volontaria.»

«Un incendio doloso?» Max indicò le foto.

«Le indagini dei vigili del fuoco hanno stabilito che l'incendio è partito dal garage, dov'erano sistemate alcune macchine agricole. Il fuoco, innescato da un cortocircuito elettrico, ha fatto collassare una scaffalatura di legno sulla quale si trovavano delle taniche di benzina e altre di nitrato d'ammonio che utilizzavano come fertilizzante. Questi materiali hanno alimentato le fiamme, provocando uno scoppio che ha fatto crollare il pavimento dell'ingresso.»

«Immagino che le indagini siano state accurate.»

«Certo, hanno subito sospettato che si trattasse di un atto volontario. Nel vicinato la comunità era mal tollerata per via di alcuni piccoli problemi tra neri e abitanti della zona. Ne avevano chiesto la chiusura con un certo numero di manifestazioni, per cui si è pensato a un gesto intimidatorio finito male. Ma alla fine non è stato trovato nulla che potesse provare che l'incendio era doloso.»

«A cosa servivano i macchinari agricoli?»

«La comunità possedeva alcuni terreni adiacenti. Avevano un orto e un certo numero di piante da frutto.»

«E il nitrato d'ammonio?» chiese Sanda. «È stata solo un'imprudenza?»

«Pare che lo usassero proprio come fertilizzante. Ne hanno trovato tracce nell'orto e in altri punti dell'appezzamento. La benzina ha fatto aumentare la temperatura, riscaldando il nitrato d'ammonio. L'esplosione non è stata molto potente, ma sufficiente a far crollare il soffitto della cantina. L'ossigeno ha fatto il resto e nel giro di pochi minuti il fuoco era dappertutto.»

«Nessuna condanna quindi?»

«Giusto un paio; il padrone dell'edificio, perché mancavano diverse dotazioni di sicurezza, e la direttrice della comunità, per via del nitrato d'ammonio che era immagazzinato senza le dovute precauzioni. Due anni al primo e quattro alla seconda.»

«Però tutto questo non l'ha convinta» disse Ventura. «Altrimenti non saremmo qui.»

«Quando è stato possibile interrogarla, la volontaria sopravvissuta ha sempre negato di sapere che in cantina ci fosse quel tipo di fertilizzante. Non le hanno creduto, pensando che mentisse per aiutare i suoi colleghi indagati e per via delle abbondanti tracce trovate nell'orto.»

«Lei le crede?» chiese Vittoria, che fino a quel momento era rimasta in silenzio. Max le sorrise.

«Mi sono rimasti diversi dubbi» affermò il vecchio. «Chi ha dato fuoco all'edificio ha fatto le cose per bene.»

«Un professionista?»

«Se qualcuno ha provocato l'incendio, conosceva alla perfezione il suo mestiere. Nel caso, mi aspetto che voi lo troviate.

Qualche dubbio i pompieri lo hanno avuto, ma di fatto non è stato scoperto nulla che potesse confermare l'ipotesi del dolo.»

«I due ragazzi neri scampati all'incendio che hanno detto?»

«Erano in comunità da qualche settimana, non avevano alcun tipo di informazione. Si sono salvati perché, al contrario degli altri, dormivano al piano terra.»

«Non potrebbero essere stati loro?»

Numero Uno scosse il capo. «Prima di uscire da quell'inferno sono riusciti a recuperare la volontaria che si era accasciata sulla scala. Si sono ustionati piuttosto seriamente, ma l'hanno salvata.»

Molto spesso le storie cominciano dalla fine, e la fine di quella che stavano per affrontare sembrava non avere né capo né coda, ma era drammatica, probabilmente piena di menzogne e di imbrogli. Un labirinto di cui non si vedeva la soluzione e che avrebbe potuto inghiottirli per poi cacarli da qualche parte.

Max osservò le foto appese conscio di quanto potesse essere cambiato quel luogo da cinque anni a quella parte. Era probabile che non ci fosse più alcuna comunità e nemmeno un orto. Nessun indizio o tracce o segni da cercare.

«La comunità che fine ha fatto?» chiese al vecchio.

«L'edificio è stato abbandonato. Il proprietario si è poi deciso a metterlo in vendita. Vivere con sedici fantasmi in casa non fa piacere a nessuno. È possibile che il rudere sia stato abbattuto, ma non ho idea di cosa abbiano costruito al suo posto.»

«A parte gli anni trascorsi» disse Abdel, «se non esiste più neanche l'edificio originale, vorrei sapere su cosa si aspetta che ci mettiamo a indagare. Ricorderanno a malapena che lì sono morti un pugno di immigrati.»

«Ha messo il dito nella piaga, signor Belghazi.» L'uomo si

avvicinò al tabellone e indicò la fotografia con le vittime allineate sull'erba. «Sotto quei lenzuoli ci sono anche il vicedirettore e tre volontari della comunità, più una quarta persona che non è mai stata identificata.»

«Un bianco?»

«Questo ha stabilito l'autopsia. Era talmente bruciato che non è stato possibile un riconoscimento.»

«Non potrebbe essere il piromane?» domandò Sanda.

«Lo escludo. Era nel sottotetto, dove erano collocate le due stanze dei responsabili. Ne hanno ritrovato i resti in ciò che rimaneva nel letto di un'altra vittima, una donna che l'esame del DNA ha poi stabilito essere il medico di turno quella sera.»

«La volontaria che si è salvata non ne sapeva nulla?»

«Ha detto di averlo visto altre volte, ma non aveva idea di chi fosse. È possibile che lo sconosciuto avesse una storia con la dottoressa e che dormisse con lei quand'era di turno. Di sicuro non era autorizzato a stare lì.»

«È un particolare importante?» chiese Vittoria.

Numero Uno fece un gesto vago. «Potrebbe essere» disse.

«Cos'è che ci sta nascondendo?» lo affrontò Max.

Il vecchio si morse il labbro sottile, poi fissò il marsigliese. «Soltanto le mie ossessioni» disse. «Non voglio che siate condizionati da opinioni personali. Potrebbero essere sbagliate e vi porterebbero fuori strada. Preferisco che abbiate un foglio bianco e che facciate il vostro percorso da zero.» Si avvicinò alla libreria e prese un dossier di colore chiaro che mise sul tavolo in mezzo a loro. «Queste sono le carte delle inchieste, quella ufficiale e l'altra, condotta da me con l'aiuto di alcune persone fidate. Qui dentro troverete solo riscontri oggettivi. C'è tutto tranne le speculazioni, le ipotesi e i fatti irrilevanti.»

«Come dovremo comportarci?» chiese Abdel.

«Ogni volta che avrete una pista ne parleremo.» Indicò lo scaffale sul quale erano allineati i CD. «Lì ci sono gli articoli di giornale, tutto ciò che è stato scritto su questa storia. È possibile che qualcosa mi sia sfuggito e che voi lo troviate.»

«Da cosa pensa che dovremmo partire?»

«Non lo so. Vi lascio decidere quale sia la pista più promettente. Leggendo questa roba avrete modo di farvi un'opinione. Salvo cccczioni, i nostri incontri avverranno in questo luogo. La cascina sarà la vostra base. Per qualsiasi cosa, chiedete. Se potrò, vi procurerò ciò di cui avete bisogno.»

Mentre i quattro lo osservavano accigliati, Numero Uno prese la sua cartella e tornò al tavolo da loro. L'aprì e ne trasse un mucchietto di tessere.

«Non posso garantirvi che i vostri nomi vengano dimenticati e che possiate girare impunemente» disse. «Da un controllo che ho richiesto, risulta che siete inseriti all'anagrafe. Tuttavia, una ricerca più approfondita potrebbe ancora mettervi nei guai. Per ora il vostro passato non si può cancellare.»

«Una volta che l'avremo accontentata saremo liberi?» mormorò Vittoria.

«Ne parleremo a tempo debito» ribatté il vecchio. «Un'ultima cosa: queste vi serviranno in caso di seccature.» Consegnò quattro portacarte di pelle nera che contenevano un distintivo argentato con le dodici stelle e la sigla BEST, e una tessera che riportava la dicitura Bureau européen de securité territoriale, il loro nome, la foto, la bandiera europea e due numeri di telefono. «Cercate di non perderli» proseguì, «e usateli con molta discrezione. Il che significa soltanto in caso di estrema necessità. Se doveste avere problemi seri con le forze dell'ordine, limitatevi a chiamare uno di quei due numeri. È tutto chiaro?»

«Non mi è piaciuto quel suo "a tempo debito"» protestò

Abdel, che aveva lasciato il suo documento sul tavolo senza toccarlo.

Numero Uno lo fissò senza cambiare espressione e pensò che il giovane kabilo doveva essere il piantagrane del gruppo. Assieme alla donna di colore, ben inteso. Il marsigliese aveva l'aria di saperli contenere, come se un tacito accordo lo avesse eletto a capo di quella stramba compagine di spostati. La Hartmann, al contrario, poteva diventare un problema. Sembrava piuttosto provata dalla piega che aveva preso d'improvviso la sua vita; ma aveva una figlia e le leonesse, specie quando si tratta di proteggere la cucciolata, sanno farsi valere.

«Significa che in questo momento la vostra attenzione si deve concentrare sul lavoro che vi ho affidato» disse. «Quello che succederà dopo dipenderà dai risultati ottenuti. Per ora si goda il fatto che non dovrà più guardarsi alle spalle.»

«Ha appena detto che non è così» brontolò Sanda storcendo la bocca.

Il vecchio le regalò un sorriso paterno. «Non si preoccupi, signora Narindra» disse, «la vostra fortuna è che per ora vi abbia trovati io.»

Prima di chiudere la cartella e sistemare per bene il cappello a lobbia sulla testa, posò sul piano di legno una chiave di sicurezza. Li osservò per qualche momento senza riuscire a nascondere la propria soddisfazione, poi si apprestò a congedarsi.

«La chiave è di questo posto» concluse indicandola. «Fatene pure delle copie. Non appena avrete qualche novità, ci sentiremo. Signore... Signori...»

Si esibì in un breve inchino, quindi lasciò la stanza in un silenzio quasi irreale. Max lo avrebbe voluto fermare per porre altre domande, tante altre domande, ma temendo che nessuna avrebbe avuto una risposta, decise di lasciare perdere.

Le mani sprofondate nelle tasche e il volto accigliato, andò a fermarsi davanti alla finestra che affacciava verso gli orti urbani e si mise a pulire gli occhiali con un fazzoletto. Il sole del pomeriggio aveva già cominciato la sua parabola discendente.

Vide Numero Uno uscire dall'edificio e raggiungere la sua auto che infine si mosse senza fare il minimo rumore. La seguì con lo sguardo mentre si allontanava sulla sterrata, in direzione della provinciale, lasciandosi dietro una leggera nuvola di polvere che si dissolse lenta nell'aria.

Pensando che la sua vita si era appena dissipata come quel pulviscolo, si chiese dove li avrebbe portati quella storia che si annunciava come il momento più difficile della loro esistenza. Provò una stretta allo stomaco, forte e improvvisa, come se una mano lo avesse strizzato con cattiveria. Fu una sensazione passeggera che lo abbandonò così com'era venuta.

Percepì alle proprie spalle gli sguardi ansiosi dei suoi compagni. Da lui si aspettavano che li guidasse, che li portasse fuori da quella situazione sospesa, come aveva sempre fatto da quando l'incidente li aveva uniti in quella fuga senza fine.

Si voltò e nei loro occhi vide soltanto una domanda: e adesso?

OTTO

La parte più difficile

Il viso di Max era calmo sotto il tocco leggero delle dita di lei che lo stavano carezzando. Il respiro di Federica, ancora accelerato per la fatica piacevole dell'amore, stava tornando normale. Mentre fissavano un tramonto che faceva convergere i loro sguardi in un punto di fuga lontano, verso le montagne, prese ad assaporare la brace amara di un ricordo appena sbiadito, ma che tornava spesso di prepotenza, come a dover sancire che quel momento era stato un nuovo inizio o l'inizio di una nuova vita.

Era giusto che sapesse, si disse. Che sapesse tutto.

Voltò appena il profilo verso la compagna. «È giusto che tu sappia tutto.»

Lei lo guardò esitante, come se la loro relazione le avesse sempre regalato tutto ciò che desiderava, compresa la certezza che tra loro non ci fosse alcun segreto. Perché da che si conoscevano, non si erano mai nascosti nulla.

«Sono un fuggiasco» mormorò ravviando i capelli spettinati. «Lo siamo tutti e quattro, un branco di evasi. Ho sempre temuto questo momento e mi rendo conto di aver sbagliato.»

«Evasi?» ripeté Federica. Nei suoi occhi adesso si era accesa una specie di fiammella, se fosse paura o sorpresa Max non fu capace di stabilirlo.

«Eravamo in viaggio verso il carcere di Lione» disse

come parlando a se stesso. «Aveva il sapore di un viaggio definitivo.»

Sforzandosi di rivedere la scena, iniziò a raccontare.

Il furgone bianco dell'amministrazione penitenziaria scivolava lungo l'Autoroute du Soleil circondato da un traffico di vetture e grossi camion che si spostava verso sud a forte velocità.

L'attrito delle gomme sull'asfalto faceva vibrare le pareti metalliche della gabbia nella quale era rinchiuso in compagnia di altre tre persone. Un algerino e due donne, una ragazzina nera dall'aria combattiva e una bruna sui trent'anni scarsi che prima di finire in galera doveva essere stata una bella donna. Tutti quanti portavano le manette ai polsi ed erano assicurati ai sedili per mezzo delle cinture di sicurezza.

Pensò che i sorveglianti avessero fretta di arrivare a destinazione, per consegnare al carcere di Lione il loro carico di umanità di seconda classe, e andarsene poi a mangiare e bere in città in attesa di riportare indietro il furgone, magari pieno di altri poveracci destinati a qualche galera nel Nord del Paese.

Dalla partenza, a Parigi, nessuno dei suoi compagni di viaggio aveva ancora aperto bocca. La tipa bruna indossava la divisa carceraria composta da giubbotto e pantaloni blu elettrico e maglietta arancione, la stessa che portava lui; gli altri due erano in borghese, il kabilo stretto in un vestito grigio da pappone con camicia bianca, la giovane africana con jeans e una maglietta girocollo nera che evidenziava il suo fisico sottile dai muscoli lunghi e nervosi.

Attraverso i due soli finestrini sui lati del furgone, in parte ostruiti dalle pareti della gabbia, vedeva scorrere una vegetazione fitta, inframmezzata da paesi che sembravano terribilmente distanti. Ma era pur sempre un orizzonte, l'immagine che scorgeva attraverso quella sorta di apertura sul mondo, proprio ciò che in carcere gli mancava di più, la possibilità di guardare lontano. Dopo anni di muri, di prospettive brevi, di figure tutte uguali, prendeva quel trasferimento come una specie di sogno grazie al quale era di nuovo riuscito a vedere la realtà.

Perché in galera il mondo non lo vedi mai, non ne annusi l'odore, non ne distingui i colori. A malapena ne senti parlare. Hai davanti agli occhi solo e sempre le stesse cinque o sei pareti che si ripetono giorno dopo giorno per svanire alla fine in un grigiore senza spessore e privo di profondità.

Distolse gli occhi dalla parvenza di vita che scorreva all'esterno e incontrò quelli della nera che lo stavano fissando, il volto impassibile sotto una criniera di capelli ricci e disordinati. Si osservarono nella penombra, poi Colucci annuì appena due o tre volte, come a volerle dire che in qualche modo si stava guardando in uno specchio e che quella tuta, quella stanchezza, quella mancanza totale di entusiasmo, sarebbero diventati presto anche suoi.

«Come ti chiami?» le chiese.

La giovane donna non rispose e distolse lo sguardo. Fuori dallo sportello della gabbia i due sorveglianti dell'amministrazione penitenziaria stavano chiacchierando sprofondati nei loro sedili, uno di fronte all'altro. Il poliziotto che li accompagnava, invece, un tipo sui cinquanta, stava leggendo un romanzo che lo assorbiva totalmente. Erano in viaggio da oltre quattro ore, quindi pensò che dovevano aver già superato Mâcon. Per arrivare al carcere di Lyon-Corbas, la sua nuova casa per i prossimi vent'anni, ci voleva almeno un'altra ora di viaggio.

Stava per insistere con la negretta, giusto per far passare il tempo, quando l'abitacolo iniziò a vibrare per una serie di scossoni e l'autista urlò una serie di imprecazioni.

Il mezzo si mise a sbandare come se all'improvviso si fosse trovato a correre sulla superficie di un lago ghiacciato. Le due donne gridarono spaventate. Fuori dalla gabbia anche gli sbirri urlavano frasi concitate. Attraverso il finestrino vide che l'autostrada stava ruotando con la lentezza di una ripresa al rallentatore. Ci fu un cozzo che li scosse con violenza, tanto che il busto della nera finì quasi in grembo alla tipa che le stava accanto.

Colucci picchiò la testa contro la parete di rete metallica che aveva alle spalle, mentre il furgone continuava la sua folle corsa scontrandosi con i veicoli che aveva attorno in un fragore bestiale di lamiere accartocciate. Sembrava di essere in una lavatrice, se non avessero avuto le cinture di sicurezza sarebbero stati scaraventati l'uno contro l'altro.

Cercando di proteggersi la testa, sentì che stavano scivolando di traverso. Come scaturite da una distanza siderale udì le trombe isteriche di un TIR che aumentavano di volume simili al barrito di un enorme elefante.

Questa volta lo scontro fu terribile. Con un boato, la cabina di guida esplose in una nuvola di fumo e una vampa di calore invase il vano posteriore portandosi dietro particelle di materiale, fiamme e una polvere densa, che sapeva di bruciato. Lo sguardo velato da una sorta di sbalordimento, Colucci vide che il muso del furgone veniva strappato via. Gli parve che il mondo esterno penetrasse di prepotenza nella gabbia alla quale erano stati divelti la parete anteriore e gli sportelli.

Si misero a rotolare in una sorta di folle corsa finché l'ennesimo ostacolo non li scagliò oltre il guardrail in un volo che si concluse con un fracasso metallico all'interno di una boscaglia che si stendeva sotto al terrapieno dell'autostrada. Un'ultima scivolata e infine ciò che restava del furgone si arrestò a testa in giù tra i tronchi di due grossi faggi.

L'abitacolo era saturo di polvere e di fumo. Sentì i suoi compagni che tossivano accompagnati dagli scricchiolii del veicolo che assestandosi sembrava implodere su di loro. Il fatto di essere illeso gli parve un miracolo bello e buono. Percepì dei gemiti e qualche frase di cui non riuscì bene a comprendere il senso compiuto e si rese conto che anche gli altri tre galeotti erano ancora vivi. Alla cieca riuscì a raggiungere l'apertura della cintura di sicurezza e la sganciò stringendola tra le mani in modo da non cadere dall'alto. Eseguì una capriola con le gambe e si lasciò scivolare sul tetto del furgone; gli ci volle qualche istante per ritrovare l'equilibrio, la testa che doleva e un fiotto di nausea che fu costretto a ricacciare indietro. Il sedile del poliziotto, attaccato alla parete di destra, era vuoto, la cintura strappata dai fermi. Degli altri due non c'era traccia.

«Dacci una mano» mugolò la voce della nera.

Pensò che adesso aveva deciso di parlargli. Si avvicinò intanto che il fumo si diradava e li aiutò a sganciarsi e a rimettersi dritti sul fondo del vano rovesciato. Chini come scimmie riuscirono a strisciare all'aperto e si ritrovarono in una boscaglia di piante ad alto fusto e arbusti carichi di foglie autunnali. Il muso del veicolo era stato strappato via lasciando un groviglio di lamiera contorta. Un brandello di motore stava bruciando a metà della scarpata.

Sopra di loro doveva esserci l'inferno, si udivano grida e il suono cadenzato degli antifurti che si erano attivati nell'incidente. Dense nuvole di fumo nero si alzavano nel cielo per una distanza di un chilometro almeno.

Si guardarono come se fossero scampati a un disastro aereo. Erano spettinati, sporchi di terra, fuliggine e sangue, ed erano ancora ammanettati. Attorno a loro il bosco si sviluppava in un lungo filare che correva lungo l'autostrada. Oltre il fitto degli alberi si vedevano campi arati e altri gruppi di piante che si perdevano in lontananza. Era come se quel momento insperato di libertà apparente li avesse lasciati in uno stato di animazione sospesa. Ancora insicuro sulle gambe, Colucci si guardò attorno.

Poco distante, ai piedi di un albero, scorse il corpo del poliziotto che la forza dell'impatto aveva strappato dal sedile. Era sdraiato con la faccia schiacciata nel fango secco, le membra scosse da una sorta di singulto silenzioso.

Si avvicinarono e César lo voltò sulla schiena. Era cianotico, la bocca aperta, sporca di terra e frammenti di foglie, e gli occhi spalancati dal terrore che si muovevano senza sosta dall'uno all'altro. Ebbe la sensazione che stesse per crepare.

«Non riesce a respirare» disse la donna bruna.

«Cosa ne sai?» domandò l'algerino.

«Ho lavorato in ospedale, sono laureata in Infermieristica. Quest'uomo ha la trachea schiacciata, se non lo aiutiamo morirà.»

«E allora?» sbuffò la nera dando un calcio con la punta del piede alla gamba del secondino.

«Sai come aiutarlo?» domandò Colucci alla bionda.

Lei annuì. Si accucciarono davanti all'uomo che adesso stava emettendo una sorta di rantolo, la bocca spalancata alla ricerca spasmodica di quell'aria che non entrava. Sembrava anziano per quel lavoro, più vicino ai sessanta che ai cinquanta. Aveva fango sul volto e sui capelli grigiastri. L'uomo li osservò quasi sorpreso, come chiedendosi chi diavolo fossero le persone che gli stavano attorno.

Colucci trovò la chiave delle manette. La tolse dal cinturone del sorvegliante, poi liberò i polsi della bionda e i suoi. Quindi la passò agli altri due.

«Come ti chiami?» chiese alla donna che stava frugando nelle tasche del *flic* alla ricerca di qualche strumento con cui eseguire l'intervento.

«Giselle» disse lei. Intanto aveva trovato un coltellino a serramanico, una penna a sfera e un accendino. «Devo praticare una tracheotomia, altrimenti soffoca.»

«D'accordo, io sono César.»

Gli concesse un sorriso freddo, poi si mise all'opera. Colucci si alzò e raggiunse gli altri, che intanto si erano liberati delle manette. La nera doveva avere una ventina d'anni, e l'algerino poco di più.

Ancora non si sentivano sirene e in un punto dell'autostrada si scorgevano delle fiamme che salivano al cielo come bolle arancioni per poi trasformarsi in un fumo nerissimo e pastoso che si spostava di sbieco sopra la campagna. Si udì uno scoppio sordo.

«Cos'avete intenzione di fare?» domandò César ai due.

«Un'occasione così non me la lascio scappare» disse il kabilo. «Io taglio la corda.»

Colucci si guardò attorno, quasi abbacinato da tutto lo spazio che lo circondava. Lo sentiva espandersi come un'onda d'urto, ne era impregnato.

«D'accordo» disse. «Se restiamo assieme abbiamo qualche probabilità in più di non farci prendere.»

«Perché?» chiese la nera in tono aggressivo.

César non seppe cosa rispondere. Ma sentiva che quella era la soluzione migliore, più teste per pensare, più competenze, più occasioni. O forse non voleva restare solo.

«Possiamo provare» buttò lì. «Se non funziona ci separiamo.»

«Tra qualche ora le nostre facce saranno su tutti i giornali» disse l'algerino. «Comunque, non credo che avremo molte chances.»

«Io devo scontare ancora vent'anni. Se mi riprendono me ne appioppano giusto altri tre o quattro, tanto vale rischiare.»

«Va bene, proviamo» si arrese la nera. «Se non siamo morti in questo macello, significa che lassù qualcuno ci ha dato una seconda possibilità.»

«Io mi chiamo Rachid» disse il kabilo tendendo la mano.

César la strinse, poi l'offrì alla nera.

«Florence» disse lei accettando con riluttanza.

Udirono una sorta di sospiro rauco e il secondino si mosse appena. Si avvicinarono. L'aria entrava e usciva con una specie di fischio attraverso la cannuccia della penna a sfera la cui estremità sporgeva dalla base della gola. Aprì gli occhi per guardarli. Ora il suo volto pareva più tranquillo e César si convinse di leggerci una qualche forma di gratitudine.

Giselle si alzò. Aveva le dita sporche di sangue. L'uomo adesso pareva che dormisse, cullato dal sibilo del suo stesso respiro. César le tolse il coltellino di mano, lo richiuse e lo mise in tasca.

«Se la caverà?» chiese.

«Ha preso una brutta botta, ma le ambulanze non tarderanno ad arrivare. I paramedici sapranno come assisterlo al meglio.»

«Cosa vuoi fare? Resti o vieni via con noi?»

La donna bruna si morse il labbro inferiore, nei suoi occhi vide indecisione, paura, ma anche un briciolo di speranza.

«Vengo con voi» disse infine.

«Allora sarà meglio se ci diamo una mossa» sbottò Florence. «Tra poco qui sarà pieno di *flic*.»

Rachid si accucciò accanto al secondino. Allungò una mano per togliere la pistola dalla fondina con un gesto secco e la soppesò quasi ipnotizzato dall'oggetto. Gli altri lo stavano guardando corrucciati.

«Non è una buona idea» disse César. «Se te la porti dietro, saremo considerati pericolosi. Sarà tutto più difficile.»

Il kabilo valutò la questione spingendo le labbra in fuori con l'aria di trovarsi di fronte a un dubbio amletico, infine fece spallucce e prima di alzarsi rimise l'arma nel fodero.

Si allontanarono dal rottame del furgone camminando svelti, correndo sull'erba che cresceva lungo il terrapieno dell'autostrada come se quella libertà insperata, forse momentanea, avesse messo loro le ali ai piedi. A circa un chilometro una lunga striscia di alberi tagliava in diagonale i campi dissodati nascondendo una strada. L'avevano quasi raggiunta quando sentirono le prime sirene che provenivano dalla parte di Lione.

Sbucarono in uno spiazzo di terra battuta circondato da ciuffi di erba polverosa e scavalcarono una catena arrugginita tesa tra due paletti di metallo.

Il viottolo, chiazzato da larghe pozzanghere fangose, passava sotto un'apertura nel cemento che permetteva di attraversare le sei corsie dell'Autoroute du Soleil. Sulla carreggiata diretta a sud regnava il caos. Si sentivano grida e lamenti.

Superarono il tunnel e si fermarono davanti all'immensità dei campi arati, chiusi al fondo da una boscaglia che si stendeva lungo l'argine del Rodano. Lontano, nella polvere, un grosso trattore trainava lento un aggeggio che aveva attaccato dietro.

Attraversando allo scoperto potevano attirare l'attenzione. Trecento metri più a nord, César vide una fila di alberi e alti cespugli che attraversava quello spazio immenso e giungeva fin sull'argine del fiume. L'autostrada doveva essere chiusa nei due sensi, perché non si sentivano passare automobili.

Max sistemò meglio i cuscini dietro la schiena. Sentiva sulla pelle il fiato tiepido di Federica che lo aveva ascoltato in silenzio.

«Marciando di buona lena» concluse, «siamo arrivati alle piante in meno di dieci minuti. Era il solo modo per raggiungere il fiume senza correre il rischio di essere visti. La nostra fuga è cominciata così. Il resto è stata solo fortuna.»

Max smise di parlare. Aveva la gola secca per via del lungo racconto e la testa piena delle immagini di quel pomeriggio lontano. Nella penombra lasciata dalla lampada sul comodino, Federica era immobile, il capo posato sul suo petto nudo e lo sguardo perso nell'oscurità della stanza da letto. Attraverso il palmo della mano che le teneva posato sulla schiena, percepì il battito del suo cuore, più veloce di quanto avrebbe dovuto essere.

Prese un bicchiere d'acqua e ne bevve un sorso. Lei parve scuotersi, si staccò da lui e gli si sedette di fronte in modo da poterlo guardare in faccia. Max avrebbe voluto un sorriso, ma Federica non aveva nessuna intenzione di accontentarlo.

«E quel secondino?» chiese invece.

«Il poliziotto? È sopravvissuto, l'abbiamo saputo dai giornali.»

«E dopo?»

«Una volta passata la Saône in un punto in cui la corrente era più calma, ci siamo allontanati in fretta dal luogo dell'incidente, scendendo verso sud. Avevamo deciso di comune accordo di lasciare il Paese. Ci spostavamo di notte e stavamo nascosti di giorno. Abbiamo mangiato la frutta che riuscivamo a trovare sugli alberi, cosa che non sempre succedeva. Non avevamo un soldo e spesso abbiamo patito la fame. Un giorno Abdel e io siamo riusciti a farci assumere per un lavoro da una famiglia di contadini e in cambio abbiamo avuto un po' di contanti. È stato come imparare tutto da capo.»

Tacque. Lei lo guardava come se lo stesse vedendo per la prima volta, quasi che si fosse addormentata accanto a una persona e ne avesse trovata un'altra al suo risveglio. L'incertezza che le vide negli occhi gli diede una fitta al petto, come una corrente elettrica leggera che gli provocò un fiotto d'ansia.

«César Colucci...» mormorò Federica.

«Quella parte di me è scomparsa tanto tempo fa» sospirò Max. «Tanto tempo fa.»

«Perché non mi hai mai parlato di questa storia?»

Provando un senso di colpa più acuto di quanto gli fosse successo negli ultimi anni – ogni volta che pensava a ciò che le stava nascondendo – si rese conto che quando si aspetta per troppo tempo si finisce per crogiolarsi in una sicurezza più fragile del vetro. A un certo punto aveva scoperto di essersi ormai abituato ad aspettare e che forse non avrebbe più voluto parlare della sua esistenza precedente. Si era sempre illuso che nulla avrebbe potuto interrompere la loro unione, che non avrebbe mai avuto bisogno di raccontarle il passato. Cosa che invece era regolarmente successa.

«Non lo so» disse. «Avevo paura di perdere tutto, te, il ristorante, la vita che abbiamo insieme, alla quale sono morbosamente attaccato. Sono stato un vigliacco.»

«No, amore mio, sei stato uno stronzo. Avresti dovuto fidarti di me.»

«Rapinavo le banche, capisci? Ero un delinquente e questa non è una cosa facile da dire alla donna che ami.»

«Già, è più semplice mentire, non è così?»

«Non ti ho mentito, ho soltanto taciuto.»

«Non me ne importa un fico secco di chi eri o di cos'hai combinato prima di conoscermi. Però mi ferisce che quando la nostra relazione è diventata una cosa seria, tu non abbia pensato di raccontarmi tutto sul tuo passato.»

Max sospirò. «Ho provato tante volte, credimi, volevo... Insomma, invecchiare è già uno schifo, ma non riuscivo a immaginare niente di peggio che invecchiare da solo.»

Lei non riuscì a trattenere un sorriso che subito svanì lasciando il posto a uno sguardo corrucciato.

«Posso anche capire che all'inizio della nostra storia tu abbia deciso di non dirmi nulla» brontolò. «Ma dopo avresti dovuto pensarci, tacendo è come se mi avessi mancato di rispetto. È questo che mi fa più male.»

«Non riguardava solo me, Federica, erano coinvolte anche altre persone. Si trattava di una scelta difficile.»

«E adesso, per quale motivo hai deciso di vuotare il sacco?»

Max posò il bicchiere sul comodino. Quindi la prese per le spalle e vincendo la sua blanda ritrosia l'attirò tra le proprie braccia, preparandosi a raccontarle il seguito.

«Ecco» disse. «Adesso arriva la parte più difficile.»

NOVE

Aveva contaminato ogni cosa

Lunedì 6

Abbandonata sulla sedia, Sanda teneva il capo rivolto verso la finestra e fissava i vetri sporchi con l'espressione assente di chi sta cercando di ricordare il titolo di una canzone senza riuscirci. La criniera di ricci scuri attorno alla testa pareva accesa da un'aureola abbacinante. Il profilo, appena accigliato, era scuro, delineato da una striscia luminosa che pareva un tratto perfetto di pennello.

Era rimasta in silenzio quasi metà della vita, per trovarsi poi a confessare tutto in una mattina che si era trascinata con la lentezza di una giornata estiva. Aveva raccontato a Salvo una storia dimenticata da tutti tranne che da lei, una storia lunga, contorta, ignobile, messa insieme con fatica e indegna di essere narrata.

Eppure le era parso che lui avesse capito, che le volesse bene comunque, anche così, imperfetta, pur sapendo adesso del suo passato di assassina. Salvo era il suo socio e il suo amante, la sola persona di cui si fidasse fuori dal gruppo, l'unica che per nessuna ragione al mondo avrebbe voluto deludere. La loro era una storia di sesso, certo, ma si volevano bene e Sanda gli era affezionata. Per questo il solo rammarico che aveva era di non aver parlato prima di esserne costretta.

Del resto, sapeva quanto la naturale passività in lei fosse sempre stata più forte di qualunque risoluzione. Per questo, quando decideva qualcosa o si trovava nelle condizioni di doverlo fare, veniva immediatamente colta da una sorta di inquietudine che finiva per esercitare l'effetto opposto a quello che si sarebbe aspettata.

Si accorse della figura massiccia di Max e si limitò a lanciargli uno sguardo con la coda dell'occhio, abbagliata dalla luminosità che entrava dalla finestra e che prendeva consistenza nella polvere sottile che vagava in sospensione nella stanza.

L'uomo posò un dossier accanto ai fogli scribacchiati sparsi sulla tavola. Erano giunti alla cascina un paio d'ore prima e si erano messi a lavorare finché la confusione di tutti quei dati non li aveva fermati, giusto il tempo di riflettere su ciò che avevano raccolto.

Più che le loro vite, l'incontro con Numero Uno aveva scombussolato la quotidianità, l'aveva complicata, resa estranea. Negli anni erano riusciti, ciascuno a proprio modo, ad affinare la capacità di non essere presenti, di scomparire quando le condizioni lo imponevano, o di rimanere invisibili nell'ombra per essere notati il meno possibile. Vivere, per così dire, alla luce del sole era stata una sorta di conquista sudata, era costata anni di attesa impiegati a costruire un'identità che potesse rimanere impermeabile a un eventuale controllo.

E adesso, quel vecchio dall'aria bonaria aveva rimesso tutto in discussione. Max sapeva quanto fosse rischioso uscire dagli schemi per affrontare gente che non conoscevano, magari pericolosa, che avrebbe fatto di tutto perché un segreto così ben protetto, se davvero ne esisteva uno, rimanesse tale.

«Sei di pessimo umore» disse.

Sanda si voltò verso il tavolo e dopo aver spostato i fogli

con un gesto della mano vi si appoggiò curva, con tutto il peso sui gomiti.

«Questa mattina sono stata costretta a ripensare ai miei errori di gioventù» disse con una smorfia. «Li ho dovuti affrontare di nuovo rendendomi conto che ogni volta che mi ci misuro se ne aggiunge qualcun altro.»

«A me è toccato farlo ieri sera» ribatté Max. «Mi auguro che Federica riesca a passarci sopra.»

«Le hai detto tutto?»

«Ogni cosa. Non mi ha nemmeno buttato fuori dalla camera da letto, questo dovrebbe essere un buon segno. In ogni caso, stamattina non mi ha rivolto la parola.»

«Salvo era sconvolto.» Sanda si ravviò la folta chioma passandoci le dita. «Non è piacevole scoprire di punto in bianco che la tua socia è una pregiudicata.»

«Cosa sei stata non è importante» disse Max. «Ciò che conta è quello che sei diventata, che siamo diventati oggi, persone perbene che si sono lasciate alle spalle il proprio passato. E che hanno pagato caro questo cambiamento.»

La giovane donna tacque fissando imbronciata i documenti e gli appunti che si trovavano sul tavolo.

«Vediamo di darci una mossa» sospirò. «Se non cominciamo a lavorare non arriveremo da nessuna parte. E il nanerottolo azzimato ci manderà tutti in galera.»

Max prese il foglio sul quale si era appuntato le tessere di quel puzzle, poche, ma che forse potevano aiutarli a mettere insieme un primo pezzo dell'immagine. Il ristorante era chiuso e in palestra era rimasto Salvo, cosa che aveva permesso a lui e Sanda di potersi dedicare all'indagine. Abdel era in officina e Vittoria stava cercando di farsi spostare il turno in ospedale per poter essere libera tutti i pomeriggi. Lavorare in coppia, a seconda di chi riusciva a rendersi disponibile, era la sola possibilità che avevano.

«Non ci sono molte opzioni» ricapitolò Max scorrendo l'elenco che avevano raccolto. «Tenendo conto che sono passati più di quattro anni, le persone con cui possiamo cercare di parlare si possono contare sulle dita di una mano.»

«Da chi vorresti cominciare?»

«Penso che dovremmo partire dallo sconosciuto che quella notte è bruciato nella residenza. Erica Colletti era la dottoressa morta nel letto assieme a lui. La madre si chiama Luisa Varco, ha un bar dietro al cimitero. Altrimenti ci rimangono due alternative, ma più complicate: a) trovare i neri scampati all'incendio, ammesso che siano ancora in città, oppure b) provare a parlare con la volontaria che sono riusciti a salvare e di cui ignoriamo le condizioni fisiche.»

«Questa è una storia maledetta, me lo sento nelle ossa» brontolò Sanda. «Dove hai detto che si trova il bar di quella donna?»

«All'inizio di via Parma. Se ti va, possiamo andarci adesso.»

La nera si alzò spingendo indietro la sedia con un gesto sgarbato. «Andiamo» disse. «Spero che almeno tu sappia quello che stiamo facendo.»

Ventura prese dallo schienale la leggera giacca di lino spiegazzata e l'indossò. Sanda portava una maglietta bianca a maniche corte su un pantalone di cotone nero, appena più femminile del solito, pensò. Capiva l'estrema ritrosia dell'amica nell'accettare quella nuova situazione che le imponeva di cambiare abitudini acquisite con fatica.

Scesero le scale nel silenzio ovattato della cascina e raggiunsero la vecchia Volvo 240 familiare con motore a gas di Max.

Il breve tratto di campagna che percorsero per raggiungere la strada asfaltata era deserto. La luce del sole rendeva il paesaggio irreale, lontano dall'idea di città che lo circondava.

Costeggiarono il fiume e lo attraversarono sul ponte di Sassi, poi tirarono dritto in direzione di Aurora. Stavano aspettando una pausa nel traffico per inserirsi in lungo Dora Voghera, quando Sanda ruppe il silenzio stampa.

«Se la madre di quella poveretta conosceva quel tipo, lo avrebbe detto a chi ha condotto le indagini, non credi?»

«Se diamo per scontato che tutto quanto sia già stato detto, tanto vale chiedere a Numero Uno di metterci le manette ai polsi. Leggendo quei documenti, ho avuto l'impressione che tutta quanta la faccenda sia stata risolta e chiusa in modo piuttosto sbrigativo. Sono convinto che sollevando qualche altro sasso troveremo un bel po' di porcherie.»

«Credi che l'incendio di quella casa non sia stata una disgrazia?»

«Ci sono solo due motivi per dar fuoco a una casa, un atto intimidatorio oppure l'intenzione di uccidere qualcuno.»

«Ce n'è un terzo, incassare un'assicurazione.»

«Le carte dell'inchiesta non parlano di assicurazioni. Se ce ne fosse stata una, sarebbe saltata fuori.»

«Quindi? Chi volevano uccidere?»

«O chi volevano intimidire. Mi piacerebbe fare quattro chiacchiere con l'esperto dei vigili del fuoco che ha firmato la perizia.»

«Hai qualche idea in proposito?»

«Nemmeno l'ombra.»

Parcheggiarono in una via poco distante dal fiume, sovrastata da brutti condomini e fabbricati decrepiti o abbandonati, per lo più industriali. L'isolato iniziava a ridosso della parete scrostata di un vecchio edificio e terminava un centinaio di metri più avanti, contro il muretto di mattoni che chiudeva il giardino di un orrendo condominio, dietro cui crescevano alcune piante polverose.

Il bar della signora Varco era una vera e propria bettola,

una porta a vetri e una finestra al piano terra di quello che restava di un'azienda agricola dei primi del Novecento. In passato doveva sorgere in mezzo ai campi, ora si trovava addossata a un tentativo mal riuscito di architettura postmoderna. Un cancello di ferro battuto chiudeva il passaggio per un cortile che in origine era stato l'aia della cascina.

A parte la proprietaria, il bar era deserto. La donna dietro al bancone aveva l'aspetto stanco di chi dalla vita ha ottenuto tutto il contrario di ciò che avrebbe desiderato. Era magra, sulla cinquantina, con i capelli grigi legati in una coda di cavallo spettinata. Stava lavando delle tazzine che di volta in volta asciugava per riporle sopra l'antiquata macchina del caffè.

Parve quasi sorpresa di vederli entrare. Li fissò facendo uno sforzo per non accigliarsi. Max realizzò che Sanda e lui dovevano sembrare una coppia piuttosto strana.

«Buongiorno signora Varco» disse.

«Conosce il mio nome?» chiese lei, questa volta incapace di nascondere la sorpresa.

«Mi chiamo Max Ventura» la informò. «Lei è Sanda Jordano, la mia collega.»

Le pareti sporche e macchiate di umidità contenevano il suo mondo devastato. Quattro tavolini di legno, una dozzina di seggiole scompagnate e il bancone frusto dietro al quale si vedeva una parete stipata di bottiglie polverose, bicchieri e qualche soprammobile sbeccato.

«Volete un caffè?»

I due si guardarono, Sanda accettò con scarso entusiasmo.

«Grazie. Vorremmo anche farle qualche domanda, se la cosa non le dà disturbo.»

«Riguardo a cosa?» brontolò riempiendo il portafiltro e pressando la polvere di caffè.

«Si tratta della morte di sua figlia Erica, signora.» Luisa

Varco si fermò guardandolo per la prima volta negli occhi. Era impallidita. Per cercare di essere più convincente, Max aggiunse: «Hanno deciso di riaprire le indagini».

«Siete della polizia?»

«Una specie.» Prese di tasca il portacarte che gli aveva dato Numero Uno e le mostrò il distintivo, certo che l'aspetto ufficiale di quel pezzo di latta sarebbe stato sufficiente. Numero Uno aveva detto di usarlo con discrezione, ma al diavolo, a quello serviva, a dar loro un briciolo di credibilità.

Lei diede uno sguardo distratto, poi agganciò la manopola alla macchina del caffè, tirò giù la leva e rimase imbronciata a fissarla mentre risaliva.

«Era ora» disse. «Mia figlia sta ancora aspettando giustizia.»

«Ce ne rendiamo conto» le fece eco Sanda.

La donna la guardò come fosse qualche strano genere di insetto che si era posato sul bancone, poi mise le tazzine davanti a loro e si asciugò le mani nel grembiule legato in vita. Max bevve un sorso del peggior intruglio che avesse mai assaggiato in vita sua. Trattenne a stento una smorfia.

«Cosa volete sapere?» Luisa Varco stava adesso davanti a loro, le braccia conserte e l'aria diffidente. «All'epoca ho già risposto alle domande della polizia.»

«Lo immagino, e mi spiace farle rivivere quei momenti penosi. Ma le garantisco che questa volta abbiamo intenzione di andare fino in fondo.»

«Mia figlia lo meriterebbe, era una ragazza in gamba, che dedicava agli altri tutto il suo tempo.»

«C'è una questione che fino a oggi è rimasta senza risposta» disse Sanda posando la tazzina vuota. «Quella sera sembra che sua figlia fosse in compagnia di un uomo che aveva introdotto di nascosto nella residenza. Se vogliamo che questa volta venga chiarito ciò che è successo, è importante sapere il nome di quella persona.»

«State cercando di dare la colpa dell'incendio a Erica?» sbottò sulla difensiva.

«No, signora, sua figlia è soltanto una vittima.»

«Io non ne sapevo niente. Mi hanno messo in croce, con la storia di quel tizio, come se mia figlia fosse una poco di buono.»

«Era una persona speciale» cercò di calmarla Max. «È probabile che fosse innamorata di quell'uomo, altrimenti non lo avrebbe portato nella sua stanza. In tutta questa faccenda è il solo individuo rimasto privo di identità. In seguito nessuno l'ha mai cercato, non lo trova strano? Non le aveva mai parlato di lui?»

Scosse il capo. Doveva avere più o meno l'età di Max, ma la trascuratezza la faceva sembrare più vecchia, in qualche modo disillusa. Invece di spingerti verso la luce, spesso la miseria ti trascina nell'abisso, senza lasciarti alcuno scampo.

«Il lavoro di Erica non mi è mai piaciuto» borbottò. «Le avevo chiesto di smetterla con il volontariato, tanto non sarebbe riuscita a cambiare nulla. Era una brava dottoressa, poteva guadagnare un mucchio di soldi. Ma lei era testarda come un mulo, ci teneva. Anche io avevo bisogno di lei, qui nel bar, ma piuttosto che aiutarmi sarebbe andata a vivere sotto un ponte con i suoi protetti.»

«Era il suo mondo, signora, spesso è una sorta di vocazione.»

«E cosa ha ottenuto in cambio?» disse amara. «È morta sola, bruciata in mezzo a un branco di ne...» Si interruppe dando uno sguardo imbarazzato a Sanda. «Mi scusi. Be', erano ragazzi come lei» concluse rivolta alla nera. «Gli immigrati non mi vanno a genio, ma nessuno dovrebbe morire in quel modo.»

Era come cercare l'acqua su Marte. La disperazione l'aveva

resa talmente arida da impedirle anche solo un rimasuglio di empatia nei confronti della fine miserabile di sua figlia. Forse non aveva voglia di ricordare, troppo dolore e troppe delusioni, o pensava che nessuno fosse in grado di renderle la giustizia che le spettava. La sua vita, se così la si poteva chiamare, era ormai confinata in quella bettola che somigliava sempre più a una tomba.

«Non c'è nessuno che possa aiutarci a trovare quel nome?» domandò Sanda col tono di chi sa già che non avrà risposta.

La donna fece spallucce. «Non lo so. Lei aveva la sua vita e io la mia. Questa storia me l'aveva nascosta.»

«D'accordo» disse Max, «la ringrazio. Se dovesse saltar fuori qualcosa le faremo sapere.»

Mise qualche moneta sul banco, poi prese Sanda per un braccio e si allontanarono dal loro primo buco nell'acqua. Erano sulla porta quando la voce della donna li fermò.

«Aspettate» disse.

I due tornarono accanto al bancone e le rivolsero uno sguardo interrogativo. Sembrava combattuta.

«Lei è uno strano poliziotto» aggiunse giocherellando con le monete che aveva preso dal banco. «È diverso da quelli che sono venuti l'altra volta. Mi voglio fidare.»

«Le garantisco che faremo il possibile» rispose Max.

«Mia figlia aveva un'amica, la sua migliore amica. Con lei non aveva segreti.»

«Come mai all'epoca non ne ha parlato?» chiese Sanda.

«Mi aveva chiesto di non dire il suo nome, non voleva essere coinvolta. Ogni tanto viene a trovarmi, è la sola persona che lo fa e per questo le sono affezionata.»

«Crede che sia possibile parlarle?»

«Lascerò decidere a lei» annuì Luisa Varco. «L'avviserò che siete passati e che volete chiederle di Erica.»

«Posso sapere come si chiama?»

«Questo lo saprete se accetterà di incontrarvi. Datemi un recapito telefonico e io glielo farò avere.»

«Le dica che è importante» disse Max scrivendo il suo nome e il numero di cellulare su un vecchio scontrino che aveva in tasca.

Lo porse alla donna, poi si salutarono. Questa volta si strinsero la mano. Tornarono in strada, la luce del sole era accecante. Dopo l'odore greve di umidità del bar, pareva di tornare a respirare. Salirono in macchina e Max accese il motore.

«Che ne pensi?» domandò Sanda allacciando la cintura di sicurezza.

«Non lo so» sospirò Ventura. «Se da qui non ricaviamo nulla, non so proprio come faremo a cavarci d'impiccio.»

«Hai preso in considerazione l'ipotesi che il tizio bruciato possa essere un fesso qualsiasi?»

«Certo. In quel caso, temo, saremmo proprio nella merda.»

Tacquero osservando una coppia che spingeva un passeggino verso il cancello di metallo di un condominio di mattoni al fondo della strada. Un'auto passò lì accanto e scomparve in una delle viuzze laterali con un suono di barattoli scossi in un sacco.

«Che facciamo?» Sanda sembrava impaziente.

«Se devi tornare in palestra ti ci porto, altrimenti potremmo fare un salto nel posto dov'è bruciato il centro di accoglienza.»

Lei guardò l'orologio. «Salvo mi aspetta tra un'ora e mezzo, quindi abbiamo tempo. Cosa pensi di trovare?»

«Nulla, ma tutto è iniziato lì» disse Max sistemando lo specchietto retrovisore. «Se vogliamo trovare la verità, prima o poi un pellegrinaggio lo dobbiamo fare.»

«La verità è soltanto una bugia che non è stata scoperta» ribatté la nera. «Mettitelo bene in testa.»

«Lo farò.»

Si osservarono nella penombra dell'auto. Dai finestrini abbassati entrava una brezza tiepida.

«D'accordo, andiamoci» disse Sanda.

«Forse non servirà a nulla, ma le tragedie rimangono nell'aria per anni, dopo che sono successe.»

«Mi diventi filosofo?» scherzò lei.

«Macché, mi sto solo arrampicando sui vetri.»

L'auto si mosse, le gomme che scricchiolavano sulle impurità dell'asfalto. Max fece inversione e si diresse a bassa velocità verso la periferia. Non vedeva l'ora di andarsene da quella strada stretta come una condanna, dove, così gli parve, la disperazione di una madre aveva contaminato ogni cosa.

DIECI

Toccare con mano

Sulla provinciale non c'era posto, quindi Ventura parcheggiò la Volvo sul bordo erboso in modo da non intralciare i pochi veicoli che passavano da quelle parti. Non sapeva bene come definire il rado insieme di case basse, villette, piccoli capannoni e fabbricati agricoli lunghi e stretti. Forse una borgata, più che un quartiere periferico. Oltre l'abitato iniziava la campagna vera e propria che si perdeva in lontananza in quella velatura chiara tipica delle giornate estive.

Frugò nel cassettino e prese un plico di foto; le aveva trovate in uno dei raccoglitori che avevano studiato, istantanee prese la notte della tragedia mentre i vigili del fuoco e i soccorritori stavano spegnendo l'incendio.

Scesero dall'auto e attraversarono la strada fermandosi su una pista ciclabile che correva accanto alla carreggiata, protetta da una serie di divisori in metallo verde. I punti di riferimento erano facilmente riconoscibili, la maggior parte degli edifici non era cambiata in quei quattro anni e mezzo. Una strada più stretta si immetteva nella provinciale creando un'ampia isola verde sulla quale era sorto il centro di accoglienza. Al di là di un muretto di cemento si stendeva una sorta di *terrain vague* sporco e disordinato dove vecchi container arrugginiti e mucchi di tralicci, forse sezioni di una gru, si mescolavano alla spazzatura e a una vegetazione incolta.

Della residenza non c'era più traccia. Al suo posto avevano costruito una palazzina di cinque piani sulla quale un architetto privo di gusto aveva sfogato tutta la sua frustrazione. Metallo e cemento si compenetravano in forme sgraziate, collegate fra loro da balconi sghembi e infissi di alluminio dorato. Il solo modo per non averla davanti agli occhi era abitarci dentro. Max pensò che il vicinato non doveva aver fatto i salti di gioia.

Ai piedi dell'ecomostro, quello che era stato il terreno del centro di accoglienza era diventato il giardino del condominio, in parte sfregiato dal vialetto di autobloccanti che portava alla rampa del parcheggio interrato. Il grande orto e gli alberi da frutto che si vedevano nelle foto erano scomparsi. Per separare il terreno da quello della vecchia casa colonica accanto, la proprietà aveva eretto una recinzione in ferro battuto il cui disegno doveva essere stato concepito durante una notte di dissenteria.

Per il resto, le attrattive della zona si limitavano a uno sfasciacarrozze pieno di rottami abbandonati, qualche capannone industriale e diversi complessi residenziali che non si capiva bene se fossero ristrutturazioni di fabbricati preesistenti o veri e propri parti di una mente criminale.

«Cosa dicevi a proposito delle tragedie che rimangono nell'aria per anni?» domandò Sanda con un sorrisetto.

«Si direbbe che avessero fretta di speculare sul terreno» ammise Max. «Per costruire questo schifo devono averci impiegato almeno due anni. Non c'è voluto troppo tempo per elaborare il lutto.»

La donna squadrò l'edificio riparando gli occhi con una mano. Il tetto era azzurro, colore che faceva a pugni con il verde chiaro delle facciate.

«Devono essere cinque appartamenti, uno per piano. Si

direbbero tutti abitati. Quindi, un anno dopo l'incendio, l'impresa doveva essere già al lavoro.»

«Se c'era sotto qualcosa di sporco, il modo migliore per sistemare le cose era cancellare tutto.»

«Lo hanno fatto con molta classe» sogghignò Sanda.

Al fondo della proprietà una rotonda dava accesso a una seconda strada, una specie di viottolo male in arnese, che correva verso un complesso di lotti industriali dei quali non si capiva la funzione. Un vasto terreno verde tagliato in due da ciò che restava di una roggia per irrigare i campi li separava dalla provinciale.

Mentre Sanda si guardava attorno, Max si chiese per quale motivo i proprietari del terreno avessero venduto così in fretta all'impresa che aveva costruito l'orrendo condominio. Scorrendo le carte dell'inchiesta si era ricordato delle parole di Numero Uno, quando aveva detto che le uniche due persone condannate per il rogo erano state il padrone della palazzina e la donna che dirigeva la casa di accoglienza. Era possibile che dovendo pagare le spese processuali, il proprietario avesse deciso di liberarsi dell'intero lotto.

Nell'area verde che divideva due file di villette a schiera erano parcheggiate alcune vetture. Una donna in vestaglia stava stendendo delle lenzuola gialle e un po' di biancheria. Diede loro un'occhiata distratta, poi riprese il lavoro. In quel silenzio, rotto solo dalle auto di passaggio, sembrava di essere lontani dalla città che in realtà era a un tiro di schioppo, oltre il nastro grigio della tangenziale.

Tornarono indietro passando per il viottolo interno e presto si ritrovarono sulla pista ciclabile. Al secondo piano del condominio, un tizio stava appoggiato alla ringhiera del balcone e li guardava con aria poco attenta, fumando una sigaretta.

A Max venne voglia e si mise a riempire di tabacco la pipa

Peterson Aran Prince che aveva in tasca. Mentre l'accendeva, notò poco lontano una donna che percorreva la pista ciclabile pedalando nella loro direzione. Si scostarono per farla passare, ma all'ultimo momento Max le chiese di fermarsi con un cenno.

La donna frenò con qualche scossone e saltò giù dal sellino per tenere in piedi la bicicletta. Il cestino davanti al manubrio era pieno di sacchetti della spesa.

«Buongiorno signora» disse Ventura, «mi scusi se la disturbo. Posso chiederle se è della zona?»

«State cercando qualcuno?» domandò lei.

«No, in realtà cerchiamo qualche informazione su questo condominio.» Indicò l'ecomostro alle loro spalle.

«Com'è che vi interessa questa schifezza?» Sembrava sorpresa.

«Stiamo lavorando a un articolo sulla tragedia.»

«Siete giornalisti?»

Sanda annuì. «Fra poco saranno cinque anni.»

«Me la ricordo, quella notte» disse cupa. «Qualche mese dopo abbiamo chiesto al Comune di fare un giardino pubblico per commemorare quei poveretti. C'era anche l'intenzione di piantare un albero per ciascuna delle vittime. Ma poi non s'è fatto nulla.»

«La proprietà non era d'accordo?» domandò Sanda.

La donna sogghignò. Doveva avere una quarantina d'anni, era bionda e portava i capelli raccolti in una crocchia sopra la testa. Indossava una tuta da ginnastica di acetato verde con la giacca allacciata in vita. Sotto la maglietta bianca spingeva un seno enorme.

«Eravamo anche pronti a costituirci in associazione, avevamo già raccolto una bella cifra. Ma quando il proprietario del terreno ha venduto a un'impresa di costruzioni senza dirci niente l'abbiamo usata per restaurare la parrocchia.»

«Intende il signor Barale?»

«Mi sembra che fosse il suo nome. Lo hanno poi messo dentro, quindi è stato il suo avvocato a trattare la vendita. Noi lo abbiamo saputo quando si sono presentati con le ruspe per buttare giù quel che restava della palazzina bruciata.»

«Quando è successo?» chiese Max.

«Non saprei dire, ma il giorno che hanno iniziato i lavori, secondo me non erano passati due anni dal disastro.»

«Ricorda qualcosa di quella notte?»

«Soltanto i corpi sotto i lenzuoli, i vigili del fuoco non lasciavano avvicinare. Non ho mai visto nulla bruciare in quel modo, sembrava che non sarebbero mai riusciti a spegnere l'incendio. È morta un mucchio di gente; se non sbaglio si sono salvati solo in tre. Molti di quei poveretti erano venuti qui in cerca di una vita migliore e guardi che razza di fine hanno fatto. A volte mi chiedo cosa stia lassù a fare, il buon dio.»

«Il vicinato come ha preso questa storia?»

«Siccome c'era stata qualche protesta per via dei neri, hanno insinuato che a dare fuoco alla casa fosse stata gente della zona. Ma vi garantisco che non è andata così, si è trattato di un incidente.»

Rimasero in silenzio qualche istante per osservare il condominio. Sul balcone il tizio aveva finito la sigaretta e li osservava con le braccia conserte. Max diede un paio di boccate alla pipa godendosi l'aroma del tabacco.

«Quindi non c'è stato nulla da fare?» disse. «Per il giardino, intendo.»

«Macché. Il giorno che hanno affisso sulla recinzione del cantiere il cartellone con i disegni dell'edificio finito c'è stata una sollevazione popolare. Nessuno voleva quella mostruosità. Non c'è un posto qua attorno dal quale non lo si veda.»

«E il sindaco?»

«Lasciamo perdere» brontolò storcendo la bocca. «Non mi stupirei che abbia avuto il suo tornaconto. Alla fine abbiamo chiesto all'impresa che ci lasciasse un pezzetto di giardino, per realizzare almeno in parte la nostra idea. Ma ci hanno detto che serviva a loro, per la cubatura. Non so cosa voglia dire, ma in sostanza ci hanno risposto picche.»

«Ricorda il nome dell'impresa?»

La donna ci pensò su qualche momento, le braccia posate sul manubrio della bicicletta. «Aveva un nome latino» disse, «Palazia, Palazzina, qualcosa di simile. Ce l'ho sulla punta della lingua...»

«Palatina?» suggerì Sanda.

«Sì, brava, si chiamava Palatina Srl. Qui in giro hanno ristrutturato anche altre cose, sempre con quel gusto di merda, se mi concede il francesismo.»

Con un sorriso Max la ringraziò per il tempo e la cortesia che aveva dedicato loro.

«Mi raccomando» disse mentre si allontanava, «scrivetele, tutte queste cose!»

La osservarono divertiti finché non scomparve dietro una curva. Mentre Max ravvivava la brace nella pipa, Sanda prese dalla tasca il cellulare e si mise a fare delle foto di condominio e giardino.

«Che cazzo stai facendo?» urlò una voce.

Alzarono gli occhi verso il secondo piano. Il tizio sul balcone ce l'aveva con loro. Era un sessantenne bolso, di aspetto epatico, con pochi capelli, folte sopracciglia grigie e il naso coperto di capillari viola. Indossava un camiciotto blu sbottonato che mostrava i peli grigi del petto in cui affondava un medaglione d'oro che pareva un reperto archeologico adagiato sulla paglia. Un tatuaggio bluastro sul bicipite, una sorta di disegno tribale, accentuava l'aspetto del piantagrane, uno di quegli individui che non sono contenti se non litigano con qualcuno.

«Dice a noi?» domandò Max mentre Sanda continuava a scattare.

«Che sta facendo quella lì?» insisté l'uomo con tono incazzato. «È una proprietà privata.»

«Sta solo scattando qualche foto. Stia tranquillo, nessuno la tocca, la sua proprietà.»

«Deve smetterla» berciò sporgendosi dal balcone con fare aggressivo. «Hai sentito? Dico a te, negra, casa mia non la puoi fotografare.»

Sanda abbassò il telefono e lo fissò impassibile. «Perché non scendi e vieni qui a ripeterlo?» lo apostrofò.

«Se vengo lì, vi rompo il culo a tutti e due, stronza.»

«Forza» lo provocò, «ti sto aspettando.»

La guardò interdetto. «Se non ve ne andate fuori dai coglioni chiamo la polizia» disse un poco più cauto.

Al piano di sopra una donna aveva aperto una finestra per vedere cosa stesse succedendo. Max prese l'amica per un braccio e si incamminò verso la Volvo costringendola a seguirlo. Lei mise il cellulare in tasca, poi si voltò verso il tizio sul balcone e gli mostrò il dito medio.

«Negra di merda!» le urlò dietro.

Salirono in macchina. Max mise in moto e si allontanò sotto lo sguardo adirato dell'inquilino.

Alla rotonda fece inversione e passò di nuovo davanti al condominio. L'uomo era ancora lì e adesso aveva un telefonino all'orecchio.

Percorsero il cavalcavia che passava sopra la tangenziale, poi si lasciarono alle spalle la superstrada per l'aeroporto, e presero la direzione della Barriera. Ci volle qualche minuto prima che Sanda rompesse il silenzio.

«Hai visto che razza di cretino?» disse con il tono di chi ripete una domanda per la terza volta.

«La gente è fuori di testa» ammise lui. «Però dobbiamo stare attenti a non esagerare.»

«Con quel tipo, dici? Non aveva che da scendere, gli facevo fare il giro dell'isolato a calci nel sedere.»

Non era dei pugni di quel tipo che Max aveva paura, ma delle implicazioni che un imprevisto del genere avrebbe potuto provocare. Il fatto che Numero Uno li avesse costretti a lavorare per lui non li metteva del tutto al sicuro dal rischio di finire in galera senza passare dal via. Non ce l'aveva con Sanda, anche lui avrebbe reagito in quel modo agli insulti di quell'idiota di un razzista. Magari aveva pure preso la targa dell'auto.

«Lo so che lo avresti fatto correre» disse, «conosco la tua abilità nel fare a botte. Il fatto è che dobbiamo continuare a restare un po' nell'ombra. Se dovessimo ficcarci nei guai, non sono così sicuro che Numero Uno ci aiuterebbe fino in fondo.»

«Hai ragione» ammise lei dopo averci pensato qualche momento. «Devo imparare a non reagire alle provocazioni. Ci farò attenzione.» Gli fece l'occhiolino.

Era stata una bella giornata. A quell'ora del pomeriggio una cascata di luce accendeva la chioma delle piante, faceva brillare le nuvole di polline che si spostavano lente nell'aria e conferiva agli edifici scalcagnati di quella sorta di terra di mezzo la consistenza di un'illusione ottica.

Oltre la facciata sporca di un condominio di stampo sovietico, la strada correva verso la parte più esterna della città, con i suoi brutti edifici, le fabbriche abbandonate e le concessionarie d'auto. Lì gli alberi cominciavano a essere più radi e polverosi, il traffico più denso, e questo diede a Max un'improvvisa sensazione di malinconia, forse perché quel degrado era solo una debole avvisaglia della sporcizia che avrebbero dovuto toccare con mano.

UNDICI

Il verso giusto

Mercoledì 8

Ciò che pesava davvero, in tutta quella storia, era dover conciliare l'attività che aveva loro imposto Numero Uno con quella solita, di tutti giorni, quella lavorativa, insomma. Avevano passato i due giorni precedenti a discutere di come risolvere la questione.

Nel frattempo Vittoria era riuscita a cambiare il proprio turno in ospedale e questo le permetteva di essere disponibile tutti i pomeriggi, il che rappresentava almeno un inizio. L'idea di coinvolgere nella discussione i propri soci e compagni era stata di Sanda, e sia Federica che Salvo avevano assicurato il loro massimo sostegno in quella situazione che Max aveva definito "seria" e che sperava non sarebbe durata troppo a lungo.

Quella sera, per la *choucroute* mensile che preparava Vittoria, erano presenti tutti, anche Federica e Salvo, che ormai facevano parte di quella confraternita di esuli di nuovo in cerca di un futuro. Mancava solo Teodoro, il filarino di Abdel, poiché il kabilo ancora non si era deciso a parlargli francamente del suo passato. In parte perché il legame era più volatile di quello che i suoi soci avevano con i rispettivi compagni, e poi perché non era sicuro di quale sarebbe stata la sua reazione: Teodoro era un avvocato piuttosto noto in città.

Comunque, l'intenzione era quella di metterlo presto al corrente di ogni cosa. Abdel era certo che avrebbe capito.

La cena era stata meno distesa del solito, ma l'impegno ben maggiore, visto che avevano raccontato di loro a Matilde e questo, specie da parte di sua madre, aveva comportato una tensione piuttosto evidente.

La ragazza, però, si era dimostrata una persona adulta. Invece di preoccuparsi o addirittura spaventarsi, aveva trovato piuttosto eccitante il passato fuorilegge di quei quattro personaggi che rappresentavano la sua famiglia. Li aveva costretti a rispondere a un mucchio di domande, poste con sempre maggiore entusiasmo.

A un certo punto, allontanata la sedia dal tavolo, guardandoli con le mani posate sui braccioli e un sorriso divertito sul viso, aveva esclamato: «Non ci posso credere! Però... adesso che me lo avete detto, qualcosa di strano lo sospettavo, con tutto quel viavai di denaro».

Il resto della serata era trascorso senza ulteriori problemi. Mentre gli altri sparecchiavano e pulivano la cucina, Max e Vittoria avevano raggiunto Matilde in camera sua. Sentendoli entrare aveva interrotto ciò che stava facendo sul suo computer e si era voltata verso di loro.

«Non capisco perché queste cose non me le abbiate dette prima» li apostrofò con un sorrisetto. «Non sono più una bambina.»

«Pensavo che avresti potuto fraintendere» disse Vittoria torcendosi le mani. «Non sono cose che fa piacere sentirsi raccontare da una madre.»

«Sono passati tanti anni, non siete più quelle persone» disse guardandoli. Siccome non rispondevano aggiunse: «Non è così?».

Max si sedette accanto a lei. «No, non lo siamo più. Abbiamo commesso degli sbagli, ma il tempo ci ha permesso di cambiare. Ci siamo rifatti una vita e adesso, come avrai capito, siamo a un bivio.»

«Cosa vuole da voi quell'uomo?»

«Ci ha proposto uno scambio. Vuole che risolviamo un problema, in cambio riavremo le nostre vite.»

Lei lo guardò con quei suoi occhi nocciola, forse ereditati dall'uomo che in quella fattoria della Savoia per una sola notte era stato suo padre.

Quella sera erano riusciti a evitare per un soffio una pattuglia della gendarmeria che li stava cercando, forse per la denuncia di qualcuno che li aveva notati. Se non avessero trovato un rifugio dove poter riposare, li avrebbero presi di sicuro. Ebbero fortuna in una fattoria fuori dal paese, ma il proprietario, un contadino senza scrupoli, aveva preteso che Vittoria passasse la notte con lui. Poco meno di un anno dopo, grazie all'aiuto di una vecchia che per pura generosità aveva aiutato Vittoria a partorire, era nata Matilde.

Incontrando i suoi occhi si sentì esaminato al microscopio, quasi che lo sguardo innocente della ragazza avesse invece già visto tante cose.

«Vi ha chiesto di commettere un crimine?» domandò lei.

«No, il contrario. Ci ha chiesto di correggere un torto, un modo di ripagare la società per ciò che abbiamo commesso. A ripensarci mi sembra abbastanza equo, non credi?»

Lei gli rivolse un'espressione perplessa. «Mi sembra tutto così assurdo. Se non foste stati voi a raccontarlo, non ci avrei creduto.» Guardò sua madre e le sorrise. «Ho sempre pensato fossi una un po' noiosa, come tutte le mamme. E invece...»

«Ti ho delusa?» domandò Vittoria con tono inquieto.

«Ma no, al contrario. Adesso so che hai una storia.»

«Sei la sola cosa buona che abbia fatto in vita mia» disse la madre con un sorriso triste.

Matilde si alzò e andò a sedersi accanto a lei sul letto. Si fece abbracciare e chiuse gli occhi per qualche momento. Quando li riaprì il suo sguardo incrociò quello di Max. Osservò il suo volto segnato, la barba grigia e i capelli folti, color del ferro. Era la figura più vicina a quella paterna che avesse avuto nella sua ancora giovane esistenza. Max c'era sempre stato, la sua determinazione aveva aiutato la madre a trovare la forza di tirare avanti, le aveva dato una forma e una struttura, e questo era passato a lei per una sorta di osmosi che l'aveva resa solida e sicura. Gli voleva bene.

«È una strana combinazione» disse. «Che voi quattro foste coinvolti in quel tamponamento e che abbiate deciso di restare insieme. Non credo che molti altri avrebbero accettato un patto del genere.»

«Era la nostra sola possibilità» disse Max. «Credo che se ci fossimo separati, saremmo stati presi in breve tempo.»

Sua madre era stata in gamba. Se la sera in cui l'aveva concepita non avesse accettato di accontentare quell'uomo, la gendarmeria li avrebbe trovati e non avrebbero avuto alcuno scampo.

La ragazzina lo fissò seria, la fronte appena corrucciata. Indossava una maglietta girocollo con sopra il disegno di una supereroina e un paio di braghe larghe da cui spuntavano i piedi nudi.

Tra le braccia di Vittoria pareva un animaletto pronto a difendere con i denti e le unghie ciò che possedeva. La madre le teneva il mento appoggiato sul capo e Max trovò che fossero tenere, ma anche forti e determinate. Con quei capelli lunghi e spettinati che esaltavano l'ovale del viso, Matilde era un misto di dolcezza e istinto, più adulta di quanto esigesse la sua età. Cosa, d'altra parte, piuttosto frequente nelle donne.

«Posso aiutarvi a *correggere* questo torto?» domandò sfregando piano la testa contro la guancia di sua madre.

«Tu occupati della tua scuola che ce n'è d'avanzo» disse lei.

«La scuola è praticamente finita, mami, lo sai benissimo. Magari avete bisogno di qualche ricerca in rete.»

«Non voglio che ti ficchi nei guai, argomento chiuso.»

Con espressione esasperata Matilde gonfiò le gote e sbuffò guardando Max, come per dire: «Che palle!». Lui la osservò per alcuni secondi giocherellando con la stanghetta degli occhiali.

«In effetti ci sarebbe una cosa che potresti fare» disse infine.

«Max, piantala» ingiunse Vittoria.

«Lascialo parlare, dài» la pregò la figlia.

«Come sei messa col computer?» chiese Max.

«Vuoi sapere se qualcuno potrebbe risalire a me? È escluso, ho tutto quello che serve, e anche di più.»

«Tua madre mi ha detto che sei una hacker in gamba.»

«Max, piantala!» ripeté Vittoria. «Non voglio sentire una parola di più.»

«Come sistema ho Linux» la ignorò la ragazza. «Prima utilizzavo Ubuntu, ma adesso ho montato Kali Linux, è più potente. L'ho configurato in modo che sia del tutto impenetrabile agli attacchi esterni. Ti assicuro che nessuno può mettere il naso nel mio computer.»

«Smettetela, voi due» protestò la madre.

«È una cosa che mi puoi garantire?» insisté Max.

«Certo. Nascondo il mio IP con un'applicazione che si chiama Tor, puoi controllare, è una figata. E in ogni caso, mi collego attraverso VPN tostissimi. Se non bastasse, il computer s[illegible] affida a sistemi di cifratura come Faker.js, applicazioni [illegible] Script che generano una quantità enorme di dati f[illegible] nomi, cognomi, caselle di posta elettronica e i[illegible] stenti. Sono dati fasulli, ma con un formato [illegible] simi per deviare qualsiasi tentativo di l[illegible]

«È come se mi stessi parlando in cinese, ti credo sulla parola.»

Vittoria fulminò Max con lo sguardo. Lui aprì le braccia con un gesto indulgente.

«Uffa, mami, non rompere» la implorò Matilde. «Faccio attenzione, te lo giuro.»

«Non le sto chiedendo nulla di pericoloso» disse Max. «È sufficiente che faccia qualche ricerca sull'impresa di costruzioni di cui ho saputo l'altro giorno con Sanda. Soltanto informazioni, niente di illegale. Può farlo meglio di me.»

«Non voglio che si metta nei guai» ribadì la madre.

«Ma se ha Linus, lo ha detto lei.»

«Linux» rise la ragazza. Poi si svincolò dall'abbraccio di Vittoria e le prese il viso tra le mani. «Su, lasciami provare, cosa vuoi che sia? Ho fatto ben di peggio.»

La donna sgranò gli occhi. «Come sarebbe a dire?»

Matilde si morse il labbro. «Dài, stavo scherzando. Voglio dire che quello che chiede Max è una sciocchezza, posso farlo a occhi chiusi.»

Diede un bacio in fronte alla madre. Ventura capì che la sua amica stava cedendo. Il senso materno è una moneta a due facce, da una parte è determinata a proteggere, dall'altra non vuole deludere. Lei lo fissò seria.

«Sappi» disse «che, qualsiasi cosa succeda, ti riterrò responsabile. Cerca di ricordarti che è solo una ragazzina.»

«Non sono più una ragazzina» protestò Matilde.

«Stai tranquilla» cercò di minimizzare Max. «Me ne occupo io, lo sai che la considero più che una nipote.»

Prese un pezzetto di carta dalla scrivania e scrisse il nome della Palatina Srl. Sotto aggiunse due righe specificando che li interessava qualsiasi notizia che riguardasse la costruzione una palazzina sul terreno di una casa di accoglienza bruciata alcuni anni prima. Infine mise l'indirizzo e lo diede alla ragazza.

«Dai retta a tua madre e non fare sciocchezze» disse. «Non devi esporti per alcun motivo, d'accordo?»

Lei annuì. «Non ti preoccupare, so come muovermi in rete. Nessuno si accorgerà di niente.»

«Mi raccomando, non si può mai sapere chi ci sia dall'altra parte del computer, ok?»

«Sarò prudente. Ti trovo tutto ASAP.»

«E sarebbe?»

Lei lo guardò come se fosse un caso umano. «*As soon as possible*» disse. «Ma dove vivi, in una caverna?»

Gli strizzò l'occhio con aria complice. Vittoria scosse il capo contrariata, quindi si alzò per lasciare la stanza della figlia assieme a lui. Erano in fondo al corridoio quando il cellulare di Max si mise a suonare. Si trattava di un numero nascosto.

«Il signor Ventura?» domandò una voce di donna.

«Sono io» ammise.

«Mi ha dato il suo numero la signora Varco. Ha detto che volete parlare con me.»

«Grazie per aver chiamato. Deve sapere che abbiamo riaperto le indagini sull'incendio in cui è morta Erica.»

«Abbiamo chi? La polizia? I carabinieri?»

«Faccio parte di una squadra selezionata per questa inchiesta. Mi spiace, ma non posso dirle altro.»

La voce tacque. Max ne sentiva il respiro nell'auricolare. Scoprì di avere un leggero batticuore. Quella storia lo stava riportando a vent'anni prima, a una vita sospesa, fatta di ansia e di incertezze, dove i programmi si limitavano alla giornata successiva e riuscire ad arrivarci liberi non era affatto scontato.

«Perché dovrei fidarmi di lei?» chiese infine la donna.

«Perché immagino volesse bene a Erica» disse Max. «Se accetta di incontrarci le mostreremo le nostre credenziali.»

Di nuovo la voce si fece attendere per qualche istante. L'incertezza era palpabile, pareva una materia spessa e oleosa che tendeva ad allontanarla da lui.

«Senta, io voglio rimanere anonima» riprese decisa. «Questo non è negoziabile.»

«D'accordo, non c'è problema.»

«Non vi dirò il mio nome, anche se immagino possiate risalire al mio numero di cellulare.»

«Capisco la sua reticenza, ma è importante che parli con noi. Le garantisco che rispetteremo la sua richiesta. Nessuno cercherà di sapere chi è, ha la mia parola.»

«Cos'avete in mente, che non sia già stato fatto?»

«Scoprire chi era l'uomo bruciato a letto con Erica. Di lui continuiamo a non sapere nulla, per questo vogliamo tentare quella strada.»

Un altro lungo silenzio. Max pensò addirittura che avesse riattaccato. Invece udì una sorta di sussurro.

«Che probabilità ci sono che Erica abbia finalmente giustizia?»

«Senza il suo aiuto, nessuna.»

«D'accordo, accetto di incontrarvi. Ma se cercate di fregarmi non vi dirò nemmeno una parola, è chiaro?»

«Chiarissimo. Quando possiamo vederci?»

«Sa dov'è la fontana della Dora?»

«Sì, certo.»

«Bene, potete aspettarmi seduti sul bordo della vasca. Sarò lì domani pomeriggio alle quattordici e trenta.»

«Ci saremo» disse Max, ma la donna aveva già chiuso la comunicazione.

Rimise in tasca il telefono e si voltò verso Vittoria che lo stava fissando corrucciata.

«Vorrei che domani mi accompagnassi all'incontro» le disse.

«Va bene.»

«Penso che vedermi con una donna possa tranquillizzarla.»

«Anche Sanda è una donna» disse lei.

«Be', non è proprio il tipo capace di metterti a tuo agio. L'altro giorno è andata a un pelo dal fare a botte con un tizio.»

«Non ho problemi ad accompagnarti. Prima riesco a entrare con la testa in questa storia, prima me ne farò una ragione.»

«Andrà tutto bene, Vittoria» disse rendendosi conto di non riuscire a convincere nemmeno se stesso.

Lei sorrise. Dal salotto provenivano le voci dei loro compagni, erano allegre e Abdel stava ridendo. Max lo prese come il segno che tutto quanto stava andando per il verso giusto.

DODICI

Una risposta

Giovedì 9

Piazza CLN era assolata. Le facciate razionaliste degli edifici riflettevano la luce inondando il piazzale di una luce pastosa, quasi abbagliante. In diversi punti stazionavano gruppi di monopattini colorati, simili a strani insetti in attesa di qualche preda.

C'era parecchia gente in giro, proveniva da piazza San Carlo o dalle vie laterali e sciamava sotto i portici di via Roma la cui prospettiva di colonne cilindriche, quasi elementare, correva verso il punto di fuga rappresentato dalla stazione di Porta Nuova. Alcuni andavano di fretta, altri passeggiavano tranquilli, fermandosi a guardare le vetrine. Le poche automobili circolavano lente, come nel dubbio che fosse concesso loro di far parte del paesaggio.

Alle loro spalle lo scroscio dell'acqua della fontana pareva un inno alla scultura in marmo che rappresentava il fiume, un'enorme donna seminuda che giaceva sul fianco accanto al muro, bianca e immobile nell'eterno gesto di porgere il frutto che teneva nella mano destra.

Seduta sul bordo della fontana accanto a Max, invece, Vittoria indossava un abito leggero di seta gialla, stretto in vita da una cintura sottile dello stesso tessuto, che evidenziava l'aspetto slanciato delle sue forme e lasciava scoperte le gambe nude di cui ricordava la morbida sensualità. Trovava che fosse ancora bella, la stessa donna attraente da cui era stato sedotto e che per qualche strana ragione aveva scelto di non attrarre più nessuno. Calzava sandali leggeri di pelle chiara che accentuavano la sua eleganza innata e un poco trascurata.

Nel loro gruppo era sempre sembrata un po' fuori posto, come se appartenesse a una classe superiore e la vita l'avesse spinta verso il basso, al loro livello, imponendole un'esistenza che non era la sua. Si chiese da dove venisse, quale fosse il suo passato. Ognuno di loro sapeva poco degli altri, per una sorta di pudore non avevano quasi mai parlato delle vicende che li avevano portati a dividere una fuga che mai avrebbero pensato potesse durare così a lungo. Forse nel tentativo di dimenticare.

Max caricò con calma la pipa, poi mise la scatola del tabacco in una tasca della giacca. Controllò che il fornello della Butz-Choquin fosse riempito a dovere e, prima di accenderla, guardò l'ora con un sospiro. Erano le tre meno un quarto. Magari la donna aveva cambiato idea e non sarebbe venuta. Pressò piano la brace con un nettapipe e attraverso il fumo la scorse che si avvicinava con passo esitante, come vincendo un'estrema ritrosia.

Portava pantaloni leggeri color crema e una maglietta verde spento con la scritta ILLEGITIMI NON CARBORUNDUM in blu. Doveva avere poco più di trent'anni e aveva l'aria di essere una bella donna. Buona parte del viso era velata da una mascherina nera che lasciava scoperti soltanto gli occhi marroni e le sopracciglia scure come i capelli. Lì attorno, diverse persone portavano ancora la mascherina, un'abitudine che per alcuni sembrava difficile da abbandonare.

Si fermò a qualche metro da loro e fece un ultimo passo indeciso, lo sguardo che chiedeva conferma. Max si alzò e le andò incontro, subito seguito da Vittoria. La nuova venuta li salutò con un cenno del capo. Una borsa a sacco di pelle marrone le pendeva dalla spalla.

«Sono un po' in ritardo» si scusò.

«Mi chiamo Max» disse. «Lei è Vittoria, la mia collega.»

Prima che potesse chiederlo, entrambi cercarono le loro credenziali, gesto davanti al quale la donna si ritrasse d'istinto. Quando vide i tesserini si tranquillizzò e li osservò con attenzione.

«Siete poliziotti?» domandò incuriosita.

«Una specie» disse Max di rimando. «Di cos'ha paura?»

Lei alzò le spalle infastidita. «Di nulla in particolare» disse. «Ho sempre pensato che questa tragedia avrebbe continuato a tormentarmi.»

«Siamo spiacenti di averla turbata» si scusò. «Come le dicevo, facciamo parte di una squadra incaricata di riaprire le indagini sull'incendio.»

«Come mai tutta questa sollecitudine? Pensavo che fosse una storia morta e sepolta.»

«Noi abbiamo soltanto l'incarico di investigare. Il motivo per cui sia stato riaperto il fascicolo non lo conosciamo.»

La donna li osservò pensosa. Non sembrava del tutto convinta di quell'incontro. Le sue iridi – erano di un azzurro profondo, quasi blu, notò – incontrarono lo sguardo di Max.

«Cosa volete sapere?» domandò.

«Tutto ciò che può dirci su Erica» disse Vittoria.

Prima di rispondere, l'altra le diede una lunga occhiata, talmente insistente da metterla in imbarazzo.

«Era una persona in gamba» disse infine, «un'entusiasta

innamorata dell'umanità. Qualunque tipo, di umanità. Come dottoressa era eccellente, per un certo periodo aveva fatto il medico di base. Ma non le bastava.»

«In che senso?»

«Aveva lo studio nel quartiere di Aurora, i suoi assistiti erano persone in difficoltà e immigrati di ogni genere, soprattutto mamme con bambini. Era una casinista, non stava mai ferma.»

«Nel senso che creava dei problemi?»

«No, ma era un'idealista, aveva sempre bisogno di una battaglia e per questo si metteva nei guai. Prima con i No Tav, poi con altre iniziative del genere. Le piaceva andare in piazza con i centri sociali. Nei momenti liberi dal lavoro in ospedale, si era messa a fare volontariato. Alla fine ha lasciato l'impiego da medico di base e ha deciso di occuparsi soltanto delle comunità per migranti.»

«Da quanto tempo lavorava nella casa di accoglienza che è bruciata?» volle sapere Max.

«Un paio d'anni, forse qualcosa di più. Era affezionata ai ragazzi che passavano dalla residenza, sapeva prendere su di sé i loro tormenti, le paure, tutta la loro incertezza. Ed era capace di dar loro la forza di cui avevano bisogno.»

«Per questo si trovava lì, quella sera?»

«Era una sua abitudine. Quando qualcuno di loro aveva problemi o stava male, se poteva si fermava a dormire. Aveva una sua stanza.»

«Che tipo di problemi?»

La donna si strinse nelle spalle. «Droga, Aids, tubercolosi, c'era sempre qualcuno da curare. Quando venivano rimpatriati o lasciavano la comunità, magari perché avevano un lavoro, per lei era come perdere degli amici.»

«Ha mai coperto qualche reato?»

«Scherza? Quando scopriva che uno di loro era coinvolto in qualcosa di illegale, ci stava male, lo viveva come un fallimento.»

«Accadeva spesso?»

«Succedeva. E lei sapeva essere piuttosto dura.»

«Potrebbe esserci qualcosa del genere all'origine dell'incendio? Una ripicca o una vendetta?»

«Vendetta?» si stupì. «Per cosa? Erica non ha mai denunciato nessuno, tutt'al più cercava di parlare, di convincerli a rimettersi in carreggiata.»

«Ricorda di aver conosciuto la persona che è morta nel letto accanto a lei?»

«Mi pare che lavorasse per uno dei fornitori della casa di accoglienza. Erica lo aveva incontrato qualche mese prima.»

«Fino a oggi nessuno si è fatto avanti per riconoscerlo, non le sembra strano?»

«Se non ricordo male si chiamava Ruggero, il cognome non lo ricordo. Erano nel sottotetto, lassù le fiamme hanno incenerito tutto e nessuno sapeva chi fosse. Nella stanza accanto abitavano tre ragazzi nigeriani. Si sapeva che dormivano là dentro, ma erano talmente bruciati che ai loro corpi i nomi li hanno dati a caso. Erica, invece, è stata riconosciuta grazie a ciò che rimaneva degli anelli che aveva alle dita e dalla catenina che portava al collo.»

«Com'è possibile che nessuno conoscesse quel tipo?»

«Qualche volta lo faceva entrare di nascosto e passavano la notte assieme. Così mi aveva raccontato, era una trasgressione che la divertiva.»

Gli parve che sotto la maschera sorridesse.

«Io credo che lei fosse innamorata di Erica» disse Vittoria di punto in bianco. «Non è così?»

Max la fissò sorpreso. Anche la donna pareva sbalordita. Ebbe come un guizzo di indignazione, infine parve sgonfiarsi e chinò il capo in un gesto d'assenso.

«Abbiamo avuto una breve storia. Io l'amavo, ma per lei è stato solo... Be', non è durato granché e sua madre non lo ha mai saputo.»

«Erica l'ha lasciata per quell'uomo?» chiese Max.

Lei annuì. «La nostra relazione l'agitava, l'idea di essere lesbica la terrorizzava. Diceva che non era sicura dei sentimenti che provava per me.»

«È per questo motivo che non ha voluto incontrare chi conduceva le indagini?»

Scosse piano il capo, tormentando la tracolla della borsa.

«Non volevo che se ne parlasse, che oltre a ciò che le era successo, ne sporcassero pure l'immagine. La signora Varco è una donna rigida, sapere che la figlia aveva avuto una relazione omosessuale l'avrebbe distrutta. E mi avrebbe allontanato da lei. Invece volevo starle accanto, a Erica avrebbe fatto piacere.»

«Bastava tacerlo.»

«Queste cose saltano sempre fuori, magari finiva pure sui giornali. Ogni tanto la vado a trovare. L'avete vista, no? È come se fosse già morta.»

«Non credo che le importerebbe.»

«A lei forse no, ma nel lavoro essere gay non aiuta. Se si sapesse, perderei buona parte dei miei clienti.»

«Il cognome di quell'uomo non lo ricorda proprio?» domandò Vittoria.

«Cigliani o Ghiglieno, qualcosa del genere. Capirete bene che non ne andavo pazza. All'epoca della tragedia, quando tutti si chiedevano chi fosse, ho anche fatto qualche ricerca. Ma non ho trovato nulla.»

«Lo ha mai incontrato?»

«Un paio di volte. Una sera a cena, con Erica e me c'era anche lui; ancora non sapevo che me la stava portando via. In quell'occasione mi regalò un prodotto farmaceutico, uno di quei campioncini che danno ai medici di base, una pomata contro le irritazioni. Avrei dovuto coglierne l'ironia.»

Sul suo bloc-notes, Max segnava ogni cosa. Era evidente quanto quella storia l'aveva devastata. Erano passati più di quattro anni da allora, eppure sembrava che il dolore per la perdita dell'amica non si fosse del tutto affievolito. O forse era rimasta solo l'amarezza.

«È possibile che lavorasse per una farmacia?» chiese alla donna.

«Chi?» disse lei accigliata.

«Questo Ruggero. O forse per una casa farmaceutica.»

«Per via del campione che mi regalò? È possibile. Come dicevo, penso che Erica lo avesse conosciuto perché consegnava materiale alla casa di accoglienza. Può darsi che fossero farmaci, perché no?, ne avevano sempre bisogno.»

«Che età aveva?»

«Una trentina, forse qualcuno di più.»

Rimasero in silenzio, indifferenti alla gente che passava lì accanto, immersi in un passato che, Max comprese, era a compartimenti stagni, come uno di quei giochi da computer nei quali, per passare da un mondo all'altro, si è costretti a risolvere enigmi difficilissimi. Per giunta, sembrava che quella donna avesse occhi solo per Vittoria. Da un certo punto della conversazione in poi, a lui non aveva riservato che qualche sguardo distratto.

«Non vuole proprio dirci come si chiama?» le domandò in tono gentile.

Lei parve pensarci su, come valutando fino a che punto

poteva fidarsi di loro. «Mi chiamo Sara» disse infine. «Non chiedetemi altro. Mi avete garantito che non l'avreste fatto.»

«Se avessimo ancora bisogno di lei?»

«Mi troverete tramite la signora Varco.»

«D'accordo» si arrese Max.

«Ora è meglio che vada» disse Sara.

Si strinsero la mano. Quando fu il turno di Vittoria, la tenne nella sua più a lungo del dovuto, come se trovasse difficile staccarsene o non lo volesse fare.

«Lei è molto attraente» le disse.

La seguirono mentre si allontanava in direzione della stazione. Ben presto la sua figura si confuse tra la folla che assiepava i portici di via Roma. Max tolse un po' di cenere dal fornello della pipa, poi la riaccese soffiando qualche boccata di fumo.

«Sara ha ragione» confermò.

«Su cosa?» chiese Vittoria.

«Sei una bella donna, dovresti trovarti un brav'uomo.»

«Ne esistono?»

«Se sai dove cercare...»

«Vuoi sapere una cosa? Da parecchio tempo a questa parte, Sara è stata la prima persona a farmi delle *avances*.»

«Non dire sciocchezze» la stuzzicò.

Lei sorrise. «Sarebbe troppo complicato. Un uomo in giro per casa, voglio dire. E pure una donna.»

Si incamminarono verso l'ingresso del parcheggio sotterraneo di piazza San Carlo, dove avevano lasciato la Volvo. Un marocchino carico di mercanzia avvicinava la gente tentando di vendere sciarpe, monili e altri oggetti poco utili. Max lo allontanò facendo un gesto di diniego.

«Come diavolo hai capito che era lesbica?» domandò a Vittoria.

«Non hai visto come mi guardava?» disse ammiccando. «E parlava di Erica come lo farebbe un innamorato.»

Percorrendo il breve passaggio tra le due chiese gemelle che chiudevano la piazza, Max pensò a quel poco che aveva saputo da Sara. Punti remoti su una mappa immaginaria, difficili da unire e piuttosto vaghi da seguire. Non sarebbe stato facile, questo era lampante. Si chiese cosa avesse davvero in mente Numero Uno riguardo a quella storia, e cosa diavolo ci fosse dietro, ma non seppe darsi una risposta.

TREDICI

Portava alla scala

Venerdì 10

Nel corso della sua esistenza, Abdel aveva guadagnato denaro in decine di modi differenti. Lo aveva fatto onestamente, permettendo che lo sfruttassero, accettando compromessi, lasciandosi ricattare dal padrone, sottomettendosi e trattenendo la rabbia per non perdere il lavoro. Ci era riuscito grazie alla propria intelligenza, imbrogliando, approfittando della stupidità dei suoi simili o arrivando per primo. Altri se li era procurati in modo disonesto, rubando, minacciando, falsificando e a suon di pugni. Quattro soldi li aveva avuti come elemosina, altri grazie alla sua sfacciataggine o alla sua bellezza. E non bisognava dimenticare i colpi di fortuna.

Le auto d'epoca gli erano sempre piaciute e siccome un arabo nato nella periferia di Parigi non se le poteva permettere, a un certo punto si era messo a rubarle. Tutto ciò che era venuto dopo era stato la logica conseguenza. Il traffico internazionale che aveva messo in piedi lo aveva divertito e gli aveva reso parecchi soldi. Camion che andavano e venivano carichi di vetture da sogno.

Finché non l'avevano arrestato.

Ma da quindici anni a quella parte, tutto ciò che aveva se l'era guadagnato centesimo su centesimo con il suo lavoro, facendosi il mazzo in officina assieme al suo socio. Perché anche se ti piace il lavoro che fai, la fatica non te la leva nessuno.

Quella mattina, dopo una notte scandita dalle numerose volte in cui si erano svegliati per fare l'amore, mentre facevano colazione a letto aveva deciso che si trattava del momento giusto per raccontare tutto a Teodoro. All'inizio gli occhi del suo compagno non avevano rivelato nulla, se fosse stupito o arrabbiato o semplicemente indifferente. Era rimasto in silenzio, con quello sguardo da dandy che ad Abdel piaceva così tanto. Aveva ascoltato senza interromperlo, sbocconcellando qualche biscotto, cosa che aveva permesso ad Abdel di dirgli tutto, ogni particolare, compresa la novità di Numero Uno che li aveva scoperti e costretti a lavorare per lui.

A un certo punto sul viso del compagno era comparso un sorriso. Non un sorriso divertito o di scherno, come lui si sarebbe aspettato. Al contrario, gli aveva dato l'impressione di una mano tesa, un gesto comprensivo o un abbraccio affettuoso. Teodoro Barattieri era un avvocato piuttosto noto in città, per la sua omosessualità dichiarata e per l'abilità straordinaria con cui si muoveva in tribunale. Portava in giro con noncuranza un fisico asciutto, le cui spalle larghe sembravano attrarre stuoli di donne che lo lasciavano del tutto indifferente. Abdel sapeva quanto tenesse alla sua eleganza un poco démodé e il fatto che avesse scelto lui non cessava di stupirlo.

Per non danneggiarne la reputazione con i suoi trascorsi criminali, si era offerto di sparire dalla sua vita, ma Teodoro aveva chiesto perché mai lo avrebbe dovuto fare. Ciò che gli aveva appena raccontato era successo tanti anni prima e se in passato aveva rubato auto d'epoca, be', non lo poteva proprio biasimare, si trattava di una tentazione alla quale era difficile resistere.

A quel punto ne avevano riso e solo allora aveva capito

la forza straordinaria del loro legame. Si erano abbracciati e quando avevano scopato, prima di alzarsi, lo avevano fatto in una maniera lenta e dolce, con un'intensità che, Abdel ebbe l'impressione, non aveva mai provato prima.

Mentre si recava all'appuntamento con Numero Uno, guidando la sua Peugeot, si era reso conto di essere rilassato, imbevuto di quella tranquillità che si prova soltanto quando senti che le radici su cui appoggi sono solide e profonde. Una sensazione che non avvertiva da giorni.

Per questo, rischiare di perdere tutto lo mandava in bestia. Anche se, sotto sotto, riusciva ancora a cogliere l'ironia della questione. Guardava l'ometto che gli stava davanti, nel suo vestito blu dal taglio antiquato e la cravatta da impiegato di grado superiore, e si chiedeva come un tipo del genere fosse riuscito in poche ore a far crollare la solida impalcatura di sicurezza che lui e suoi compagni avevano messo in piedi nel corso degli anni.

Si scambiò una rapida occhiata con Max che, come di consueto, pareva distaccato, impermeabile a qualsiasi sventura potesse cadergli come una tegola sulla testa. Sorrise tra sé pensando che era proprio quella sua capacità ad averli portati avanti per tutto quel tempo, permettendo loro di ricostruire una vita, un'attività e delle relazioni stabili.

Erano soltanto in tre a quella riunione pomeridiana. Vittoria non era potuta venire per un impegno con la figlia.

«Che impressione avete avuto?» stava domandando il vecchio.

Sanda era appoggiata a uno scaffale alle sue spalle. «Si direbbe che abbiano fatto sparire la palazzina in fretta e furia» disse. Si alzò e da una busta tirò fuori un mazzo di fotografie che gettò sul tavolo davanti a Numero Uno. «Al suo posto hanno costruito questa meraviglia.» Indicò il condominio che aveva fotografato assieme a Max. «Quando sono cominciati i lavori non erano passati nemmeno due anni dalla tragedia.»

«Potrebbe trattarsi soltanto di una speculazione edilizia» sottolineò Max. «Ma anche della necessità di togliere di mezzo alla svelta il rudere dell'incendio.»

«Per quale motivo?» domandò Numero Uno.

«Per prudenza, o nel caso di un'eventualità come questa: per impedire a qualcuno di riesaminare il luogo della disgrazia. Sempre che di disgrazia si tratti.»

«Qualcosa le fa dubitare che sia così?»

Max fece un gesto vago. «Sono costretto a dubitarne, altrimenti l'indagine che ci costringe a riaprire non avrebbe alcun senso.»

Il vecchio osservò pensoso le fotografie, come se un esame più attento potesse portare alla luce particolari invisibili a una prima occhiata.

«Quindi pensate di dedicare del tempo all'impresa di costruzioni?» chiese.

«Si chiama Palatina Srl» disse Abdel. «Stiamo facendo una ricerca in rete. Lei ne sa qualcosa?»

«In città è piuttosto nota. Nel caso si rivelasse una perdita di tempo, avete qualche altra pista da seguire?»

«Quella notte sono sopravvissute solo tre persone, una volontaria, Serena Tagliaferri, e i due neri che sono riusciti a portarla fuori dalla struttura...» Prese un foglio di carta da sotto i dossier che ingombravano il tavolo. «Si chiamano Ahmed Jouda e Ismail Durka.»

«Della Tagliaferri cosa sapete?»

«Nulla, ma immagino che esaminando i quotidiani dell'epoca, qualcosa riusciremo a trovare.»

«Parlando con lei cosa pensate di ottenere?»

«Forse Serena Tagliaferri sa dove si trovano Jouda e Durka» si intromise Sanda. «Quei due le hanno salvato la vita, immagino che tra loro si sia creato un qualche genere di rapporto, forse un'amicizia. Questo cazzo di lavoro che ci costringe a fare non ha né capo né coda. Possiamo solo aggrapparci a ciò che riusciamo a trovare, sperando che prima o poi uno di questi tentativi ci permetta di ottenere dei risultati. Se ha un'idea migliore, la metta sul tavolo.»

Numero Uno le rivolse uno sguardo che poteva essere di disapprovazione per il tono, ma anche di comprensione. Poteva immaginare la loro frustrazione, era la stessa che aveva provato lui quando l'inchiesta era stata chiusa senza i risultati che si sarebbe aspettato. Doveva essere paziente, anche se il tempo tende a rendere tutto opaco, annebbia i ricordi e cancella le sensazioni. Prima o poi le persone coinvolte in quella tragedia non sarebbero più state di nessuna utilità. Per questo non poteva permettersi un fallimento, perché non avrebbe avuto altre possibilità. E lui voleva giustizia. Altrimenti gli sarebbe rimasta soltanto la vendetta.

«Quello che posso fare è cercare di darvi tutto l'aiuto esterno di cui avrete bisogno» disse infine. «Mi rendo conto delle difficoltà che comporta questo incarico, ma vi prego di credere nella sua enorme importanza.»

«Questo non è un incarico» puntualizzò la nera in tono acido. «Ci ha costretti con le minacce.»

«Non faccia la vittima» ribatté il vecchio senza scomporsi. «Avete avuto in regalo vent'anni di libertà che non meritavate. Vi ho solo dato modo di sdebitarvi con la società.» Fece una pausa guardandoli uno per uno. «Vi garantisco che il servizio che state rendendo andrà a beneficio di molte persone.»

I tre tacquero fissando il volto teso di quell'ometto dall'aspetto insignificante. Max si rese conto che dietro quella maschera impassibile si muovevano correnti sotterranee impetuose – odio, forse, o desiderio di rivalsa – flussi violenti che non raggiungevano la superficie soltanto grazie alla sua forza di volontà.

La calma che sapeva mostrare in maniera così perfetta non era che una facciata, un contenitore all'interno del quale si agitavano sentimenti oscuri.

«C'è una cosa che potrebbe farci comodo» disse rompendo il silenzio. «Vorremmo parlare con l'esperto dei vigili del fuoco che ha stilato la perizia sull'incendio. Pensa di poterci dare una mano?»

«Qual è il suo nome?»

Ventura aprì uno dei dossier e ne sfogliò qualche pagina.

«Rino Balzano, ispettore antincendi esperto.»

«Cosa può dirvi che non sia già scritto sul suo rapporto?»

«Le sue impressioni, per esempio. Sospetti che poi si sono rivelati infondati, particolari che non tornavano.»

«Cerco di fissare al più presto un colloquio» disse Numero Uno segnando il nome su un pezzetto di carta. «Lasciatemi qualche giorno, non appena avrò delle novità ve lo farò sapere. Nel frattempo trovate la Tagliaferri e parlate con lei.»

Sembrava un commiato. Il vecchio mise il cappello sulla testa, prese la sua ventiquattrore di pelle marrone e dopo averli salutati con un cenno del capo uscì dalla stanza.

Sanda e Abdel guardarono Max con aria accigliata, come se quell'ultimo stralcio di discussione li avesse indisposti e aspettassero il suo sostegno. Abdel, per via del suo modo sbrigativo di affrontare i problemi, veniva sempre considerato un tipo capace, imperturbabile, pronto a qualsiasi cambiamento repentino della realtà. Ma non era così. Da quando si erano dati alla macchia, dopo l'incidente del furgone penitenziario e, soprattutto, dopo la fuga precipitosa da Milano, la sicurezza che aveva nelle proprie capacità si era incrinata. A volte faceva fatica a respingere il panico. In quei momenti aveva sempre trovato in Ventura un solido appoggio.

Il kabilo sapeva bene quanto fossero diversi l'uno dall'altro, Max aveva fatto parte della vecchia delinquenza, quella che sparava, pericolosa per davvero. Aveva la scorza, come se fosse bloccato in un'era precedente alla loro, un'età del ferro in cui per salvare la pelle dovevi guardarti dai nemici, ma anche dagli amici. E questo, rispetto a lui e alle ragazze, sembrava dargli una visione d'insieme che spesso li aveva tirati fuori dai guai.

Alla sua capacità di reazione, affinata in anni trascorsi in mezzo alla violenza, si mescolavano la prudenza di Vittoria, la determinazione di Sanda, che spesso li aveva convinti a tirare avanti, e la rabbiosa voglia di futuro con cui Abdel era solito guardare alla vita. Differenze che senza il gruppo non sarebbero state tanto efficaci.

«Che ne pensi?» domandò.

Ventura raccolse un po' di carte dal piano del tavolo e le impilò per bene prima di posarle di lato. Non c'erano grandi decisioni da prendere, davanti avevano una strada dritta che finiva nella nebbia, senza biforcazioni o piste alternative. Nessuna scelta.

«Dobbiamo trovare Serena Tagliaferri» disse. «Ci sono due computer. Mentre Sanda e io ci smazziamo l'archivio dei quotidiani dell'epoca, tu dovresti fare una ricerca in rete e vedere se la Tagliaferri lavora ancora per qualche associazione di volontariato. Puoi cominciare controllando se ha un profilo su Facebook.» Diede un'occhiata all'orologio. «Io ho ancora mezz'ora, poi devo tornare al ristorante.»

Si misero al lavoro sui due iMac che avevano a disposizione. Pur essendo modelli di una decina d'anni prima sembravano funzionare a dovere ed erano collegati a Internet.

Serena Tagliaferri era uscita a pezzi da quella drammatica serata. Se non fosse stato per quei due ragazzi neri che le avevano gettato addosso una coperta bagnata e l'avevano trascinata fuori dall'edificio in fiamme, sarebbe morta bruciata come tutti gli altri. Il fuoco aveva lasciato su di lei segni indelebili che l'avevano costretta a una lunga degenza in ospedale e a parecchie operazioni di chirurgia plastica che avevano solo in parte rimediato ai danni.

Per alcune settimane i giornali avevano seguito la vicenda. In seguito, forse per sua espressa volontà, l'avevano poco per volta dimenticata. Dopo aver lasciato l'ospedale l'impegno nel volontariato era proseguito. Tre anni prima aveva anche creato il Gruppo Prometeo, una fondazione per l'assistenza e il supporto finanziario e psicologico alle persone che a causa del fuoco avevano subìto la sua stessa sorte.

Sulla pagina Facebook di Prometeo, Abdel trovò tracce delle vicende più recenti che coinvolgevano la volontaria. Quando la Onlus Il Ponte aveva chiuso i battenti, finita la degenza, Serena si era rimessa al lavoro. Prima dell'esistenza del Gruppo Prometeo, era entrata a far parte di Oceanica, una cooperativa che si occupava dell'assistenza a immigrati extracomunitari, rom, sinti, richiedenti asilo, rifugiati e vittime della tortura.

La sede dell'associazione si trovava nel cuore del quartiere Aurora, a una ventina di minuti a piedi dal ristorante di Max.

«Ci possiamo andare domattina» propose. «Se non la troviamo lì possiamo provare al Gruppo Prometeo.»

«Domani in mattinata ho due lezioni importanti» disse Sanda.

Max guardò Abdel, che annuì. «Se ce la sbrighiamo prima delle undici, vengo io. Dopo ho un impegno in officina.»

«Alle sette vado al mercato con Federica. Se ti va bene possiamo vederci davanti all'associazione per le nove e mezzo.»

Gli andava bene. Misero un po' d'ordine nella stanza, poi Sanda e Abdel se ne andarono. Ventura rimase solo. Aprì una finestra per dare aria all'ambiente, poi si sedette al computer e si mise a guardare le poche foto di Serena Tagliaferri che si trovavano sulla pagina Facebook del Gruppo Prometeo. Il fotografo aveva sempre cercato di ritrarla nascondendo le cicatrici procurate dalle fiamme, ma era evidente il travaglio attraverso cui era passata quella poveretta.

Una donna coraggiosa, si disse, che all'apparenza nulla poteva fermare. Uscita dall'ospedale si era rimessa subito al lavoro. C'erano persone che si occupavano degli altri, che si votavano all'idea di dare una mano. Aiutavano. E lui, che cazzo aveva fatto lui nella sua vita, in oltre mezzo secolo di inutile esistenza? Niente di che, a dire la verità. Piuttosto aveva fatto il contrario, aveva picchiato, minacciato, rubato, non si era minimamente preoccupato dei problemi che le sue azioni avrebbero causato alle vittime, a coloro che aveva colpito senza pensarci due volte. Aveva addirittura ucciso. Per farla breve, aveva sprecato delle esistenze, la sua e quella di altre persone. Una cosa era certa, di quelli come lui se ne poteva fare a meno. E la sua inutilità era resa ancora più evidente dall'esistenza di gente come Serena Tagliaferri.

Gli venne in mente Federica e si chiese cosa pensasse davvero di lui, adesso che conosceva una parte della sua storia. Solo una parte. Perché di raccontarle la sua vita prima dell'evasione, le sparatorie, la violenza, i morti e le tante fughe, non ne era stato capace. Eppure, una volta o l'altra le avrebbe dovuto dire ogni cosa, era il solo modo di espiare le sue colpe e accettare la propria condanna. O trovare, finalmente, una redenzione.

Spense il computer, poi infilò la giacca di tessuto leggero e percorse il breve spazio che portava alla scala.

QUATTORDICI

La vecchia Peugeot di Abdel

Sabato 11

Stava parlando di elaborazione del dolore, di enigma delle probabilità, usava parole studiate, che provenivano da un lessico ricercato, ma non progettato. Abdel e Max sentivano che quella donna era passata attraverso una prova che avrebbe disintegrato chiunque e ne era uscita dando un calcio alla porta dell'antro in cui le sue vicende avevano cercato di rinchiuderla. È sempre sorprendente, se uno ci pensa, la capacità di certi esseri umani di sopravvivere là dove pochi altri ce la farebbero. E di farlo pure a testa alta.

La pelle di un braccio – che non si faceva scrupoli a mostrare, come fosse una cicatrice ottenuta in battaglia e di cui bisognava andare fieri – era raggrinzita, di aspetto plastificato, con striature lucide di un rosa cupo unite tra loro in una geografia devastante che dava l'idea di quanto possa essere terribile il fuoco.

Lo stesso sfacelo ricopriva il collo, una porzione del petto, che si intravedeva nella scollatura di una camicetta a maniche corte che indossava, e un lembo piuttosto esteso della guancia destra. Il volto era stato in buona parte risparmiato. Incorniciato da una folta chioma di capelli bianchi – lo erano diventati dopo quella sera, raccontò – non era per nulla spaventoso o impressionante, come lo sono spesso le fattezze di chi ha avuto meno fortuna.

Dava la sensazione che una parte di lei si fosse sciolta al sole e questo processo di liquefazione avesse subìto un'interruzione dovuta a qualcosa di gelido che l'aveva fermato.

«Da quella sera» disse, «la mia visione del mondo è assai peggiorata. Mi sono resa conto di quanto possa essere immediato perdere tutto. Quando mi sono trovata sulle scale, nel calore infernale dell'incendio, mi sono arresa, ho capito che era finita.»

«Però non è stato così» sorrise Max.

«È soltanto un caso, mi creda. Avevo deciso di farla finita in fretta, gettandomi tra le fiamme, e quando mi sono lasciata andare la coperta bagnata che mi hanno buttato addosso ha impedito che cadessi. Poi non ricordo più nulla, salvo che quando mi sono svegliata, in ospedale, ho avuto la sensazione che mi avessero spellata viva.»

Una cameriera portò i due caffè per Max e Abdel e l'acqua brillante che aveva ordinato Serena. Li appoggiò sul tavolino e mise lo scontrino sotto al posacenere. Aspettarono che si allontanasse, poi Max riprese la conversazione.

«Immagino che riprendersi da un evento così traumatico sia stato faticoso.»

La donna si strinse nelle spalle e mise una Camel tra le labbra. Abdel allungò un braccio per farla accendere. Lei esalò un sospiro mescolato al fumo della sigaretta. Portava grandi occhiali da sole e sembrava del tutto indifferente alle occhiate infastidite che le persone di passaggio non riuscivano a trattenere. Per la verità, anche loro dovevano resistere alla tentazione di guardare in continuazione le sue cicatrici.

«Un'esperienza che non auguro a nessuno» disse. «Qualche volta mi sveglio in piena notte sentendomi soffocare.

Quando sono uscita dall'ospedale, avevo deciso di piantare tutto, il volontariato, l'assistenza, pensavo di non averne più la forza. Entrare in un luogo chiuso mi terrorizzava. In seguito ho scoperto che tornare al lavoro era la medicina migliore.»

«Cosa ricorda di quei momenti?»

«La notte dell'incendio stavo dormendo al primo piano. Mi sono svegliata a causa del fumo, era notte fonda. Si vedevano le fiamme fuori dalla finestra. Sono uscita dalla stanza, ma il fuoco era dappertutto.» Mosse le mani in un gesto che pareva volesse proteggere la testa. «Ho sentito i capelli che bruciavano e ricordo che ho provato a spegnerli con le mani. Sul ballatoio c'erano tre o quattro ragazzi di colore, era quasi impossibile respirare. Si sentivano delle urla, gente che tossiva e piangeva.»

Avevano cercato di scendere la scala, raccontò, ma parte del pavimento dell'entrata era crollato e sembrava non ci fosse modo di raggiungere la porta d'ingresso. Il calore era soffocante e non si vedeva nulla. Nel frattempo aveva perso di vista i ragazzi, che forse erano saliti al piano superiore per cercare una via di fuga. A un certo punto, mezza soffocata, stava per arrendersi, quando qualcuno le aveva gettato addosso una coperta e l'aveva trascinata via.

«Mi sono risvegliata in ospedale, sotto ossigeno e piena di tubi. Mi hanno detto che ero sfigurata e bruciata in buona parte del corpo. All'inizio mi sarei uccisa, poi... Be', in seguito ho pensato che non mi era andata così male, per fortuna ho ancora la mia faccia. Ho anche pensato a quei poveretti che sono morti tra le fiamme e... Voglio dire, mi è stata regalata una seconda vita e non era giusto che la buttassi via.»

«Si è mai chiesta cosa possa essere successo?»

«Se intende quali siano state le cause dell'incendio, posso dirle che la gestione di quel posto era un delirio. Non c'era alcun controllo su chi entrava e usciva e negli ultimi anni sembrava un magazzino. C'era roba dappertutto, vestiti, carte, scatoloni di cancelleria. La direttrice accettava qualsiasi donazione, la gente portava la roba e loro mettevano tutto in un angolo o in cantina, in attesa che servisse a qualcuno. Non mi stupisce che la casa sia bruciata come una torcia.»

Abdel prese un bloc-notes dalla tasca della giacca e ne sfogliò qualche pagina. «La direttrice era la dottoressa Avesani?» chiese.

«Sì, Sofia. Non ho mai capito perché si fosse messa a fare quel mestiere, non era tagliata per un'attività del genere. Era chiaro a tutti che se ne fregava, di quei poveretti. A volte penso che il suo solo obiettivo fosse entrare in politica.»

«In politica?» Max era sorpreso.

«Sì, puntava al consiglio regionale o roba del genere. Il fatto è che dopo la disgrazia si è presa una condanna coi fiocchi, e questo le ha precluso qualsiasi tipo di possibilità.»

«Sa dove possiamo trovarla?» domandò Abdel.

«Mi sembra che sia uscita di prigione qualche mese fa. Per buona condotta, credo. Non ho idea di cosa faccia e nemmeno mi interessa. Ma non credo che vi sarà difficile trovarla.»

«Prova del rancore verso di lei?» chiese Max.

«Diciamo che non ne vado pazza.» Aprì le braccia mostrando il proprio corpo. «Guardi come mi ha ridotta. Se avesse fatto bene il suo lavoro, forse quel disastro non sarebbe successo. Comunque non vorrei essere al suo posto» aggiunse storcendo la bocca, «con tutti quei morti sulla coscienza.»

«Lei era affezionata a quei ragazzi?» domandò Abdel.

«Mi stanno a cuore. Si sono perduti e noi li abbiamo accolti. Per me sono come una famiglia allargata. Quando se ne vanno per la loro strada, lasciano come un vuoto. È difficile da capire, in certe situazioni si crea un legame fortissimo.»

«Di Ahmed e Ismail che cosa ci può dire?»

«Sono viva grazie a loro, che altro devo dirvi? Per portarmi fuori da quell'inferno hanno rischiato di rimanerci assieme a me. Erano intossicati e ustionati pure loro.»

«Com'è stato possibile?»

«Erano rientrati tardi. Credo si siano salvati perché erano appena andati a dormire. Forse sarebbero potuti uscire, invece sono rimasti per vedere se riuscivano a salvare qualcuno. È così che mi hanno trovata, è stato un vero atto di eroismo.»

«Li ha più rivisti?» chiese Abdel. «Di recente, intendo.»

Serena raddrizzò il busto sulla sedia. «Sentite un po', posso sapere perché mi fate tutte queste domande?»

«Ci è stato affidato un supplemento d'indagine.»

«Avevo letto che la questione è stata archiviata. Non è così?»

«Sì. Cioè no, non del tutto. Alcune cose sono poco chiare e rimangono diversi dubbi.»

«Chi è che vi ha chiesto di indagare?»

Ventura prese dalla tasca tessera e distintivo e li mostrò alla donna. Numero Uno aveva raccomandato una certa discrezione e invece lui continuava a sventolarli a destra e a manca, come uno sbirro da telefilm. Del resto, il vecchio aveva anche detto che potevano servire a dar loro una credibilità.

«Ufficio europeo?» lesse Serena sorpresa.

«Già. Però la nostra sezione non dipende... Insomma, purtroppo non posso parlarne, non ne ho l'autorità.»

«Che cosa state cercando di dimostrare?»

«Ancora non lo sappiamo, forse nulla. Sia gentile, ci parli di Ahmed e Ismail.»

Lei li osservò appena accigliata. Prese una seconda sigaretta e l'accese prima che Abdel avesse tempo di offrirle il suo Zippo. Max l'imitò e si mise a riempire la pipa incrociando lo sguardo della donna. Non era una bellezza, specie dopo la passeggiata nell'edificio in fiamme, ma aveva un fascino sottile, lo charme della persona determinata, consapevole di stare dalla parte giusta.

«Per salvarmi hanno rischiato la pelle» disse fissando la brace della sigaretta. «Potevano rinunciare, nessuno li avrebbe biasimati per questo, invece lo hanno fatto. Per un po' siamo stati insieme nel reparto grandi ustionati.»

«Siete rimasti in contatto?»

«Quando li hanno dimessi hanno continuato a preoccuparsi per me, nonostante i continui interrogatori della polizia e le illazioni dei giornali. Se sono riuscita a riprendermi, è stato soprattutto grazie all'affetto che mi hanno dato loro.»

Max accese la pipa. «Che fine hanno fatto?» chiese.

«È da parecchio tempo che non li vedo. Per un certo periodo Ahmed ha lavorato con me al Gruppo Prometeo, una fondazione che ho messo in piedi grazie al contributo di persone con vicende simili alla mia. Mi dava una mano a gestire la parte logistica e i contatti con le altre associazioni. È durato qualche mese, poi se n'è andato perché aveva trovato un altro lavoro.»

«E Ismail?» domandò Abdel.

«È possibile che sia ancora in città. L'ultima volta che ci siamo visti, ho saputo che Ahmed era riuscito a passare in Francia. Nel frattempo io avevo cominciato a lavorare per Oceanica.»

Indicò l'altro lato di corso Emilia, il basso edificio in cui l'avevano incontrata, una sorta di costruzione agricola precedente all'espansione della città che con il tempo l'aveva inglobata nel tessuto del quartiere. Sopra il cancello di lamiera la scritta OCEANICA era dipinta in bianco su colori arcobaleno. Quando Max aveva cominciato con le domande, Serena aveva detto che delle sue cose private preferiva parlare fuori dall'ufficio, così erano usciti per andarsi a sedere al bar.

«Quando ha visto Ismail l'ultima volta?» chiese.

«L'autunno scorso. So che era in buoni rapporti con diversi fornitori della residenza» aggiunse. «Credo che a un certo punto abbia lavorato per uno di loro. Doveva essere un buon impiego, perché era ben vestito e aveva l'aria di lavorare parecchio.»

«Una delle ditte da cui si serviva la casa di accoglienza?»

«È l'impressione che ho avuto. Credo lo abbia fatto per un periodo abbastanza lungo. Poi, a un certo punto, ha smesso del tutto di venire a trovarmi. Forse lo mandavano spesso all'estero, in Africa, immagino.»

«Non si è chiesta cosa fosse successo?»

«Certo, ma non avevo modo di saperlo. L'ultima volta che ho visto Ismail era solo. Mi ha detto che Ahmed voleva passare in Francia e che lui invece aveva lasciato il lavoro e tra le altre cose gestiva un MoneyGram all'inizio di corso Giulio Cesare. Loro potrebbero avere sue notizie, altrimenti non so proprio come aiutarvi.»

«Ricorda Erica Colletti?» chiese Max cambiando argomento.

«Poveretta...» mormorò Serena. «Che fine orribile.»

«Che tipo era?»

«Il suo lavoro lo sapeva fare bene. Era competente e si vedeva che le piaceva. Avrebbe dato qualsiasi cosa per quei ragazzi. Sapete, l'adoravano.»

«Però...?»

Sospirò. «Era una pasticciona, la infastidivano le regole.»

«Conosceva l'uomo che è morto con lei?»

«Che storia quella, i giornali ci sono andati a nozze. No, non lo conoscevo. Girava voce che fosse uno dei fattorini che facevano le consegne, ma se fosse così il suo nome sarebbe saltato fuori.» Finì l'ultimo sorso di acqua brillante, quindi posò il bicchiere sul tavolino. «Ora, se non vi spiace, devo tornare in ufficio.»

«Ha mai avuto il sospetto che l'incendio non sia stato un incidente?» domandò ancora Max.

Lei lo guardò sconcertata, il capo appena piegato di lato.

«Chi ha indagato lo avrebbe scoperto, non crede?» disse infinc.

«Era a conoscenza del fatto che in cantina ci fosse del nitrato d'ammonio? O che venisse utilizzato come concime?»

«No che non lo sapevo, i miei compiti all'interno della struttura erano altri, i contatti con le associazioni e con la Regione. Tutte le forniture dipendevano dalla dottoressa Avesani.»

«Che tipo di associazioni?»

«Il sistema di protezione per richiedenti asilo e rifugiati. La priorità sono sempre i farmaci. Nelle strutture arriva gente che ha passato l'inferno; malattie come la scabbia, l'Aids e la tubercolosi sono all'ordine del giorno. A volte pure l'ebola. I medicinali sono la cosa più importante.»

«Nessun sospetto, quindi.»

«Chi mai avrebbe avuto interesse a commettere una simile atrocità? Vi sbagliate. E io non ho proprio tempo per i ricordi, né ho voglia di ripensare a ciò che è successo. Ci sono persone che hanno bisogno di me, gente bloccata alle frontiere in condizioni miserabili, uomini, donne e minori che vanno accuditi, salvati. Lo sapete che ogni giorno spariscono oltre una ventina di bambini? Provate a immaginare il loro destino: pedofilia e sfruttamento sessuale. O magari il mercato degli organi. È terribile.»

Si alzò dalla sedia. Max e Abdel la imitarono.

«Buon lavoro, dottoressa Tagliaferri» disse. «Grazie per aver accettato di parlare con noi.»

Si strinsero la mano. «Se doveste scoprire qualcosa di nuovo» si congedò la donna, «fatemelo sapere.»

Intanto che il kabilo pagava le consumazioni, Max, la pipa stretta tra i denti, la seguì con lo sguardo mentre attraversava il corso camminando con la schiena dritta, come incurante di ciò che la circondava, quasi avesse già la testa sul lavoro che l'attendeva in ufficio. La forza d'animo di quella donna lo aveva colpito, non poteva negarlo. Tutte le volte che incontrava persone del genere, si chiedeva perché lui non fosse stato capace di fare altrettanto.

Attesero che il cancello della cooperativa si chiudesse alle sue spalle, poi si avviarono verso la vecchia Peugeot di Abdel.

QUINDICI

Abbiamo un problema

Li aveva scorti mentre parcheggiava nei pressi di Oceanica: Serena Tagliaferri che attraversava la strada in compagnia di due uomini, un tizio alto, sopra i cinquant'anni, e un nordafricano più giovane. Si erano seduti a un tavolino fuori dal bar dove di solito gli impiegati della cooperativa pranzavano o prendevano il caffè, e avevano cominciato a chiacchierare.

Qualcosa gli aveva suggerito di rimanere in auto per seguire l'evento, una specie di scossa leggera che aveva risalito la colonna vertebrale, scaricandosi poi sotto i capelli, oppure la possibilità di guardare Serena senza essere visto o ancora il fatto che si accompagnasse a due individui così singolari. Fatto sta che osservandoli parlare e fumare si era un po' tranquillizzato. Del resto, personaggi come il magrebino se ne vedevano spesso nella cooperativa, poteva essere un rifugiato, un clandestino o un commerciante con la bancarella al mercato.

L'altro non gli piaceva. Sapeva riconoscere un duro, quando ne vedeva uno, e il tipo, nonostante l'età, aveva l'aria di poter diventare un piantagrane. Non capiva cos'avesse a che spartire con quell'altro, ma nel suo mestiere gliene erano capitate di tutti i colori.

Quando però il tipo con la barba aveva tirato fuori dalla tasca quella che sembrava una tessera ufficiale, aveva quasi fatto un salto sul sedile. Polizia? Carabinieri? Da dove si trovava non poteva capirlo. La sola cosa che aveva colto era stato un riflesso argentato, quindi era certo che si trattasse di qualcosa di ufficiale.

C'era voluta una mezz'ora prima che il colloquio terminasse. Gli era sembrata una conversazione tranquilla, poco inquisitoria, anche se la tessera era saltata fuori proprio perché la Tagliaferri doveva aver chiesto che la mostrassero. E questo significava che stavano facendo delle domande che l'avevano insospettita. Avrebbe dato un braccio per poter essere una mosca e ascoltare ciò che si erano detti.

Infine Serena si era preparata ad andarsene e i suoi interlocutori si erano alzati per salutarla. Un ultimo scambio di cortesie, poi erano rimasti sul marciapiede a guardarla mentre tornava verso la sede di Oceanica. Prima di allontanarsi avevano aspettato che la donna richiudesse il cancello.

L'uomo scese dalla sua Audi A7 grigio perla, la chiuse con il telecomando, poi seguì i due che stavano risalendo corso Vercelli in direzione del fiume. Nonostante fosse vicina al centro, era una zona periferica della città nella quale si mescolavano edifici ottocenteschi in pessime condizioni e altri più recenti e brutti. Sulla sede stradale erano ancora evidenti i segni lasciati dai binari della vecchia ferrovia che univa le grandi fabbriche del passato.

Li vide salire su un'auto sportiva anni Cinquanta color verde bottiglia, forse francese, e questo aumentò il suo sconcerto. Non era un veicolo tanto credibile, specie per due piedipiatti. A meno che non si credessero Starsky e Hutch. Per giunta guidava l'arabo o quel che era. Mentre la spider si allontanava, prese una penna e un pezzetto di carta che aveva in tasca e segnò il numero di targa.

Infine tornò sui suoi passi e si diresse verso la cooperativa. All'interno di Oceanica regnava il solito casino, telefoni e cellulari che squillavano, gente che si spostava da un ufficio all'altro, suoni di tastiere e fruscii di fotocopiatrici. Scambiò quattro chiacchiere con alcune persone che conosceva, poi entrò nell'ufficio del direttore dell'area socio-sanitaria e vi rimase tre quarti d'ora per sbrigare le faccende che l'avevano portato lì.

Quando uscì in corridoio, Serena stava parlando con un altro impiegato accanto alla macchina del caffè. Si avvicinò, rifiutò quella merda di brodaglia che gli venne offerta, e si unì alla discussione che riguardava alcuni dei loro assistiti affetti da patologie gravi che sembrava non riuscissero a rimettersi e per i quali stavano aspettando assistenza e diversi medicinali. Disse che se ne sarebbe occupato lui, cercando di sveltire la burocrazia e magari procurando una fornitura di farmaci più mirati.

Infine il collega si decise a levare le tende.

«Era Donatelli, quello con cui ti ho visto seduta al bar qui fuori?» chiese a Serena una volta rimasti soli.

Lei stropicciò il bicchierino di plastica e lo gettò nel cestino della spazzatura. «Erano due poliziotti.»

«Avete dei casini?»

«Macché, volevano parlare della maledetta notte dell'incendio.»

«Possibile che non riescano a lasciarti in pace? Cosa volevano ancora, dopo tutti questi anni?»

Serena si guardò attorno con un sospiro. Trovava che fosse una bella donna, una femmina sensuale, e quelle cicatrici non toglievano nulla al suo fascino. Anzi, a suo parere erano eccitanti. Avrebbe avuto voglia di toccarle, baciarle, anche di leccarle, e sentì che l'uccello gli diventava duro nei pantaloni. Se la sarebbe scopata proprio volentieri.

Diverse volte aveva pensato di riservarle lo stesso trattamento che dedicava alle altre, pacchetto completo, con drink, droga, deliquio e tutto il resto. Una volta stonata, era certo che avrebbe perso quella sua aria da santa e martire dell'umanità. Ma poi cosa avrebbe potuto farne di lei? Lo conosceva troppo bene, lo avrebbe denunciato senza pensarci due volte. Quindi, alla fine, dopo essersi divertito avrebbe dovuto chiedere a Luigi di farla sparire. Per questo aveva sempre rinunciato, troppi casini.

I loro sguardi si incontrarono.

«Volevano notizie di Ismail» rispose, «uno dei ragazzi che mi hanno salvata. Erano anche curiosi riguardo a quel tipo bruciato con Erica.»

«Ma cos'è, hanno riaperto le indagini?»

«Pare di sì.»

«Erano proprio della polizia?»

«No, Ufficio europeo per la sicurezza o qualcosa del genere.»

L'uomo fu costretto a uno sforzo per nascondere lo sgomento. Sperò di non essere sbiancato e per dissimulare il proprio turbamento si mise a giocherellare con la pulsantiera del distributore di caffè.

«E tu lo conoscevi quel tipo?» domandò.

«Ma no, l'ho saputo dai giornali che quella sera Erica se l'era portato in camera. Che razza di ninfomane... Be', insomma, mi spiace per la fine che ha fatto, ma era una vera casinista.»

«Che storia... Che cosa gli hai detto?»

«Cosa vuoi che gli abbia detto, che a momenti ci lasciavo la pelle. Tra l'altro, mi hanno chiesto di Sofia Avesani. Gli ho detto che è uscita di galera, ma non ne sono mica certa. Tu ne sai qualcosa?»

Questa volta andò a un pelo dal sobbalzare. «Le vogliono parlare?» chiese mascherando l'affanno.

«Immagino di sì, era la responsabile. Scusami, Tiziano, ma adesso ho parecchio da fare.»

«D'accordo, ci sentiamo.»

«Come siete messi con la consegna?» domandò la Tagliaferri mentre si allontanava. «Quei poveretti hanno bisogno di medicine.»

«Dovrebbero arrivare le scorte entro un paio di giorni.»

Si salutarono e l'uomo uscì dall'edificio. Prese il cellulare dalla tasca e si accorse che gli tremavano le mani. Mentre tornava alla macchina cercò un numero e fece partire la comunicazione. Dopo qualche squillo gli rispose una donna.

«Mi dia Di Fazio» disse, «sono Alga.»

Rimase in attesa qualche momento ascoltando una melodia elettronica che si ripeteva all'infinito.

«Alga, che cazzo c'è?» chiese infine una voce annoiata.

Si schiarì la voce, poi disse: «Forse abbiamo un problema».

SEDICI

Come prima

Nel corso della sua esistenza aveva conosciuto la paura, la rabbia, a volte la sofferenza e lo smarrimento. Nel suo bagaglio di esperienze non mancavano nemmeno il dolore e l'angoscia, ma una cosa non aveva mai provato: la noia. Eppure, da quando la sua vita aveva preso la strada della legalità, aveva rivalutato quel sentimento che negli ultimi anni gli aveva regalato momenti di vera e propria distensione. Col tempo Max si era reso conto che non poteva esserci felicità senza noia, poiché soltanto in quei momenti era in grado di comprendere la grandezza di ciò che aveva realizzato.

Non c'era nulla di sgradevole nello scorrere lento del tempo. La monotonia lasciava spazio alla contemplazione e ai pensieri, due attività che in passato gli erano mancate. Questo, naturalmente, prima che Numero Uno comparisse all'orizzonte e, come in un vecchio gioco dell'oca, tirasse i dadi rimandandoli indietro di almeno tre caselle.

Ma per ora, decise guardando i commensali seduti con lui al tavolo del ristorante, non avevano ancora perso nulla. Vedere le facce rilassate, nonostante tutto, gli diede un senso di benessere intenso, la consapevolezza che insieme ce l'avrebbero fatta.

Erano tutti lì, anche Federica, Salvo, Teodoro e Matilde. La cena l'aveva decisa nel pomeriggio con Abdel, dopo aver lasciato Serena Tagliaferri davanti alla sede di Oceanica. I giorni precedenti erano stati faticosi per tutti. Dopo la sorpresa di essere stati scoperti, le confessioni in famiglia, le tensioni dovute alla reazione delle persone cui erano legati e l'inizio di quell'indagine strampalata, c'era bisogno di ritrovarsi per rivedere i volti conosciuti e provare a riallacciare quei rapporti che forse si erano un po' tesi.

Così, per una sera lui e Federica si erano trasformati in semplici avventori, lasciando a Nirina e ai suoi colleghi il compito di servire a tavola. Dopo un abbondante piatto di tagliatelle ai funghi porcini, era la volta di un roast beef cotto a puntino. Max si era alzato per poterlo tagliare e distribuire le fette nei piatti tesi dai questuanti affamati che aveva attorno.

«Dopo i racconti di Abdel» disse Teodoro, «capisco come mai sai maneggiare così bene il coltello.»

«Non mi hai mai visto tagliare le cipolle» scherzò Max. «Lo faccio con una crudeltà mai vista. Mi viene addirittura da piangere.»

«E come potete notare» si intromise Federica, «non gli manca il lato comico.»

«Altrimenti» aggiunse Sanda «come avremmo potuto superare anni così difficili senza uno spiritosone come Ventura?»

«Smettetela di infierire» si difese Max, «altrimenti niente roast beef.»

«Io non ti sto prendendo in giro» fece notare Matilde, «quindi ne voglio quattro fette.»

Mentre finiva di tagliare e distribuire la carne, Nirina portò una teglia di patate al forno e la senape fresca che il ristorante si faceva arrivare ogni settimana da Parigi.

Cenarono parlando gli uni sugli altri e ridendo di ogni battuta, come se l'allegria della serata avesse potuto cancellare per qualche ora la tensione degli ultimi giorni. Max ebbe l'impressione che la cena fosse stata un'ottima idea, tutti loro avevano bisogno di smussare gli spigoli, di sentire che quella stramba famiglia era ancora forte e affiatata, in grado di superare ogni difficoltà.

Pure Salvo, forse quello che con il gruppo aveva meno familiarità, sembrava divertirsi e mangiava di gusto ridendo assieme agli altri. Stavano emergendo storie passate, episodi ridicoli o divertenti della loro fuga, che fino a poco prima erano stati taciuti.

Stava pensando di aver proprio messo in piedi una bella serata, quando Teodoro si alzò per andare a fumare, sedendosi su una panchina nel giardinetto dall'altra parte della via. Doveva essere un po' brillo perché camminava di sbieco. Lasciò la tavola a sua volta e mentre attraversava la strada prese dalla tasca pipa e tabacco e cominciò a riempire il fornello.

Teodoro si scostò per fargli spazio. Max gli si sedette accanto e accese la pipa con un fiammifero.

«Sei preoccupato?» chiese.

«Non lo so, è stato un fulmine a ciel sereno» rispose.

«Lo immagino, ma devi sapere che i primi anni della nostra fuga sono stati terribili. Abbiamo fatto di tutto per non separarci, ciascuno di noi deve agli altri la propria sopravvivenza, e questo crea dei legami inossidabili.»

«Come siete riusciti a non farvi catturare?»

«In parte abbiamo avuto fortuna. Per il resto non c'era che da stringere i denti e tenere duro. Ci sono stati momenti in cui abbiamo fatto la fame, altre volte siamo arrivati al punto di pensare che non avremmo concluso nulla, che la cosa migliore fosse costituirci. Vittoria ci ha convinti a resistere. Aveva la sua bambina e non l'avrebbe lasciata per tutto l'oro del mondo.»

«Sembra impossibile che siate le stesse persone di cui mi ha parlato Abdel.»

«Ti è molto affezionato.» Max sorrise. «Quando doveva parlarti della nostra storia se la faceva sotto, era convinto che tra voi sarebbe finito tutto.»

Teodoro si ravviò i capelli. Era un bell'uomo, di un'eleganza poco appariscente. Doveva appartenere a una di quelle famiglie che la ricchezza se la portavano dietro da generazioni, la cui classe non si indovinava a un primo sguardo, ma da tanti piccoli particolari, il modo in cui fumava, per esempio, o l'educazione impeccabile che usava nel rivolgersi agli altri, per niente affettata e del tutto priva del bisogno di sottolineare il suo stato sociale.

«Non capisco perché» disse. «Abbiamo così tante cose in comune, così tante passioni. Quando vado in officina a dargli una mano sono felice, mi piace sporcarmi di grasso, sdraiato sotto le vetture. Ha un mucchio di cose da insegnarmi. Credimi, neppure io potrei fare a meno di tutto questo.»

«Come il resto di noi, Abdel ha dovuto rinunciare a molto. Adesso può sembrare strano ma per rimettere in piedi le nostre vite e trovare nuovi affetti, abbiamo sputato sangue. Non so se saremmo ancora in grado di fuggire. Ricominciare da capo, poi, sarebbe un vero dramma.»

«Chi è l'uomo che vi ricatta?»

Prima di rispondere Max fumò in silenzio per qualche istante. Si era fatto parecchie volte la stessa domanda.

«Non sappiamo chi sia» disse. «Si fa chiamare Numero Uno.»

«Un personaggio da *feuilleton*» rise Teodoro.

«Ne ha qualche caratteristica, in effetti. Suppongo sia stato una specie di poliziotto, forse dell'Interpol. Di fatto, con quello che sa ci tiene in pugno.»

«Cosa pretende da voi?»

«Nulla di illegale, se questo è ciò che preoccupa il lato giuridico della tua persona» scherzò Ventura. «Per farla breve: ci ha affidato un lavoro e pretende che lo portiamo a termine.»

«Altrimenti vi manda dentro, giusto?»

«Infatti.»

«Posso darvi una mano in qualche modo?»

«Ti ringrazio, ma finché possibile è meglio non coinvolgere altre persone. Se dovesse mettersi male e avessimo bisogno di un bravo avvocato ti chiederemo un aiuto. Per adesso preferisco seguire le indicazioni di Numero Uno.»

Lo vide pensoso. «Però c'è qualcosa che non ti convince.»

«È uno strano personaggio, ha perfino un suo modo particolare di essere gentile. So quanto possa sembrare assurdo, ma ho l'impressione che con noi abbia un occhio di riguardo. A volte penso che se lo mandassimo a cagare, alla fine non ci denuncerebbe nemmeno.»

«Te la sentiresti di rischiare?»

Max sogghignò. «Temo di no. Sai, in qualche modo il nostro debito lo abbiamo pagato. Non siamo andati in galera, questo è vero, ma tirare a campare è stato duro e faticoso. A volte mi sento come uno di quei prigionieri della Cayenna che, una volta liberi, invece di lasciare l'isola del Diavolo restano a vivere in una catapecchia sulla scogliera. Be', ci tengo a questa mia catapecchia, e se per tenermela devo andare in fondo a questa faccenda, allora non mi fermerà nessuno.»

«Stai parlando di felicità, non è così?»

«Mia madre è morta quando avevo quattro anni. Mio padre si è subito risposato e con la mia matrigna avevo un pessimo rapporto. Invece di stare dalla mia parte, il vecchio mi ha buttato fuori di casa che non ero ancora maggiorenne. Mi è toccato sopravvivere. Ho fatto quello che ho fatto e me ne vergogno, ma a un certo punto sono riuscito a lasciarmi il passato alle spalle. Quindi sì, parlo di felicità, la mia, la tua, quella delle persone cui voglio bene. E non me la porteranno via tanto facilmente.»

«Chi di questi due separatisti parla di felicità?» li interruppe la voce di Abdel.

I due alzarono gli occhi e contro la luce dei lampioni videro la figura sottile del kabilo che stava accendendo una sigaretta.

«Che succede, sei geloso?» disse Max, la pipa stretta tra i denti.

«Con voi vecchi delinquenti non c'è da stare tranquilli.»

«In effetti» disse Teodoro, «ha il fascino dell'avventuriero.»

Abdel li osservò, l'occhio critico e la Camel che pendeva dalle labbra. «Mmhh… Tra voi non durerebbe» valutò scuotendo il capo. «E poi vi vogliono a tavola, sta per arrivare il dolce.»

«Questa sera mi costate una fortuna» sospirò Ventura.

«Se la cosa non vi crea problemi» si intromise l'avvocato, «la cena vorrei offrirla io.»

«Amico, se provi a toccare il portafogli, ti faccio vedere cosa so fare davvero con un coltello.»

Risero, poi si scostarono e Abdel si sedette con loro. Rimasero immobili a fumare guardando verso il ristorante dove al tavolo Salvo e le ragazze parlavano e ridevano, avvolti da quello che pareva un intenso momento di benessere. Diverse bottiglie vuote erano sparse sulla tovaglia e Max sentiva la testa leggera. Sembrava quasi un peccato dover rompere quella magia.

Ma quello era un semplice momento. L'indomani sarebbe ricominciato tutto come prima.

GIOVEDÌ 30 – ORE 17.15.22

«Posso rimettere la camicia?»

«Stia solo attento a come si muove. Ricordi che le conviene vuotare il sacco senza cercare di fregarmi.»

«Lo sto facendo, mi sembra. Ho anche ammesso le mie colpe, non c'è bisogno che mi minacci.»

«Non è una minaccia, è una mancanza di fiducia nei suoi confronti. Non mi sembra il tipo a cui voltare le spalle.»

«È lei ad avere un'arma, no?»

«Appunto, quando qualcuno con la pistola in mano ti fa delle domande, è meglio se rispondi: voglio sapere tutto quanto. Mi parli di quei galantuomini con cui aveva a che fare.»

«Era senza dubbio gente senza scrupoli, non avevano in testa altro che il denaro. Non tutti, all'inizio, ma poi, quando ne è arrivato a fiumi, allora si sono adeguati anche gli altri. Uno pensa che certa gente, specie se ha un incarico pubblico, svolga il proprio lavoro con un'etica e che comunque, anche se sbagliano, abbiano come obiettivo primario una sincera attenzione per la comunità, ma non è così. Del resto, è successo anche a me, non c'è voluto granché per convincermi, è stato sufficiente che i soldi me li facessero vedere. Ancora prima di averli in mano avevo deciso.

«Io nemmeno la conoscevo la Instant Farma, mi sono sempre occupato del mio lavoro, in quello ero piuttosto bravo. In quello e poco d'altro. Non mi sono mai sposato, mi piaceva cambiare. È così che alla fine ti ritrovi solo, in attesa di una pensione del cazzo. Così accetti di vendere quello straccio di anima che nemmeno ti rendevi conto di possedere. Sa che le dico? Si accettano i compromessi perché desideriamo cose che non ci servono a nulla, che non cambiano le nostre vite e di cui potremmo benissimo fare a meno.

«Comunque, tutto è successo quasi per caso, un evento fortuito che quella gente ha poi trasformato in abitudine. In fondo la Instant Farma era una società florida, andava alla grande. Il dottor Settembrini la mandava avanti in maniera impeccabile. Distribuivano farmaci in tutto il Paese e all'estero, in Africa, India e chissà quanti altri posti al mondo.»

«Quando è successo?»

«Boh, sarà stato il 2010, non ricordo con esattezza.»

«Parlava di un evento fortuito. Cerchi di essere più chiaro.»

«Non è certo stata una vincita alla lotteria, sa? Se ne sono accorti per caso. Nel frattempo tutto quanto era successo senza che nessuno ci facesse caso, per cui l'avrebbero potuta chiudere lì senza alcuna conseguenza. Ma non è mai così, nella vita reale la sfiga è sempre dietro l'angolo. Be', come spesso succede, per qualcuno è stata una vera sfiga, per altri, invece, era arrivata la manna.

«Quando dall'Africa è rientrato quel container di medicinali scaduti, era sufficiente seguire la solita procedura, preparare un po' di carte e mandarli all'inceneritore. Invece quei due deficienti di magazzinieri, Fonda e Gasser, li hanno stoccati per sbaglio assieme a quelli nuovi. A causa di questo errore, nel giro di qualche settimana, sono stati di nuovo distribuiti. Nessuno si è accorto che tra quelli buoni c'erano pure quelli scaduti. Lei ha mai guardato la data di scadenza di una medicina o anche soltanto di uno yogurt?

«Così la minchiata di quei due sarebbe passata del tutto inosservata, ma come le dicevo, la sfiga ci ha messo lo zampino. La sai quella storia della farfalla che batte le ali in Brasile e provoca un uragano eccetera eccetera, no? Be', quel container ha provocato ben altro che un uragano, questo te lo posso assicurare. Senti, ho bisogno di bere. Non ti va di farti un goccio?»

«No, grazie, vai avanti.»

«D'accordo... Anche se non lo so mica perché sto qui a dirti tutte queste cose. È come se mi stessi mettendo il cappio al collo da solo. Hai promesso di darmi una mano, ricordi?»

«Ti ho detto che cercherò di farti avere delle attenuanti. Posso parlare con le persone giuste.»

«Macché attenuanti, non cercare di prendermi in giro. Quando sapranno cosa ho combinato, butteranno via la chiave.»

«Scaricare la coscienza ti farà bene comunque. Forza, continua.»

«Dov'eravamo rimasti? Ah sì, la sfiga. Tutto sarebbe filato liscio, mancava tanto così, ma quella tipa si è accorta che alcune delle confezioni che erano arrivate alla casa di accoglienza erano scadute. Così ha telefonato alla Instant Farma.»

«È stata Sofia Avesani ad accorgersi dello sbaglio?»

«Proprio lei, lavorava in quel posto e nemmeno li avrebbe dovuti toccare quei farmaci, invece s'è messa a ficcare il naso e ha scoperto l'inghippo. Si dice così, no?»

«Alla Instant Farma come hanno reagito?»

«Per puro caso la telefonata l'ha presa Tiziano Alga, uno dei rappresentanti di punta, quello che tra l'altro si era occupato della distribuzione. Quando ha saputo della cosa è caduto dal pero, una simile cazzata può mandare all'aria pure una ditta seria come la Instant Farma. Con i medicinali scaduti non si scherza.

«Però Alga doveva essere uno che sapeva vedere lontano, un altro che per il denaro poteva passare dal lato oscuro della forza senza pensarci due volte, proprio come me. Anche di fronte al fatto compiuto non ha mica calato le braghe. Anzi, ha capito che un evento del genere, se ripetuto e gestito con un po' di spigliatezza, poteva rendere una montagna di soldi. Ricevevano in continuazione medicinali di ritorno, roba scaduta che andava distrutta. Questo già di per sé rappresentava un utile, perché toglievi ai clienti il problema di disfarsene, visto che con una somma ragionevole affidavano a una consociata il compito di occuparsene. E somma ragionevole più somma ragionevole, tirando le somme portava un bel gruzzolo.»

«Gruzzolo che prendeva Settembrini, giusto?»

«La Instant Farma, certo, Settembrini era il padrone della baracca, quindi ne beneficiava di persona.»

«E senza saperlo, procurava farmaci scaduti ad Alga.»

«Difatti, l'apoteosi del riciclo. Alga ha pensato che organizzata a dovere, la stessa cosa poteva ripetersi all'infinito. Bastava stare attenti e quel mercato clandestino avrebbe cominciato a rendere bene. Il problema, nell'immediato, era l'Avesani, che all'epoca lavorava come dottoressa per diversi enti che facevano capo al sistema di protezione per richiedenti asilo o quel che è, un programma costituito dalla rete degli enti locali. Per la realizzazione dei loro progetti di accoglienza accedono al fondo nazionale per le politiche e i servizi cui è collegata la Instant Farma.

«Sai, Alga è un bell'uomo, ci sa fare con le donne. Ha il fascino del mascalzone, è per quello che piace. Era riuscito a tenere buona l'Avesani, aveva sostituito i farmaci scaduti con altri buoni, forse se l'è pure scopata. E comunque le aveva promesso un "rimborso". Restava la possibilità di levarla di mezzo fisicamente, anche perché la cosa importante era impedirle di parlare con il proprietario della Instant Farma, Settembrini. Per loro era essenziale tenerlo all'oscuro di tutto. Ma sparare a qualcuno è sempre un rischio; bisogna trovare un killer e le cose possono andare male. Inoltre si sarebbero dovuti preoccupare anche di lui e in quel modo non ci sarebbe stato verso di uscirne. Così hanno deciso di comprarla.

«Alga si è reso conto che l'Avesani poteva essere utile, perché era una donna ambiziosa, e per questo malleabile, che puntava soprattutto alla carriera. D'altro canto, quello che aveva tra le mani poteva diventare un business piuttosto remunerativo. Era sufficiente cambiare la data dei prodotti farmaceutici scaduti e poi rimetterli in circolo come buoni, distribuendoli alle cooperative e ai vari enti di assistenza per l'immigrazione sparsi sul territorio italiano, che ne avevano un bisogno enorme. Certo, sarebbe stato necessario ungere qualche ingranaggio, ma queste cose non sono mai troppo complicate. La gente è sempre lì con le mani a coppa e aspetta che qualcuno ci versi qualche soldo. E poi il grosso del business lo avrebbero spostato in Africa o in altri Paesi del terzo mondo dove sarebbe stato quasi impossibile essere scoperti.»

«Quindi, la questione Avesani come l'hanno risolta?»

«Pensi che fosse una cosa semplice?»

«Immagino che l'abbiano comprata, non è così?»

«In un certo senso. Ma lei aveva altre mire, te l'ho detto, voleva il potere. Così Alga ha pensato di chiamare il suo amico William Di Fazio, consigliere nella giunta regionale, un altro fenomeno dedicato anima e corpo al bene della gente. Quella che lo paga, mi spiego? Per farla breve, Di Fazio è il vicepresidente della IV Commissione regionale: sanità, assistenza, servizi sociali e compagnia bella. Alga lo ha coinvolto nell'affare e quello non se l'è fatto dire due volte. In quattro e quattr'otto hanno confezionato un incarico politico per l'Avesani e l'hanno piazzata alla direzione del sistema per l'accoglienza che gestiva i centri per gli immigrati, e tutta la baracca messa in piedi per i richiedenti asilo. Con la promessa di un posto di assessore, alle elezioni successive.»

«Così l'hanno sistemata.»

«Puoi dirlo forte, ma siamo solo all'inizio.»

«Non ho nessuna fretta.»

«Ti dico che Alga è un tipo pieno di inventiva, una vera anguilla. Riesce sempre a essere nei posti giusti, sa tutto ciò che deve sapere e dalle informazioni che ottiene è capace di trarre il massimo del vantaggio. Ha sistemato l'Avesani, si è assicurato che Di Fazio fosse soddisfatto, e ha anche inquadrato quei due magazzinieri, Fonda e Gasser...»

«Hanno un nome, quei due?»

«Maurizio Fonda ed Elio Gasser. Anche loro hanno cominciato ad avere di che togliersi qualche bello sfizio. Insomma, con tutte le componenti al loro posto e soddisfatte, Alga ha messo in moto una macchina del riciclo che, pur sostenuta da un sistema un poco complicato, rimetteva a nuovo i medicinali scaduti. Quelli che arrivavano dall'Africa li rimandava in Sud America, quelli del Sud America in India, e via discorrendo. Dai Paesi del terzo mondo se li procuravano a un prezzo ridicolo. Il margine di guadagno era sufficiente a soddisfare tutte quelle bocche voraci.

«Eppure non si è mai troppo contenti di ciò che ci si mette in tasca, non trovi? Se ne vuole sempre di più, anche perché i passerotti nel nido stanno sempre lì con il becco spalancato e bisogna buttarci dentro cibo in continuazione. E poi devi stare attento a come ti muovi, perché anche se non te ne rendi conto, la gente ti sta sempre con gli occhi addosso e se tu cambi auto troppo spesso o ti vesti troppo bene, scatta la macchina dell'invidia e pensano subito che ci sia qualcosa che non funziona. Hai mai fatto caso alla propensione dei tuoi simili per la delazione? Se possono rovinarti non esitano un secondo. Quando qualcosa non gli torna, lo riferiscono subito a destra e a manca, così la voce si mette a circolare e prima che tu te ne renda conto, la guardia di finanza ti ha già messo una mano sulla spalla.

«Quindi Alga doveva star dietro a molte cose, era necessario tenere tutto sotto controllo. Anche il business. Difatti, ben presto si è reso conto che cambiare le date di scadenza con il sistema che utilizzavano era complicato, impreciso. Non solo rischiava di farli scoprire, ma portava via una parte considerevole dei guadagni che lui doveva già dividere con Fonda e Gasser, i due magazzinieri, con Di Fazio che ne voleva una fetta consistente e, ovviamente, con l'Avesani che, dall'alto della sua stazione di regia, cominciava a prenderci gusto.

«Quando apri un barattolo di miele, le mosche arrivano da ogni parte, tutte quante ne vogliono un poco e il barattolo fa in fretta a svuotarsi. Così erano gli affari di Alga, con tutto quel mangia mangia rischiava che per lui rimanessero solo gli spiccioli. E l'amico ha sempre avuto manie costose.»

«Da ciò che racconti, sembra che Alga faticasse a tenere tutto sotto controllo. Però nessuno ne ha mai saputo nulla.»

«Certo, te l'ho detto che è un tipo in gamba. La cosa funzionava alla grande perché, benché scaduti, i farmaci che agiscono contro la tubercolosi, l'Aids, la scabbia e l'ebola, o anche solo il mal di testa, spesso funzionano ancora. E non bisogna sottovalutare l'effetto placebo. Per quel che valeva, a quella gente avrebbero potuto dare delle palline di zucchero.»

DICIASSETTE

Una pietra sopra

Domenica 12

Entrando dagli shed del soffitto, la luce del giorno disegnava lunghi rettangoli sfumati sulla superficie del tatami dove in quel momento Sanda e Salvo si stavano affrontando girandosi attorno guardinghi. Nella luce lattiginosa della stanza le due figure in kimono bianco e hakama nera parevano i personaggi di una pièce teatrale.

Muovendosi con grazia, Sanda vide un'opportunità e fece partire l'attacco. Salvo retrocesse di un passo lasciando che lei gli afferrasse il polso sinistro, poi lo allontanò dal busto riuscendo a sbilanciarla. Lei tentò di recuperare spingendogli indietro il capo con il palmo aperto della mano, ma l'uomo si sottrasse, ruotò su se stesso, e sollevando il braccio sopra la testa in una sorta di balletto la obbligò a seguire il movimento. Quando si chinò abbassando la sinistra, Sanda perse l'equilibrio. Salvo si voltò di nuovo facendo un passo di lato, le afferrò il polso destro e con una torsione del busto la costrinse a una capriola con la quale la mandò a rotolare lontano.

Sanda uscì in piedi dal ruzzolone e si mosse rapida per portarsi di nuovo davanti al compagno. I loro gesti quasi erotici, l'eleganza delle mosse con cui si afferravano tentando di prevalere l'uno sull'altra, avevano la sensualità di un atto sessuale.

Si sentivano solo i respiri e il suono leggero dei loro passi sul tatami.

Salvo tentò un secondo affondo, ma lei parò con un veloce *shihonage*. Spostò il braccio dell'uomo, gli afferrò il polso e spingendolo verso l'alto lo torse sopra la spalla. Fece una rapida giravolta e spingendolo verso il basso lo fece volare di schiena in uno sventolare di tessuto nero.

Un applauso risuonò metallico nell'ambiente vuoto del *dojo*. Non avevano fatto caso ad Abdel che li stava osservando appoggiato allo stipite della porta. Salvo si rimise in piedi afferrando la mano che gli porgeva la donna.

«Mi avete fatto sentire un guardone» disse Abdel.

Siccome con le scarpe ai piedi non poteva entrare, i due lo raggiunsero all'ingresso.

«In effetti lo sei» ribatté Sanda. «Vado a cambiarmi, così possiamo andare.»

Il kabilo rimase solo con Salvo.

«Da quando Sanda mi ha raccontato chi siete veramente» disse sfilando la hakama nera, «non so più cosa pensare.»

La piegò per bene, poi la posò su un panchetto accanto alla porta. Abdel fece un gesto vago.

«Siamo sempre gli stessi» rispose, «lontani dai balordi che hanno commesso quei crimini. Adesso sai dei nostri sbagli, ma sai anche che negli ultimi quindici anni abbiamo rigato dritto.»

«Non conosco il vostro passato, devo dare per buone le cose che mi ha detto Sanda.»

«Lei è la tua socia da anni. Quello che hai saputo è successo tanto tempo fa, eravamo giovani. E stupidi. Sanda è cambiata, da allora, siamo tutti cambiati, siamo persone diverse.»

Sanda aveva incontrato Salvo diversi anni prima. Gestiva il *dojo* dove lei andava a perfezionare le tecniche dell'aikido. Intuendone l'abilità e attirato dall'esotismo combattivo che emanava dalla sua figura sottile, le aveva chiesto di diventare il suo *sensei*. La cosa aveva funzionato talmente bene che una sera, dopo che la palestra si era svuotata e senza quasi accorgersene, erano passati dalle arti marziali al sesso selvaggio. Un anno più tardi avevano aperto la loro palestra.

«Può darsi» ribatté Salvo. «Ma intanto questo tizio vi può ricattare. Allora mi chiedo se tutto questo avrà mai fine.»

«È soltanto un conto che dobbiamo pagare. Forse lo abbiamo sempre aspettato, questo momento, e adesso è arrivato. E non c'è modo di tirarsi indietro.»

Tacquero. Dallo spogliatoio proveniva il rumore della doccia. Abdel trovò che aveva un suono di straordinaria normalità, che strideva con ciò di cui stavano parlando, quel passato da rivangare in continuazione e di cui non riusciva mai a liberarsi.

«Dove state andando?» chiese Salvo.

Era un uomo non tanto alto, magro, dalla muscolatura scattante. Il kimono che indossava doveva avere poco meno la sua età, il tessuto era diventato morbido, di un bianco che con il tempo aveva perso il suo candore. Aveva capelli ricci, corti, in buona parte ingrigiti, e un viso dalla mascella solida, sul quale la pelle del viso pareva tesa come quella di un tamburo. Gli occhi erano scuri, penetranti, gli davano l'aspetto di una faina abituata ad aggirarsi per il pollaio.

«A cercare un tizio» rispose il kabilo.

«Che tizio?»

«Una persona con cui dobbiamo parlare, un nero.»

«È una cosa pericolosa?»

«No. È probabile che non lo troveremo.»

«Ti chiedo solo una cosa» disse Salvo. «Guarda le spalle alla mia ragazza.»

Abdel sorrise. «Stai tranquillo, non c'è pericolo. In ogni caso, la conosci, no? Sarebbe lei a dover guardare le mie.»

«Cos'è che dovrei guardare?» chiese Sanda uscendo dallo spogliatoio.

La gonna al ginocchio in tessuto chiaro e la blusa bianca che aveva indosso esaltavano il colore bruno della sua pelle. Portava una borsa appesa alla spalla e con la punta delle dita reggeva un paio di sandali di plastica nera.

«Parlavamo delle tue straordinarie capacità» disse Salvo.

«Nel sopportare gli uomini?» scherzò lei con un sorrisetto.

«Anche» ammise Abdel. «Possiamo andare?»

Sanda infilò i sandali ai piedi, poi sfiorò la guancia di Salvo con le labbra. «Ci vediamo più tardi.»

Udirono un vociare allegro che proveniva dal salone dove si trovavano i macchinari.

L'uomo annuì. «Cercate di non fare minchiate» disse.

Lo lasciarono sul tatami e raggiunsero l'uscita della palestra. Era l'ora di pranzo e cominciavano ad arrivare gli iscritti ai corsi di aikido, quelli che utilizzavano le attrezzature e i maniaci del fitness. Per la maggior parte erano studenti e professori del Campus Einaudi. La donna salutò alcune persone che conosceva, poi uscirono per strada.

La Peugeot di Abdel aveva la capote aperta. Faceva caldo e, come tutti i sabati, per strada c'era un mucchio di gente. Prima di partire prese da sotto il sedile due targhe false e le applicò coprendo quelle autentiche.

«Che diavolo stai facendo?» chiese Sanda.

«Da quando è iniziata questa faccenda lo faccio sempre, mi serve a pararmi il culo.»

«E se ci ferma la polizia?»

«Ho i documenti giusti anche per quelle.»

Lo guardò con disapprovazione. Il kabilo salì in macchina

e mise in moto. Percorsero un breve tratto di corso Tortona, poi imboccarono il lungofiume.

«Devo confessarti una cosa» le disse mentre passavano accanto alla struttura avveniristica del Campus Einaudi. «Se mi piacessero le donne, dopo averti vista tirare di aikido con Salvo non avrei altro in mente che venire a letto con te.»

Sanda lo guardò di sguincio. «Ma a te le donne non piacciono, giusto? Quindi non so mica se prenderlo come un complimento.»

«Credimi. La maniera in cui vi muovevate, quelle ampie braghe nere che svolazzavano, i gesti istintivi; sembrava una scopata.»

«Forse non sono io, a piacerti, ma Salvo» disse Sanda divertita.

«No, troppo secco, si muove come un serpente. Mi piacciono meno atletici.»

«Capisco. Comunque, se vieni in palestra con Teodoro, possiamo darvi qualche dritta su come imitarci» lo prese in giro.

Abdel scosse il capo. «Teodoro non è il tipo da palestra» disse.

Passarono oltre corso Regio Parco e tirarono dritto fino al ponte Mosca dove svoltarono per imboccare corso Giulio Cesare.

«Una sera mi lasci guardare mentre tu e Teodoro siete a letto insieme?» chiese Sanda di punto in bianco. Lui si voltò a fissarla sorpreso e per poco non si infilò nel sedere di un autobus. «Stavo scherzando» aggiunse lei.

«Ti piacerebbe guardarci?» chiese.

«Be', è una cosa che mi incuriosisce.»

«Ti regalerò un DVD porno, così potrai farti un'idea.»

Parcheggiarono nel controviale sotto un alto edificio la cui facciata cieca, coperta da un murale di una quindicina di metri, dominava un ampio giardino più basso della sede stradale e coperto da una vegetazione poco curata.

Scesero dall'auto e scavalcarono il divisorio di ferro che correva lungo le rotaie del tram. Attraversarono di corsa e furono costretti a superare anche la barriera che impediva il passaggio dalla parte opposta del viale. Si fermarono sotto i tigli della banchina. Le fermate erano piene di gente in attesa, per lo più extracomunitari. Molte erano persone cariche di sporte che tornavano dal mercato di Porta Palazzo.

Il *money-transfer* che cercavano era un bugigattolo schiacciato tra un minimarket che l'insegna definiva "esotico" e un parrucchiere nigeriano che appeso accanto alla vetrina esponeva un catalogo fotografico di tagli afro. Fuori dal negozio ciondolava un gruppetto di neri che parlavano e ridevano ad alta voce. Davanti al barbiere, sul marciapiede, due tizi in caffettano erano seduti a un tavolino protetto da un ombrellone con sopra la pubblicità di un operatore telefonico. All'interno del *money-transfer* si vedevano alcune persone assiepate davanti allo sportello.

Là dentro l'attività doveva essere ad ampio spettro; spedivano soldi in giro per il mondo con MoneyGram e Western Union, ed era pure un *phone center*.

Abdel si era sempre chiesto chi tirasse le fila di posti come quello. Erano spuntati come funghi in giro per la città, sfuggivano a qualsiasi controllo e nessuno si curava di capire quali itinerari seguissero i flussi di denaro che passavano per quelle porte.

Per anni era mancata qualsiasi attività di monitoraggio e dubitava che servissero solo a recapitare i soldi che gli immigrati inviavano alle famiglie, nei Paesi d'origine. Nulla di scritto, solo una stretta di mano per spedire denaro sulla fiducia, con percentuali sugli invii e costi di transazione parecchio più bassi di quelli delle agenzie ufficiali.

Con gli anni i controlli erano aumentati, ma la possibilità che un sistema così complesso venisse utilizzato dalla malavita organizzata come lavanderia per riciclare denaro sporco, proventi di attività illecite ed evasione fiscale, era tutt'altro che inverosimile. Per non parlare dei finanziamenti al terrorismo internazionale, che con ogni probabilità seguivano gli stessi canali.

Raggiunsero il marciapiede. Per entrare nel MoneyGram dovettero far spostare i due neri che c'erano davanti e che non dedicarono loro alcuna attenzione. Sanda si rese conto che potevano essere scambiati per una delle tante coppie che frequentavano quel buco per mandare a casa dei soldi. All'interno il caldo era soffocante e l'odore di cipolla fritta si mescolava ad altri miasmi più sgradevoli.

Anche i neri alla cassa si scostarono per lasciarli passare. Entrambi sulla trentina, indossavano jeans aderenti, magliette girocollo colorate e infradito. Puzzavano di sudore.

Abdel e Sanda si avvicinarono allo sportello. L'operatore era un nigeriano grasso, talmente scuro che nella penombra dietro la cassa se ne distinguevano a malapena i lineamenti. Portava i capelli ricci tagliati quasi a zero e dei baffetti che parevano uno sgorbio a carboncino disegnato attorno alle labbra grosse e carnose.

Sorrise credendoli marito e moglie o due fidanzati.

«Quanto denaro volete spedire?» domandò.

Aveva una voce profonda, che nonostante il sorriso non riusciva a essere amichevole.

«Stiamo cercando Ismail Durka» disse Abdel.

Il sorriso scomparve. «Chi?» chiese il nero con tono sgarbato.

«Durka» ripeté Abdul, «Ismail Durka. Ci hanno detto che lavora qui. Lei è una sua parente» concluse indicando Sanda.

«Una sua parente?» L'uomo parve sorpreso. «Chi sei?» domandò alla ragazza. «Sua sorella? Forse sei sua madre?»

Gli altri neri ridacchiarono alla battuta. Sanda li zittì fissandoli priva di espressione, poi si rivolse al tipo dietro al vetro della cassa.

«Sono sua cugina» disse. «Sai dove possiamo trovarlo?»

Il grassone si scambiò uno sguardo con i suoi amici, che si levarono di torno senza dire una parola. Infine mostrò ai due una chiostra di zanne gialle che parevano avorio antico.

«Di queste cose è meglio che ne parliamo in un posto tranquillo» borbottò. «Seguitemi.»

Uscì dal suo antro attraverso una porticina di legno e li condusse verso la parte posteriore del negozio, una specie di budello largo due metri e mezzo e lungo sei che puzzava di gabinetto e sul quale si aprivano due cabine del telefono, ognuna delle quali conteneva una sedia e una mensola con sopra un vecchio PC. Fece scattare i chiavistelli di una porta blindata e uscirono sul retro.

Si trovarono in un ampio cortile condiviso da diversi edifici di edilizia popolare e case di ringhiera. Era diviso in sezioni da alti muri sui quali correvano recinzioni di rete metallica e filo spinato. I balconi, in parte coperti da vecchie tende e biancheria stesa, si alzavano per diversi piani. Le facciate erano costellate di parabole per la TV satellitare.

Abdel e Sanda non fecero in tempo a guardarsi attorno che si trovarono circondati da una mezza dozzina di neri dall'aria poco raccomandabile. Con loro c'erano anche i due che avevano visto all'interno del *money-transfer*. Sorpresi si spostarono verso il centro del cortile. Il proprietario del negozio li affrontò spalleggiato dagli altri, ma ancora guardingo.

«E così saresti la cugina di Ismail» sghignazzò.

Passata la sorpresa, i due avevano ripreso il loro sangue freddo. La situazione poteva degenerare, ma per il momento si poteva tenere sotto controllo.

«Che c'è di strano?» ribatté Sanda. «Non sapevi che Ismail avesse una cugina?»

«E cosa vuoi da Ismail?»

«Questioni di famiglia, non sono affari tuoi. Se sai dov'è ce lo dici, altrimenti ce ne andiamo e amici come prima.»

«Sai» disse il ciccione carezzando il mento con due dita, «è tutto così strano.»

«Cosa c'è di strano?» domandò Abdel.

«I miracoli della natura.» Sogghignò guardando i suoi compari. «Ismail, che viene dal Sudan, ha una cugina del... Da dove arrivi tu, bellezza? Secondo me sei malgascia, dico bene?»

Gli altri neri risero divertiti.

«Anche questi non sono affari tuoi, ciccione» rispose Sanda.

Sulla faccia scura dell'uomo l'allegria si spense lasciando il posto a un'espressione risentita. Una donna che gli si rivolgeva in quel modo era un'offesa che non poteva ignorare, specie davanti a quella banda di straccioni che si portava appresso.

«Sekou» disse, «insegna a questa stronza del Madagascar come ci si rivolge a un uomo.»

Un nero dal cranio pelato e il fisico da lottatore si staccò dal gruppo e si diresse verso la nera a passo svelto. Portava un paio di calzoni a disegni verdi e rossi, una maglietta bianca attraversata dalla scritta SPORT CLUB e stringeva in pugno un bastone di legno chiaro, poco più lungo di un metro.

Prima che Abdel potesse reagire si avventò sulla donna con il bastone alzato e lo calò con forza per colpirla sul collo. Con la velocità del lampo, Sanda fece uno scarto di lato che pareva un passo di danza, mandando a vuoto il colpo. Mentre il fendente le passava davanti, afferrò il bastone all'altezza delle mani dell'uomo, poi con un movimento del busto lo costrinse a darle la schiena compiendo mezzo giro, infine spinse nel senso contrario e lo fece cadere all'indietro, movimento che l'uomo dovette assecondare con un lamento, per non slogarsi le giunture. Lei indietreggiò torcendogli il braccio e con un urlo di dolore il nero non poté fare altro che voltarsi sulla pancia.

Sanda fece pressione sul polso e gli levò il bastone di mano, poi, restando china sulla sua vittima, lo puntò in direzione degli altri squadrandoli con calma.

Stupefatti dalla violenza della reazione, i compari del suo aggressore si erano istintivamente allontanati. Il nero a terra provò a sfuggirle, ma con una nuova torsione del polso, Sanda gli strappò un ululato e, per farlo stare buono, gli diede pure una botta sulla nuca con la punta del bastone. L'uomo batté più volte la mano sul cemento del cortile per informarla che aveva capito l'antifona.

Dopo una breve esitazione, un secondo nero si fece sotto per aiutare il suo amico ma, senza mollare il polso dell'altro, Sanda fece scattare una gamba verso l'alto e lo colpì sulla punta del mento con la pianta del piede. Stordito, l'uomo barcollò indietreggiando di qualche passo e finì seduto per terra con l'aria di chi è stato appena investito da un pullman. Due degli altri lo aiutarono a rimettersi in piedi e lo allontanarono reggendolo per le braccia.

«D'accordo...» latrò il padrone del *money-transfer* già meno sicuro di sé. «Smettiamola di litigare.»

«Allora dobbiamo parlare» ingiunse Abdel fissando soddisfatto l'amica.

«Siete gente come noi, cazzo, dovremmo stare tutti dalla stessa parte, invece venite qui a trattarci da delinquenti, fate i prepotenti e vi mettete a picchiare la gente in questo modo, come se foste dei poliziotti bianchi.»

«Sei stato tu il primo ad alzare il bastone» gli ricordò Abdel. «Noi vi abbiamo solo fatto delle domande.»

Preso in castagna, il ciccione non seppe cosa rispondere. Li fissò con quell'aria offesa che hanno di solito le minoranze discriminate quando ci si prende la briga di indagare sui cazzi loro, infine grugnì qualche frase in una lingua dal suono gutturale.

Senza banfare il gruppetto di spalleggiatori si allontanò verso l'androne del condominio e scomparve inghiottito dall'ombra. Sanda lasciò andare il polso di quello a terra, poi gli tese la mano e lo aiutò a sollevarsi dal pavimento. Come un cane bastonato, il nero raggiunse i suoi compari reggendo il braccio indolenzito.

Rimasero soli nel silenzio del cortile. Appesi alla ringhiera di un balcone del terzo piano, due ragazzini nordafricani stavano assistendo alla scena dandosi di gomito come se fossero al cinema.

«Ismail non lavora più qui da mesi» disse il gestore del *money-transfer* sorvegliando Sanda con la coda dell'occhio. «Non ho idea di dove sia finito.»

«Abbiamo bisogno di trovarlo un po' in fretta» insisté Abdel. «Può esserci d'aiuto a risolvere una questione importante.»

«Non l'ho più visto né sentito. E comunque non siete le prime persone che lo cercano.»

«Qualcun altro ha chiesto di lui?» domandò Sanda sorpresa.

«Sì, due teste di cazzo, È successo tre mesi fa, Ismail se n'era andato da poco. Siccome gli ho detto che non sapevo nulla mi hanno riempito di botte assieme a un amico che in quel momento era con me in negozio.»

«Neri?»

«No, italiani. È per questo che oggi ho chiesto ai ragazzi di darmi man forte, avevo paura.» Fulminò Sanda con uno sguardo diffidente. «Venite tutti da me a cercare Ismail, ma dovete mettervi in testa che io non so dove sia finito.»

«Chi potrebbe saperlo?» domandò Abdel. «C'è qualcuno che ha mantenuto i contatti con lui?»

Il ciccione li valutò per bene prima di rispondere. «Vedeva spesso una battona, una clandestina nigeriana.»

«Come si chiama?»

Il nero urlò un nome e uno dei suoi compari apparve al fondo dell'androne. Discussero qualche momento nella loro lingua incomprensibile, poi il proprietario del *money-transfer* tornò a rivolgersi ad Abdel.

«Il suo nome è Blessing» disse.

«Blessing come?»

«Non ne ho idea. È tutto quello che so. Adesso levatevi di torno e lasciatemi in pace.»

Abdel annuì. «Grazie per le informazioni.»

Fece un cenno a Sanda e si incamminarono verso il retro del negozio. Erano sulla porta quando il nero li richiamò.

«Prima di lasciare questo lavoro, Ismail frequentava della gentaglia» disse.

«Delinquenti?»

«Non proprio, credo lavorasse con loro. Gente che per soldi cerca di farti attraversare la frontiera con la Francia.»

«Bianchi?»

«Un gruppo di africani.»

«Dove possiamo trovarli?»

«Cercateveli da soli» tagliò corto l'uomo. «Io non voglio grane, vi ho già detto fin troppe cose.»

Sembrava che la questione fosse chiusa. Attraversarono il locale e uscirono per strada. Il gruppetto che li aveva affrontati poco prima ciondolava fuori dal negozio. Al passaggio di Sanda si ritrassero, quasi avesse dato loro la scossa. Il tizio che si era beccato il calcio in faccia se ne stava seduto sotto l'ombrellone con l'aria stordita. Teneva un sacchetto di plastica pieno di ghiaccio premuto sul mento. Mentre attraversavano corso Giulio Cesare, il bel volto di Abdel era accigliato. Se per caso Ismail era riuscito a passare in Francia, su di lui potevano metterci una pietra sopra.

DICIOTTO

A gambe all'aria

Lunedì 13

Dalla finestra del balcone dell'appartamento di Vittoria al quinto piano, lo sguardo spaziava sugli ultimi lembi della città e passando sopra gli alberi del giardino di via Sempione abbracciava una fila di condomini di edilizia popolare oltre la quale erano sparsi edifici industriali con al centro il vasto fabbricato dell'ospedale San Giovanni Bosco. Una distesa di cemento e colori tenui che la luce radente dell'ultimo sole striava d'ombra dandole l'aspetto di un quadro futurista.

Dove finiva la città, il paesaggio sembrava frammentare una terra poco abitata, che si spingeva fino ai piedi delle colline. Nulla come quel panorama rendeva tutto periferico, così diverso dall'avere davanti una via elegante o una cattedrale o una bella piazza, pensò Ventura. Una vista che ti rimetteva al tuo posto, imponeva differenze sociali e, alla fine, la diceva lunga sulle scarse possibilità che venivano offerte a una parte dei cittadini.

Si allontanò dalla finestra aperta che lasciava entrare odori di campagna misti a quelli della città e si avvicinò alla scrivania alla quale stava lavorando Matilde. Sullo schermo del computer i dati scorrevano come una cascata e le sue dita si muovevano veloci sulla tastiera come ballerini indiavolati.

Seduta sul letto, con lo sguardo appena corrucciato ma le labbra increspate in una piega divertita, sua madre la stava osservando. La ragazzina premette un tasto e dopo qualche secondo la stampante cominciò a vomitare fogli pieni di informazioni.

Si alzò dalla sedia, li raccolse e, dopo averli impilati per bene battendoli sul piano del tavolo, li mostrò con aria soddisfatta.

«Cos'hai trovato?» domandò Max.

«Quello che mi hai chiesto.» Matilde si sistemò sul letto accanto alla madre. «La Palatina Srl è stata fondata nel 2002 da Edmondo Palato che ne è tuttora il presidente. Lavora soprattutto in Piemonte, ma ha svolto incarichi a Milano e in Veneto. Il primo grosso appalto che hanno avuto riguardava la costruzione di una serie di edifici per le Olimpiadi invernali del 2006. Tra le altre cose, Palato è socio del Rotary e la sua ditta ha lavorato parecchio per il Comune. Ho anche fatto qualche ricerca per vedere se c'era qualche magagna, ma non risulta che abbia mai avuto problemi con la giustizia.»

Max si mise a sedere alla scrivania. «E questo come cavolo fai a saperlo?»

«Be', ho curiosato qua e là, sai, nei posti giusti.»

«Sei sicura che nessuno si sia accorto dei tuoi maneggi?»

«Stai tranquillo, so come si fanno queste cose.»

«Se qualcuno si rendesse conto dell'intrusione, te ne accorgeresti, dico bene?»

«Certo, per chi mi hai preso, per una dilettante?»

«Ok, vai avanti.»

«Dunque, qui ti ho fatto l'elenco di tutti i lavori eseguiti dalla Palatina negli ultimi dieci anni e di quelli ancora in corso. I più importanti sono la ristrutturazione della villa fuori città di un certo Paolo Settembrini, proprietario di una società che si chiama Instant Farma, qualche palazzone in centro, e gli uffici di uno dei maggiori studi legali in città, Ronconi, Di Fazio, Parmentola & Associati.»

«Instant Farma?» la interruppe Max. «Cos'è, una fabbrica di medicinali?»

«No, li distribuiscono.»

Durante il loro incontro, anche l'amica della dottoressa bruciata nella residenza aveva parlato di farmaci. E adesso saltava fuori questa società che, anche se alla lontana, era collegata alla faccenda. Poteva anche essere una pista da seguire.

«Quindi» disse, «all'apparenza è tutto regolare.»

«Questo non lo so. Se ci sono stati appalti truccati o episodi di corruzione, li hanno nascosti bene perché non ce n'è traccia.»

«Hai qualcosa sulla faccenda che interessa a noi?»

«Quella storia dell'incendio? La Palatina ha comprato il terreno nel 2018, circa un anno e mezzo dopo la tragedia. Hanno buttato giù il rudere carbonizzato e hanno costruito un condominio di cinque piani. I lavori sono terminati alla fine del 2020 e tutti gli appartamenti risultano venduti.»

«Chi ha ceduto rudere e terreno?»

Matilde consultò i fogli che aveva in mano. «Il proprietario, un certo Romano Barale. Su di lui ho trovato qualche articolo di giornale, dev'essersi fatto due anni di galera. Prima di entrare in carcere ha venduto tutto alla Palatina Srl.»

«Nient'altro?» chiese Max deluso.

«C'è un appartamento per piano, ho qui la lista dei proprietari. Il primo è di un ingegnere, tale dottor Semprini, che vive con la madre. Quello del secondo piano è di un tizio che si chiama Giuseppe Brasa, mentre al terzo vive una giovane coppia che arriva da Bologna, Piero e Loredana Malagoli. La casa l'hanno comprata i genitori di lei. Il quarto è di un certo dottor Marino, che ci abita con moglie e due figlie, e al quinto vive una coppia di pensionati, i signori Sparacio. Loro sono in affitto, la proprietaria dell'appartamento è una tipa che si chiama Sofia Avesani.»

A sentir pronunciare quel nome, Max sobbalzò. «Hai detto Sofia Avesani?» ragliò alzandosi dalla sedia.

«Sì.» Matilde gli mostrò l'elenco.

Ventura lo lesse e rilesse due o tre volte. Era improbabile che si trattasse di un caso di omonimia, specie in un condominio che sorgeva sul luogo dove era bruciata la casa di accoglienza. Vide che il nome dell'Avesani e quello del tizio del secondo piano erano sottolineati in rosso.

«Il motivo per cui hai spuntato quei due nomi?» chiese restituendole il foglio.

«Me li sono segnati perché qualcosa non tornava nei contratti di vendita. Spulciando tra gli atti del notaio Cusimano...»

«Spulciando dove?»

«Nell'archivio del notaio.»

«Hai fatto una cosa del genere?»

«Be', è stato banale, avevano protezioni piuttosto vecchie, per balzarle mi ci sono voluti due minuti.»

«Ma è un crimine, te ne rendi conto?»

«Ma va', non ho mica preso nulla. Ho soltanto curiosato.»

«D'accordo» sospirò Max. «Allora? Cos'è che non ti tornava?»

«Cusimano è il notaio che ha curato la vendita dell'intero condominio per conto della Palatina Srl. Sfogliando i contratti ho visto che il valore medio degli appartamenti, che hanno tutti più o meno la stessa metratura, era tra duecento e duecentocinquantamila euro. A ogni atto di vendita è allegata la fotocopia dell'assegno consegnato al momento dell'acquisto. Be', al contrario degli altri, che sono firmati dai proprietari,

Avesani e Brasa hanno pagato con due assegni della stessa società, la Millenium Phœnix. Di conseguenza, non hanno scucito manco un euro.»

«Quel tizio, Brasa, dev'essere quello con cui ha litigato Sanda quando abbiamo fatto il sopralluogo.»

«Il contratto della dottoressa Avesani è stato firmato nel mese di maggio» notò Matilde. «Quello di Brasa, invece, due mesi più tardi.»

«In effetti è strano. E della Millenium Phœnix, che mi dici?»

«Nulla, non sapevo se la cosa potesse interessarvi. Ma se vuoi mi metto a cercare.»

Vittoria aveva assistito attonita all'exploit della figlia combattuta tra un misto di orgoglio, per la sua abilità, e di ansia, per la sua incoscienza. Si alzò dal letto con aria risoluta.

«Non farai nessuna ricerca» disse. «Ho già abbastanza preoccupazioni senza che tu ti metta a procurarne delle altre.»

«Non sto facendo niente di assurdo» si lamentò Matilde. «Non vado mica a hackerare il server di una banda di delinquenti.»

«Questo non lo sappiamo» disse Max. «Tua madre ha ragione, a questo punto potrebbe essere pericoloso.»

«Dài, ho almeno quattro sistemi che mi avvertono all'istante se qualcuno si accorge delle mie intrusioni. E comunque, anche se mi beccassero, vedrebbero solo una serie di informazioni fittizie che portano in Azerbaigian.»

«E se dall'altra parte ci fosse uno in gamba come te?»

«Uno che mi sgama? Ma figurati» rise la ragazzina. «Quelli che gestiscono i server che ho visitato sono dei bradipi.»

«Max, per cortesia» insisté Vittoria, «diglielo anche tu, non voglio che faccia delle cretinate.»

«Dai retta a tua madre» disse Ventura in tono più dolce.

«Ciò che hai trovato ci sarà utile, ma adesso è il momento di fare una pausa, d'accordo?»

«Ma ce ne sarebbe ancora un botto, da trovare» mugugnò.

«Per ora va bene così, credimi. Se avrò di nuovo bisogno del tuo aiuto te lo chiederò e faremo le cose assieme.»

«Dài, raga, che sbatti!» si arrese. «Va bene, lascio perdere.»

Rimasero ancora qualche minuto a chiacchierare finché Matilde non tornò di buon umore, poi Vittoria disse che doveva preparare la cena e per Max era ora di tornare al ristorante.

L'uomo prese i fogli stampati dalla ragazzina, la ringraziò per tutto il lavoro che aveva fatto, quindi tornò all'ingresso accompagnato da Vittoria. Scambiò ancora due parole con l'amica e si misero d'accordo per l'appuntamento del pomeriggio seguente alla cascina, dove insieme a Sanda e Abdel avrebbero rivisto Numero Uno.

Mentre scendeva le scale ripensò alle informazioni che aveva procurato Matilde, alle coincidenze che spesso non si rivelavano tali, e al tipo di ramificazioni che dovevano esserci dietro a quella storia.

Uscì per strada e si guardò attorno con espressione inquieta: nel giro di qualche giorno la sensazione di sicurezza che aveva accumulato negli anni sembrava essersi sfaldata. Il pensiero che tutto quanto potesse scomparire, che il lavoro paziente con cui era riuscito a mettere ogni cosa al suo posto si fosse rivelato inutile, era una sensazione che a tratti lo attanagliava; tutto pareva già disfarsi, perdere consistenza. Si sentiva come un cliente dimenticato dopo la chiusura all'interno di un gigantesco supermercato, o dentro un'immagine appesa al muro, prigioniero in un ambiente privo di esistenza propria.

Salì sulla Volvo, chiuse lo sportello, poi prese il telefono, cercò un numero e attivò la chiamata.

«Max, come butta?» disse una voce di uomo dal tono basso e arrochito dal fumo.

Ventura sorrise. «Ciao, Ignazio, non c'è male. È da un pezzo che non ci sentiamo.»

«Vuol dire che non avevi bisogno di me» ridacchiò l'altro.

«Sei sempre lo stesso cinico bastardo, ma hai ragione. Adesso però mi serve davvero il tuo aiuto.»

«Solita tariffa?»

«Anche qualcosa in più, è una questione delicata.»

«D'accordo, dimmi.»

«Non al telefono. Passa questa sera all'Évêché e ti racconto tutto. Così mangiamo qualcosa insieme e ci beviamo una bottiglia.»

«Come va il tuo bel ristorante?»

«Alla grande, lo vedrai tu stesso. E non certo grazie a me, se non ci fosse Federica sarei già andato a gambe all'aria.»

DICIANNOVE

I cani con le salsicce

Martedì 14

La pioggia era cominciata alle tre del pomeriggio e alle cinque passate stava ancora riversando sul mondo il malumore degli dèi. Oltre il viottolo, ridotto a una distesa di fanghiglia, la vegetazione degli orti urbani era di un verde intenso, cosparsa di larghe foglie che si muovevano senza sosta. La superficie del fiume pareva una lastra di vetro marrone che ribolliva di migliaia di minuscoli crateri, il cui suono scrosciante riverberava nell'aria.

Gli occhiali sulla punta del naso, Numero Uno stava sfogliando con aria concentrata il materiale raccolto da Matilde. Nel frattempo, sedute al computer, Sanda e Vittoria erano intente a compilare una sintesi delle poche cose che avevano scoperto fino a quel momento. Parlottavano tra loro e ogni tanto una delle due indicava qualcosa sullo schermo.

«Preferisco ignorare come vi siete procurati queste informazioni» disse il vecchio compiaciuto, «ma potrebbero rappresentare un concreto passo avanti.»

«Aprono certamente delle crepe» ammise Max. «Dobbiamo solo trovare quella giusta e infilarci l'esplosivo che farà crollare tutta la baracca.»

«La Millenium Phœnix mi dice qualcosa. È probabile che

sia una società di comodo, sempre che esista ancora. Sarebbe interessante sapere a chi appartiene e di cosa si occupa.»

«Chiunque siano, hanno sborsato un mucchio di quattrini per regalare quei due appartamenti. Sono cinquecentomila euro mal contati. L'Avesani sappiamo che è coinvolta in questa storia, ma perché ricompensare anche l'altro tizio?»

«Non ne ho idea.» Numero Uno si carezzò la chioma candida con un gesto lento. «Ma il fatto che sia uno dei beneficiari di tanta munificenza è piuttosto singolare. Non si tratta di un orologio o di un'automobile. Una casa è un regalo piuttosto impegnativo. Mi piacerebbe sapere cos'ha fatto per meritarlo.»

«È possibile che, per coprire qualcuno, Sofia Avesani abbia accettato di prendersi responsabilità non sue» disse Abdel. «Potrebbe essere un risarcimento per quei quattro anni di galera.»

«Se questa è la gratitudine delle persone che ha coperto» disse Max, «allora ciò che ha nascosto dev'essere qualcosa di grosso.»

«Mi piacerebbe sapere qualcosa di più su questo Giuseppe Brasa. Ma tra le informazioni che avete raccolto c'è un altro dettaglio stimolante.» Il vecchio cercò un foglio e lo scorse rimettendo gli occhiali sul naso. «La Palatina Srl ha ristrutturato gli uffici dello studio legale Ronconi, Di Fazio, Parmentola & Associati. Si tratta di un'intera palazzina ottocentesca in corso Galileo Ferraris, zona piuttosto elegante. Un lavoretto da qualche centinaio di migliaia di euro. Ma non è questa la cosa singolare» disse rivolto a Max e Abdel che lo guardavano incuriositi. «William Di Fazio è consigliere in Regione. Più precisamente, è il vicepresidente della IV Commissione regionale: sanità, assistenza e servizi sociali.»

Per qualche momento nella stanza si udì soltanto il suono metallico della pioggia che batteva sul tetto. Anche le donne avevano interrotto il lavoro per voltarsi verso il gruppo degli uomini. Infine Vittoria posò una mano sulla spalla di Sanda e le due tornarono a concentrarsi sul computer.

«Pensa che sia coinvolto?» domandò infine Max.

«Non penso nulla» disse il vecchio stringendosi nelle spalle. «Tanto più che, senza prove, Di Fazio è un intoccabile. Ma non si può negare che un filo sottile leghi in qualche modo tutte queste persone. Di Fazio conosce Palato, che sul terreno della residenza bruciata ha costruito la sua palazzina di appartamenti, uno dei quali è stato regalato alla dottoressa Avesani.»

«Un buon avvocato le farebbe notare che sono tutte illazioni» ribatté Abdel. «Non abbiamo alcuna prova. Per giunta, quel poco che potremmo portare a supporto delle nostre teorie ci incriminerebbe per il modo in cui ce lo siamo procurato.»

«Non ha torto» ammise Numero Uno. «Si tratta di un buon lavoro, ma siete soltanto all'inizio. E avete avuto una certa fortuna. Quello che dobbiamo fare adesso è giocare di sponda.»

Max non riusciva bene a inquadrare quel vecchio – vecchio satanasso, lo avrebbe chiamato Tex Willer – che sembrava fingere un'ignoranza che in realtà non gli apparteneva. Aveva sempre più l'impressione che Numero Uno sapesse esattamente cos'era successo ma che non lo potesse provare se non dirigendo le loro mosse come si fa con un gruppo di burattini. E se quello era il prezzo da pagare per poi essere liberi, a lui andava bene così.

«Intende dire che dobbiamo arrivarci per gradi?» chiese.

«Ho la sensazione che gli eventi di allora siano una sorta di gioco di dama la cui mossa culminante è stato l'incendio della residenza, con la morte di quelle sedici persone. La cosa importante è il modo in cui giocheremo le nostre pedine. Ma prima di metterle sulla scacchiera le dobbiamo trovare.»

«Non abbiamo molte piste da seguire» fece notare Max.

«Ne avete una piuttosto promettente, il nero che si chiama Ismail Durka. Cosa sapete di lui?»

«Che non sarà facile acchiapparlo» disse Abdel. «La persona con cui abbiamo parlato, il proprietario dell'ultimo posto in cui Ismail ha lavorato, non sapeva o non ha voluto dirci dove fosse.»

Fece un resoconto dettagliato del loro incontro con i nigeriani del *money-transfer*, l'aggressione a Sanda, che aveva sistemato quei bruti senza batter ciglio, e per finire la prostituta nera di cui gli aveva parlato il proprietario, una certa Blessing, facile da trovare come un ago in un pagliaio. Secondo il nigeriano aveva avuto una storia con Ismail e magari era ancora in contatto con lui.

«Non sappiamo nemmeno da dove iniziare per trovarla» concluse, «né se si prostituisca ancora o che faccia abbia. Sarà dura.»

«La sua età?»

«Non ce l'ha detto, ma in genere sono delle ragazzine.»

«Forse c'è una possibilità con l'ufficio CIT» disse il vecchio.

«Il CIT?»

«Il Centro intercettazioni telefoniche della Procura della Repubblica. Cercherò di ottenere l'autorizzazione per mettere sotto controllo le utenze telefoniche di alcune persone del giro.»

Abdel lo guardò scettico. «Pensa che riusciranno a ottenere un risultato? Potrebbero volerci dei mesi.»

«Mi auguro che non sia così. Sanno fare il loro mestiere e conoscono piuttosto bene l'ambiente della prostituzione di colore. In ogni caso chiederò che questa Blessing venga ricercata anche con i sistemi tradizionali.»

«È tutto così difficile» disse Vittoria, che nel frattempo

aveva lasciato il computer per avvicinarsi a loro. «Troviamo soltanto dei pezzi sparsi, sembra che non esista alcun modo di metterli insieme.»

«Sono ancora troppo pochi, signora Merz» rispose il vecchio. «Man mano che li troverete, capirete anche le corrispondenze. A un certo punto il disegno vi sarà chiaro.»

La stampante si attivò con un ronzio meccanico e ne uscirono una mezza dozzina di fogli. Sanda li raccolse e si avvicinò per darli a Numero Uno, quasi sorpresa che per la prima volta sembrasse accettare le loro nuove identità.

«Si diverte a giocare con noi, vero?» disse con una punta di acidità nella voce. «Mi piacerebbe sapere cosa nasconde.»

«Non è un gioco, mi creda. E non sono io a nascondere le cose. Chiunque lo abbia fatto è stato abile, ma io so che voi lo sarete di più. Non dovete sottovalutare questa gente. Tenteranno con ogni mezzo di impedirvi di arrivare alla verità. Perché anche loro, come voi, hanno molto da perdere.»

«È una lotta impari» brontolò la nera.

«Lo so, ma è la sola che possiamo combattere. Vi farò sapere se tramite le intercettazioni riusciremo a ottenere un risultato.» Mise le carte nella sua ventiquattrore, poi, dopo aver sfogliato qualcosa all'interno, ne sfilò una busta di carta color paglia. «Un'ultima cosa» disse. «Mi sono informato sull'ispettore antincendi Rino Balzano, il perito dei vigili del fuoco con cui volevate parlare.»

«Ci può ricevere?» domandò Max.

«Se ci riuscisse sarebbe piuttosto singolare» brontolò il vecchio posando il foglio sul tavolo. «È morto due anni fa in un incidente.»

Se l'intento era quello di sorprenderli, il suo *coup de théâtre* era perfettamente riuscito. Li osservò in attesa di una reazione.

«Com'è successo?» chiese infine Abdel.

«Stava ripulendo un fosso fuori dalla sua cascina. Il terreno ha ceduto e il trattore è scivolato giù ribaltandosi. Balzano è rimasto schiacciato. L'ha trovato il giorno dopo un cacciatore.»

«Tutto regolare?» Max non era convinto.

«Le indagini dei carabinieri non hanno rilevato nulla di strano. Stava lavorando da solo, pare fosse una sua abitudine.» Posò la busta sul tavolo. «Qui c'è una copia del rapporto dell'Arma. Potete dargli un'occhiata, ma credo sia tempo perso.»

«Hanno fatto l'autopsia?»

«Non ce n'è stato bisogno. In ogni caso Balzano non aveva parenti, il riconoscimento è stato fatto da un vicino di casa. Non c'era niente di sospetto, quindi la pratica è stata archiviata.»

«Che sfiga» imprecò Abdel. «Quello che sapeva se l'è portato nella tomba. Poteva essere una buona scorciatoia.»

Numero Uno indossò un impermeabile leggero e si sistemò il cappello a lobbia sul capo. «In ogni caso, vi consiglio di non avere fretta» concluse prima di lasciare la stanza. «Cercare una scorciatoia non è sempre la soluzione giusta; a questo mondo nessuno lega i cani con le salsicce.»

GIOVEDÌ 30 – ORE 18.07.35

«Non ricordo quando a Tiziano Alga è venuto in mente di fare le cose più in grande, forse due anni dopo. Aveva tutte queste sanguisughe che erodevano il suo guadagno ed era lui quello che si rompeva la schiena dalla mattina alla sera e a volte anche di notte. Gli altri stavano lì ad aspettare i soldi e il loro sforzo maggiore era quello di contarli. Un salto di qualità gli avrebbe permesso maggiori entrate e, soprattutto, minori possibilità di essere beccato. Perché con quel sistema artigianale che aveva messo in piedi, la cazzata era sempre dietro l'angolo. E quello lo voleva evitare.

«Tramite la moglie, che era una cugina o una zia, non ricordo, si è messo d'accordo con Luigi Jannello, un importatore senza scrupoli legato alla malavita organizzata. Questo Jannello ha una ditta di import-export, la Subra Net, tramite la quale gestisce un mucchio di traffici dei suoi amici malavitosi. Insomma, Alga non gli ha dovuto nemmeno fare un disegno, Jannello ha capito al volo che quella roba voleva dire soldi a palate. Mentre Tiziano gliene parlava devono essergli venuti perfino gli occhi a forma di dollaro.»

«Quindi lo ha tirato dentro.»

«Aspetta, adesso ci arriviamo. Davvero non vuoi un goccio di brandy?»

«Non bevo. Forza, vai avanti.»

«Quella pistola la devi proprio tenere in mano?»

«Tu fingi che non ci sia. Dài!»

«Madonna, sei asfissiante. Comunque, cosa stavo...? Ah sì, Jannello. Devi sapere che quando ti metti in affari con uno come lui, non puoi pensare che tutto proceda uguale a prima, perché finché nell'acquario ci sono pesci della stessa dimensione va tutto bene, ma se ci metti dentro uno squalo, allora è lui che vuole comandare. Mi spiego? E questo, Jannello, lo ha fatto fin da subito. Non lo ha nemmeno chiesto, ha preso in mano le redini e si è seduto a cassetta. E Alga s'è ben guardato dal protestare, in parte perché se ci tieni al tuo culo con un tipo del genere non protesti, e poi perché Jannello non aveva solo l'esperienza ma pure una visione imprenditoriale, quella che a Tiziano mancava del tutto.

«Ha detto subito che riciclare era soltanto una perdita di tempo, che costava un sacco di soldi e portava introiti limitati. Quello che bisognava fare era mettere in piedi un traffico di farmaci contraffatti, opportunamente fabbricati in Paesi come India e Cina, all'avanguardia nella falsificazione dei medicinali. La stampa delle scatolette si poteva fare in Nord Africa dove, tramite la Subra Net, avrebbero spedito i medicinali per essere confezionati. Per il resto, sarebbe stata una questione di distribuzione, tramite Instant Farma. Il costo del prodotto ne risultava talmente infimo da permettere guadagni colossali, che era ciò a cui puntava Jannello.

«Lui sapeva bene qual è il giro d'affari in questo genere di traffico. In Europa si calcola che l'uno per cento dei farmaci in commercio sia contraffatto, mentre in Africa, Asia e America Latina la percentuale di falsi si aggira fra il trenta e il cinquanta per cento. Per questo Jannello ha suggerito di guardare soprattutto verso quei mercati. Manco a dirlo erano tutti d'accordo. Così sono partiti con il nuovo business che da subito ha funzionato alla grande. Ma c'era sempre il rischio che Settembrini mangiasse la foglia.»

«Difatti, non capisco come alla Instant Farma potesse sfuggire una manovra del genere.»

«Vedo che hai colto il punto cruciale. Settembrini stava comunque portando avanti la sua attività legale.»

«Appunto, come hanno risolto il problema?»

«È semplice, si sono impadroniti della società.»

«Vuoi dire...»

«Ascolta, di fondo Paolo Settembrini è una persona perbene. Lo siamo tutti, no? Finché non troviamo sulla nostra strada qualcuno che ci corrompe. Settembrini ha una bella moglie e tre figli, vive in una bella casa e fa una vita che io non mi posso sognare nemmeno con i soldi che mi sono arrivati da questa storia. Soldi maledetti, ma sempre soldi. Lui in realtà non aveva bisogno di farsi corrompere, ma la vita a volte ti mette di fronte a un bivio e qualcuno ti spinge dalla parte sbagliata.

«Comunque, dicevo, se l'è sempre cavata alla grande perché ha appeso il cappello al posto giusto. È la moglie ad avere il patrimonio, lui è soltanto un uomo oggetto, anche se alla fine ha messo in piedi una bella ditta, che rende bene, ma non bene quanto rende la moglie. Comunque, anche se ha sposato una riccona e ha questa famiglia da Carosello, a lui piacciono anche altre cose. Capita spesso, gli uomini sono strani, sempre diversi da come appaiono. Non so come abbia fatto a scoprirlo, ma Jannello ha saputo che Settembrini era bisvalido, aveva anche tendenze omosessuali e gli piacevano i travestiti. Non dovrebbe esserci nulla di male, no? Ognuno dovrebbe essere libero di andare a letto con chi vuole, ma purtroppo non è così, ci sono le convenzioni sociali, i moralisti, i bigotti e tutto il resto. Così è stato facile per loro prenderlo in castagna.

«Durante un viaggio di lavoro in Africa lo hanno messo in mezzo. Ha organizzato tutto Alga, che in queste cose è sempre stato un cannone. Giù a Benin City ha trovato un travestito negro che avrebbe fatto risvegliare un morto e una sera gliel'ha fatto passeggiare sotto al naso in un bar dove andavano a fare l'aperitivo. Due ore più tardi Settembrini era ubriaco fradicio nel mezzo di una vera e propria orgia da mille e una notte. Lo hanno filmato in Panavision mentre si inchiappettava quattro travestiti neri di un metro e novanta, che a turno, per finire in bellezza la serata, si sono poi divertiti a rendergli la pariglia.

«A quel punto lo avevano in pugno, capisci? Se la moglie avesse visto le sue prodezze africane, lo avrebbe mollato seduta stante e si sarebbe portata via soldi e figli. Meglio fare buon viso a cattiva sorte, tanto non aveva scelta. Il contratto, chiamiamolo così, non era nemmeno dei peggiori; prevedeva che si occupasse della parte legale del suo commercio, lasciando che Alga e Jannello gestissero in santa pace la parte sporca. A loro una facciata perbene faceva comodo, li nascondeva. E se Settembrini giocava con le loro carte, tutto sarebbe filato liscio come l'olio. Sai meglio di me che nessuno accetta di passare dalle stelle alle stalle. E lui non ha fatto eccezione. Tanto più che per essere certi che rigasse dritto, gli hanno aperto un conto cifrato in Belize sul quale ogni mese facevano arrivare una bella somma di denaro in nero. Altro sistema con cui lo avrebbero potuto ricattare.»

«E così hanno sistemato anche lui. Frequentavi dei bei personaggi, amico, bravo.»

«Hanno fregato anche me, in qualche modo. Ma non me ne lamento. Ognuno è responsabile delle proprie scelte. E delle proprie debolezze. Come quel tizio, Cirigliano.»

«Chi è questo Cirigliano?»

«Era. È per colpa sua che io sono quello che sono. Che si fotta.»

«Forza, sputa il rospo.»

«Lasciami bere un sorso, poi andiamo avanti... Mmhh, buono... Guarda, se pensi di farmi sentire in colpa, ti sbagli di grosso. Quello che è successo è successo e io non potevo immaginare che ci sarebbero state conseguenze del genere. Quel Cirigliano se l'è andata a cercare. È anche possibile che fosse nel posto sbagliato al momento sbagliato, questo non sta a me dirlo, ma lasciami andare per ordine. Stavamo parlando di Paolo Settembrini. Una volta che Alga e Di Fazio lo hanno reso inoffensivo, quel brav'uomo ha scoperto che, tutto sommato, avere un sacco di soldi a disposizione non era affatto male, specie se in famiglia non sapevano nulla. Ha fatto piuttosto in fretta a disinteressarsi alle attività degli altri due e s'è messo a viaggiare. Per lavoro, diceva, ma secondo me andava anche a divertirsi, e come lo si può biasimare? Aveva bisogno di tirarsi un po' su, e di certo in questi viaggi africani incontrava chi glielo tirava su per benino.

«Comunque, nel frattempo Alga si dava da fare e l'Africa era diventata il loro business primario. Tramite l'Avesani continuavano la distribuzione sul mercato delle case di accoglienza, ma giù dai *mau mau* le cose andavano alla grande. Te lo immagini? Una parte enorme di popolazione era ormai affetta dall'Aids, grazie anche a quei cervelloni della Chiesa che demonizzavano l'uso del preservativo. Era pieno di malattie e i farmaci andavano via meglio che la Coca-Cola. Il business era enorme, e serviva qualcuno che si occupasse di gestire la parte finanziaria sul posto. Hanno trovato l'uomo giusto, un contabile della Instant Farma che si chiamava Ruggero Cirigliano. Era giovane, dinamico e all'oscuro di tutto, quindi si beccava soltanto il suo misero stipendio e non dovevano buttare altri soldi per pagarlo. Per giunta non aveva nessuno, non c'erano parenti, fidanzate, nonni, nessuno. Quindi potevano spremerlo come un limone e lui era pure contento di viaggiare. Alga andava spesso in Africa con lui, faceva in modo che ignorasse del tutto la parte sporca del commercio.»

«Qual era esattamente il suo compito?»

«Lasciami parlare. Ho detto che lo spedivano in Nigeria per periodi più o meno lunghi, presso la sede di una società che la Instant Farma possedeva a Benin City, la Millenium Phœnix. Doveva occuparsi di gestire la mole di denaro che, a sua insaputa, passando attraverso la Millenium veniva lavato e arrivava in Italia pulito e pronto per essere intascato. Alga e Jannello si prendevano l'enorme fetta che spettava loro e Settembrini incassava i proventi regolari della sua società. E ci pagava le tasse.»

«Cosa sai della Millenium Phœnix?»

«Poca roba, era la società che si occupava di distribuire i medicinali nel continente nero. Forse la utilizzavano anche per fare fatture false e altre cose del genere. In seguito è diventata una sorta di lavanderia a gettoni; buttavi dentro denaro sporco e quando lo tiravi fuori era candido come la neve.»

«E il personale guardava senza batter ciglio?»

«Di', ma scherzi? Hai idea del livello di corruzione che c'è da quelle parti? Li pagavano. D'altra parte, con quei morti di fame se la cavavano con quattro soldi.»

«D'accordo, vai avanti.»

«Tramite Settembrini – che eseguiva tutto ciò che gli si diceva e aveva pure preso gusto al gruzzolo che aveva da parte – e con l'assistenza del consigliere Di Fazio, ogni tanto la distribuzione di farmaci contraffatti alle residenze e ai centri di accoglienza straordinaria sul territorio italiano veniva "rinforzata". Sospendevano per qualche tempo l'invio della roba contraffatta e distribuivano solo farmaci buoni, questo per evitare che la situazione sanitaria di quei negri che assistevano si compromettesse al punto di provocare una indagine interna. La giusta dose di medicinali veri e finti faceva sì che tutto procedesse alla grande e senza problemi. Tanto a Jannello il mercato italiano interessava sempre meno, lo riteneva poco remunerativo e troppo rischioso. Adesso, se non ti spiace, ho bisogno di andare in bagno a farmi una pisciata.»

«Ti accompagno. E vedi di lasciare la porta aperta.»

«Quanto rompi, mi sembra di essere già in galera.»

VENTI

Verso nord

Venerdì 17

Guardando gli occhi di Federica, che lo stavano studiando inquieti, ebbe la sensazione che ciò che il vecchio li aveva costretti a fare potesse significare la fine di tutto. Si chiese se fosse pronto a morire per quella faccenda. Morire per la libertà, si dice, ma una volta che sei morto, a che diavolo ti serve la libertà? E comunque aveva sempre avuto paura del dolore, era stata la sua ossessione fin dai tempi in cui rapinava le banche. Una percezione che ancora non l'aveva del tutto abbandonato. Temeva soprattutto il momento in cui avrebbe dovuto guardare in faccia il suo assassino, cogliere l'espressione che avrebbe avuto, di trionfo probabilmente, mentre premeva il grilletto. Era questo che lo angosciava, l'idea che il suo assassino potesse trovare la cosa divertente. Per fortuna c'era l'eventualità concreta che il proiettile arrivasse nella schiena, o nella nuca, e in quel caso non avrebbe nemmeno sentito il rumore dello sparo. Si era sempre chiesto se durasse un solo attimo, se fosse doloroso o meno. Immaginava un singolo istante di dolore indicibile e poi più nulla.

«Forse non è la morte, a sembrarci intollerabile» disse con un sorriso, «ma la certezza di dover morire.»

«Non dire sciocchezze» lo rimproverò Federica.

«Stavo pensando al passato» si giustificò Max. «È a causa di ciò che ho fatto se adesso siamo in questa situazione.»

La donna finì di infilare le tazzine sporche nella piccola lavapiatti dietro al banco e la fece partire. Gli ultimi clienti se n'erano andati da una ventina di minuti. Mentre Nirina e gli altri due camerieri mettevano le catene per la notte ai tavoli e alle sedie del dehors, Ambrogio e l'assistente cuoco stavano pulendo la cucina.

«Se tu non avessi dovuto fuggire» disse Federica, «non ci saremmo mai incontrati. In ogni cosa c'è un lato positivo.»

«Mi dispiace di doverti costringere a tutto questo.» Max l'attirò a sé. Dopo una blanda resistenza, Federica si lasciò stringere tra le braccia. «Al punto in cui eravamo, mai avrei pensato che i miei errori sarebbero tornati a bussare alla porta.»

«Non devi permettere che siano loro a separarci» sospirò lei.

Nonostante si stesse avvicinando ai cinquant'anni, era ancora bella. Max adorava i suoi occhi scurissimi, appena accentuati dalle rughe leggere che invece di nasconderli parevano esaltarli. La prima cosa che lo aveva colpito di lei erano state le sopracciglia, quella curva risoluta che dava al suo sguardo un aspetto un po' snob, come se dall'inizio lo avesse giudicato e subito assolto. Le guance piene, la mascella forte e le labbra che anche quand'era triste sorridevano un poco, avevano fatto il resto.

«Nessuno ci separerà, hai la mia parola.»

Si chinò a baciarla e sentì l'imbarazzo che ne irrigidiva il corpo contro il suo.

«Ci guardano tutti...» protestò lei nella sua bocca.

Si svincolò ridendo e tornò al suo lavoro. «È inutile che fai il cascamorto» disse. «Non mi piace vederti uscire a quest'ora per andare chissà dove.»

«Torno il più in fretta possibile, devo soltanto...»

«Taci!» lo zittì. «Sapere quello che combini aumenterebbe solo la mia agitazione.»

«Non c'è nulla di cui preoccuparsi, nulla di pericoloso, intendo.»

Lei lo fissò asciugando le mani nel grembiule. «Allora vai, cosa aspetti? E cerca di tornare a un'ora decente. Da quando è cominciata questa storia, non vi sopporto più, voi quattro.»

«Tornerà tutto come prima, te lo prometto.»

«Non farmi ridere, razza di bugiardo, non ci credo nemmeno se lo vedo.»

«Ma per noi due non cambierà una virgola, vero? Giuramelo se no mi butto dalla finestra.»

«Siamo al piano terra.»

«Sempre a cercare il pelo nell'uovo» la rimbeccò Max infilando la giacca.

«Ciò che ti piace te lo devi conquistare, caro mio» lo liquidò lei sollevando quelle sopracciglia che gli piacevano tanto.

«Lo farò» disse.

Federica rimase a fissare la porta mentre si chiudeva, indecisa se tirargli dietro una bottiglia vuota o prenderla con filosofia. Infine si scambiò uno sguardo complice con Nirina e terminò di ripulire il bancone.

Ventura prese la Volvo e si diresse verso l'appuntamento con Numero Uno. Si erano sentiti nel pomeriggio. Il vecchio aveva detto che le intercettazioni stavano dando risultati incoraggianti. Li aveva quindi convocati per mezzanotte e mezzo al carcere Le Nuove, cosa che a Max non era piaciuta per niente. Nonostante il tempo trascorso, l'idea di rimettere piede in galera, anche se si trattava di un penitenziario dismesso, gli comunicava un leggero ma persistente senso di agitazione. Dopo ciò che aveva passato, si era sviluppata in lui una vera e propria allergia per i luoghi di detenzione.

Passò a prendere Vittoria che lo stava aspettando seduta al tavolino di un caffè di tiratardi sotto a casa sua, poi si diresse verso il centro città. Mezzanotte era passata da una ventina di minuti quando parcheggiarono l'auto nel controviale.

Guardando l'ingresso monumentale di metà Ottocento, sul quale troneggiava la scritta CARCERE GIUDIZIARIO, non poté fare a meno di sentire un brivido lungo la schiena. La figura scura di Numero Uno, con il cappello in testa e l'onnipresente valigetta in mano, li attendeva nei pressi del portone.

«Non ama questi luoghi, vero, signor Ventura?» disse il vecchio, che doveva essersi accorto dell'agitazione di Max.

«Mi disgustano» rispose fermandosi davanti a lui assieme a Vittoria. «Specie se qualcuno minaccia di farmici tornare.»

«*Mauvais souvenirs, soyez pourtant les bienvenus...*» lo prese in giro Numero Uno, «*vous êtes ma jeunesse lointaine...*»

Quindi ignorò il malumore di Max e si rivolse alla donna. «Signora Merz, questa sera è davvero incantevole» la salutò alzando appena la lobbia e accompagnando al gesto un accenno d'inchino.

Lei sorrise appena. In effetti era in un momento di grazia, Max si vergognò di non averlo neppure notato. Indossava un abito grigio di tessuto leggero, stretto in vita da una cintura in tinta, che metteva in risalto l'ovale pallido del viso e i capelli neri, raccolti attorno al capo in una sorta di turbante naturale. Due ciocche corvine scendevano accanto alle guance.

Quell'uomo riusciva a sorprenderlo in continuazione. La durezza determinata, quasi militare, con cui era solito presentarsi, lasciava a volte spazio a una cortesia da gentiluomo d'altri tempi.

«Con questa storia delle intercettazioni abbiamo perso tempo prezioso» li informò. «Mi auguro che i risultati ci compensino dell'attesa.»

«Vorremmo tutti che questa faccenda fosse chiusa il più in fretta possibile» brontolò Max. «Conciliare lavoro e indagine è faticoso per noi ed è stressante per le persone che ci stanno vicino.»

«Me ne rendo conto, farò il possibile per darvi una mano.»

Stava per ribattere quando un'auto di servizio dei vigili urbani si fermò davanti all'ingresso del penitenziario. Si aprì lo sportello e ne scese una donna in uniforme. Discusse qualche momento con l'autista, poi richiuse la portiera e l'auto ripartì. La donna si avvicinò al gruppetto in attesa.

«La vicecomandante Valeria Pistorno della polizia municipale» disse il vecchio. Quindi le presentò Max e Vittoria. «Sono i miei collaboratori di cui le ho parlato.»

Strette di mano e parole di circostanza. Chiacchierarono brevemente, infine la nuova venuta chiese loro di seguirla.

«Alla Squadretta ci stanno aspettando» disse.

Indossava l'uniforme scura dei vigili urbani e uno di quei cappellini bianchi alla Demi Moore, con lo stemma del corpo e uno spesso nastro d'oro intrecciato sopra la visiera.

Dall'interno dell'edificio, qualcuno fece scattare l'apertura. Max tenne il portoncino aperto finché non furono passati tutti, quindi entrò a sua volta guardandosi attorno con aria accigliata.

Svoltarono a destra, e dopo una ventina di passi si trovarono di fronte una porta allarmata. La vicecomandante accostò il badge di riconoscimento a un lettore ottico e la serratura si sbloccò con un *bip*. Percorsero un lungo corridoio scandito da una serie di porte chiuse e controllato da un certo numero di telecamere appese al muro. Il silenzio era totale, rotto solo dal riverbero dei loro passi.

L'ultima porta in fondo era l'ingresso alla sala di intercettazioni della Squadra antitratta della polizia municipale, quella che la donna aveva chiamato la "Squadretta".

Si trattava di uno stanzone dalle pareti grigie con al fondo un finestrone chiuso da inferriate attraverso cui si scorgeva un cortile interno. Su entrambi i lati erano allineate sei postazioni: uomini e donne di colore erano intenti ad ascoltare e tradurre i contenuti delle conversazioni. Accanto ad alcuni di loro sedeva un vigile in divisa per assisterli nel lavoro.

Ciascuno dei computer era dotato di un grande schermo che mostrava la rappresentazione fonometrica dell'intercettazione in corso.

Una femmina della specie Vigile Urbano con i gradi di commissario li ricevette per dare loro il benvenuto e si presentò come dottoressa Spadaccino. Parlò per qualche istante con la vicecomandante, poi spiegò ai due ospiti che la squadra era composta da dieci agenti alle sue dipendenze e che operava ventiquattr'ore su ventiquattro, ogni giorno dell'anno.

Max e Vittoria si guardarono attorno stupiti. Alle pareti erano appese una lavagna, sulla quale venivano segnati nomi, luoghi e altre annotazioni, e una bacheca di legno che mostrava una rappresentazione grafica delle strutture e dei collegamenti tra i vari soggetti dell'indagine. Di questi ultimi era affissa anche una serie di fotografie.

«Pensavo che i vigili urbani facessero solo le multe» disse Vittoria colpita dall'apparato che aveva attorno.

«Abbiamo capacità ben più ampie» rispose divertita la Spadaccino. «In certi campi siamo perfino all'avanguardia.»

Interpreti e assistenti avevano dato loro appena un'occhiata quando erano entrati, per poi rimettersi al lavoro. Nell'aria si sentiva un leggero odore di fritto e Max vide su un tavolino dei recipienti di plastica con dentro fettine di platano fritto e altro cibo nigeriano, preparato con ogni probabilità da qualcuna delle donne nere che stavano ai computer in quel momento.

«Lo portano anche per noi» spiegò il commissario. «Mangiamo tutti insieme, soprattutto la notte quando si aspettano i corrieri e si intercetta in tempo reale. Dobbiamo essere pronti a intervenire in ogni momento con le catture.»

«Crede che questa notte avremo una situazione del genere?» chiese Vittoria.

«Intende per la prostituta che si chiama Blessing? Nei giorni scorsi siamo risaliti alle utenze telefoniche di un gruppo di sfruttatori che gravitano attorno al *money-transfer* di cui ci avete dato indicazione. Tre di loro sono sotto intercettazione in questo momento. Riteniamo che almeno uno sia in contatto con Blessing.»

«La troverete?» domandò Max.

«C'è la possibilità che succeda. Stiamo seguendo la cosa con grande attenzione.»

In quel momento uno dei suoi uomini, che sedeva accanto a una donna grassa in costume tradizionale, le fece un cenno. La dirigente si avvicinò per parlare con loro.

«Una delle persone intercettate ha accennato più volte a una prostituta di nome Blessing» disse Numero Uno. «Sembra che in questo momento stia lavorando insieme ad altre due ragazze. Stanno cercando di individuare il luogo in cui si trovano.»

«Abbiamo tutto ciò che serve» commentò la Pistorno. «Con un briciolo di fortuna, sono certa che nel corso della notte arriveremo a qualcosa di concreto.»

La dottoressa Spadaccino finì di parlare con il suo sottoposto e tornò accanto a loro. Aveva l'aria soddisfatta.

«Sta succedendo qualcosa» disse. «Abbiamo notato una certa agitazione. Stiamo seguendo in particolare l'utenza telefonica di un certo Hamzah, che riteniamo essere lo sfruttatore di Blessing e delle altre due prostitute con le quali dovrebbe trovarsi in questo momento.»

«Le avete perse?» domandò Max.

«Si direbbe che siano loro, ad averle perse. Per lo meno, è ciò che abbiamo capito da una conversazione tra Hamzah e una certa Zubaydah, che dovrebbe essere la *maman*.»

«La *maman*?» chiese Vittoria.

«È la donna che dirige l'appartamento dove vivono le ragazze. Ha il compito di gestirle, nutrirle, minacciarle e anche picchiarle, se lo reputa necessario. Ed è sempre lei che ritira i soldi delle prestazioni al rientro dal lavoro. Questa Zubaydah sta dicendo che sono uscite come al solito, ma Hamzah sostiene che al loro posto di lavoro non c'era nessuna ragazza.»

«Significa che possiamo metterci una pietra sopra?»

«Non lo so, signor Ventura, stiamo facendo del nostro meglio per capire cosa stia accadendo. Nel momento in cui le trovano loro, le troveremo anche noi. Solo allora potremo intervenire. In ogni caso le stanno cercando anche le autoradio che abbiamo in zona.»

Non rimaneva che aspettare. Nel frattempo, la vicecomandante disse che doveva andare. Salutò tutti e lasciò la sala intercettazioni.

Rimasero a chiacchierare con i membri della Squadretta per quasi due ore. A un certo punto saltarono fuori dei piatti di plastica e li invitarono a uno spuntino di cibo nigeriano a base di platano fritto e pancake ripieni di pollo, cipolla e altre spezie, dalla consistenza simile a quella delle crêpes.

Parlando del lavoro che svolgevano in quel posto, un poliziotto spiegò che nel corso delle intercettazioni potevano sorgere diversi problemi.

«Il primo» disse «è che i soggetti controllati si accorgano di essere intercettati. I virus che installiamo sui loro cellulari tendono a farli scaldare. Questo rischia di segnalare al possessore di essere sotto controllo. Altre volte succede che caschi semplicemente la linea.»

«La vera questione» aggiunse la Spadaccino «è che oggi la gente parla con WhatsApp, Telegram, Signal e altre app che funzionano tramite web. Intercettarli richiede costi maggiori, per cui spesso dobbiamo rinunciare.»

Discussero fin verso le due e mezzo del mattino quando la situazione parve infine sbloccarsi. Doveva essere successo qualcosa di insolito perché di colpo nella stanza si percepì una certa agitazione. Dopo aver parlato con due addetti alle postazioni di ascolto, la dirigente si avvicinò a Numero Uno.

«Abbiamo una serie di conversazioni interessanti» lo informò mostrando le trascrizioni. «Lo sfruttatore di nome Hamzah è fuori dai gangheri. Ha chiamato diverse persone facendo il diavolo a quattro e minacciando i suoi interlocutori. Dalle risposte che ha ottenuto, si direbbe che un'ora fa le ragazze siano state raccolte da una di quelle organizzazioni religiose che cercano di togliere le prostitute dalla strada.»

«Se in questi giorni erano in grado di capire di essere intercettati» obiettò il vecchio, «non teme che si tratti di un tentativo per depistarvi?»

«È possibile, ma le interpreti sono convinte che la rabbia di Hamzah fosse autentica.»

«Come intendete procedere?» chiese Max.

«Stiamo contattando le cooperative sociali che operano nella zona. Se una di queste le ha davvero raccolte, le troveremo.»

I suoi uomini erano attaccati al telefono e altri due si erano seduti alla postazione Internet. Ci volle oltre mezz'ora prima di poter confermare la notizia. Le tre ragazze erano al sicuro in una casa protetta e stavano bene.

«Avete la certezza che Blessing sia con loro?»

«Le nostre autoradio si stanno recando sul posto per controllare» concluse la dottoressa Spadaccino. «Sono spaventate, quindi le lasceremo tranquille per qualche giorno. Lunedì ci sarà l'interrogatorio da noi in centrale. Vi faremo sapere l'ora e le modalità per poter assistere.»

«D'accordo.» Come sua abitudine Numero Uno rimise il cappello in testa, poi prese la sua ventiquattrore. «Grazie per l'assistenza, commissario, è stata un'esperienza illuminante.»

«Adesso posso dirle che non era affatto scontato. In questo momento sulle strade italiane lavorano più di trentamila prostitute nigeriane. Con Blessing abbiamo avuto fortuna.»

Vittoria e Max salutarono ringraziando per la collaborazione, poi lasciarono la stanza assieme al vecchio e lo accompagnarono fuori dal portone dell'ex carcere giudiziario. Una Mercedes nera con targa del Lussemburgo lo stava aspettando.

Aveva l'aria stanca e immaginarono che non vedesse l'ora di andare a dormire. «Vi farò sapere per l'interrogatorio» si congedò stringendo la mano a Max. «Signora Merz...»

Accennò il solito inchino, poi raggiunse l'auto e salì accanto all'autista. La vettura scivolò via come sostenuta da un cuscino d'aria, senza altro suono che quello delle gomme sull'asfalto.

I due rimasero soli davanti al portone. Max le mise un braccio sulle spalle e assieme si diressero verso la Volvo. Il traffico era quasi del tutto scomparso, giusto qualche auto che passava sul corso con la velocità di un'apparizione. Sopra gli alberi il cielo era di un rosa cupo, screziato da zone più scure e profonde che si muovevano lente verso nord.

VENTUNO

La porta alle spalle

Domenica 19

Luca Modafferi era un uomo di media statura, sui quarant'anni, sempre vestito di scuro, che amava portare alle dita diversi anelli luccicanti nella convinzione che questo lo rendesse speciale. Da tempo aveva preso l'abitudine di indossare un cappello di feltro grigio, assai utile quando c'erano delle telecamere in giro. In gioventù aveva anche considerato i tatuaggi ma la paura degli aghi e la piega che in seguito aveva preso la sua vita lo avevano convinto a desistere.

Nonostante l'impegno profuso per migliorare il proprio aspetto, aveva il dono di mimetizzarsi ovunque si trovasse. I suoi vestiti erano abbastanza spenti da poter essere confusi con l'ombra che aveva attorno, e i piedi, piccoli, davano la strana sensazione di non poggiare mai per terra, come se la sua presenza in questo mondo fosse sempre imprecisa.

Eppure di cose ne aveva fatte, cose che la maggior parte della gente perbene avrebbe considerato disdicevoli. Non era mai successo che qualcuno avesse fatto caso alla sua presenza, e questa particolarità l'aveva tratto d'impiccio parecchie volte. Jannello glielo diceva sempre: «Modì, mando te perché così è come se non mandassi nessuno». E lui andava, eseguiva il suo compito senza sbavature e tornava indietro. Spesso nemmeno le sue vittime si accorgevano di lui.

Di questo ne faceva un punto d'onore, nessuna sofferenza inutile. Quei sentimenti li lasciava ai serial killer stereotipati dei brutti romanzi, che godevano del dolore altrui. Pratica che invece a lui non dava alcun piacere.

Salì la vecchia scala e si ritrovò su un pianerottolo che nessuno aveva più pulito da anni. I condomini di sua zia avevano mollato lì tutto ciò che non volevano più tenere in casa, spazzatura che serviva solo a raccogliere polvere. Ce n'era talmente tanta che quasi impediva l'accesso alle soffitte.

L'aprì con una chiave Yale e percorse un breve corridoio male illuminato, che puzzava di muffa e di urina. La soffitta della zia era chiusa da un battente che in origine era stato un tavolo al quale avevano segato le gambe e attaccato due cerniere. L'aprì ed entrò in un locale ingombro di oggetti, che prendeva luce da un vasistas sullo spiovente del tetto e da alcune finestrelle che si aprivano sulle basse pareti di fondo.

La stanza principale era in ordine, mancava qualche vetro, sostituito con un cartone o con delle assi. Nulla conservava la verticale a causa del pavimento dissestato, ma le poche cose accatastate contro i muri mantenevano un equilibrio precario. Nell'andito in cui si entrava attraverso una stretta porta al fondo dell'ingresso, le pareti mostravano crepe che ne percorrevano l'intero spessore. Tutto quanto era scrostato e sporco. I pochi mobili rimasti, un cassettone, un letto singolo sfondato e un armadio di laminato bianco con l'anta mezza fracassata, erano concentrati nella prima stanza.

Modafferi premette un interruttore e una lampadina nuda, appesa a un filo che scendeva dalle travi del soffitto, sparse una velatura arancione su ogni cosa. Si soffermò qualche momento a guardare la propria immagine in un vecchio specchio appeso alla parete. Con una smorfia tolse il cappello e passò una mano tra i capelli ricci, grigiastri, dall'aria unta, in un vano tentativo di pettinarli. Non c'era verso.

Rimise il feltro spingendolo sulla nuca e facendo attenzione a non sporcarsi, spostò una scaffalatura smontata per liberare il comò di legno scuro che c'era dietro. Levò il cassetto di mezzo e lo mise per terra, quindi tolse quello subito sopra e lo rivoltò poggiandolo sul piano del mobile. Un grosso involto di tela cerata era appiccicato alla parte inferiore per mezzo di larghe strisce di nastro adesivo.

Lo staccò dal supporto, poi levò di mezzo il cassetto, tolse i brandelli di scotch che lo chiudevano e ne svolse i lembi. Ben disposti sulla tela cerata c'erano un revolver dentro un fodero consunto di pelle nera e otto piccole confezioni di cartone grigio. Ciascuna scatoletta conteneva dodici pallottole speciali 7,62X42 e aveva la scritta "Бесшумный патрон 7H36" stampata in modo approssimativo sulla parte frontale.

Dopo aver sfilato l'arma dal fodero, Modafferi la pulì per bene con uno straccio. Era uno strano revolver, di aspetto piuttosto goffo. L'aveva avuto in regalo da un mafioso russo che anni prima era riuscito a portare di nascosto fuori dal Paese, evitandogli così un lunghissimo soggiorno nelle galere italiane.

Aprì una scatoletta e ne tolse cinque pallottole che agganciò a un fermo di metallo per tenerle assieme. Erano lunghe, a forma di bottiglia con il proiettile che non sporgeva dall'estremità superiore del bossolo.

Aprì il tamburo che invece di scendere a sinistra, come nei revolver normali, ruotò di trenta gradi sul lato destro. Vi caricò il mazzetto di pallottole e lo richiuse. Prese il fodero e lo agganciò alla cintura sul fianco destro, sotto la falda del giubbotto di cotone, poi sollevò il cane dell'arma e inserì la sicura, una delle tante particolarità di quel gioiello. Infine mise la rivoltella nella fondina.

Richiuse i lembi dell'involto e lasciò la soffitta dopo aver spento la luce. Si assicurò che la porta fosse sprangata per bene e raggiunse le scale. Mentre scendeva prese dalla tasca il telefono e chiamò Jannello. Gli rispose dopo un paio di squilli.

«Che succede?» domandò.

«Nulla» rispose Modafferi. «Siccome mi sto muovendo volevo essere sicuro che le informazioni fossero esatte.»

«Di' un po', mi hai preso per un fesso? Ti ho detto che va a messa tutte le domeniche alle undici e trenta. La funzione dura circa un'ora, poi torna a casa. Impiegherà dieci minuti.»

«Bene, volevo solo una conferma, mi conosci, no? Non amo le sbavature.»

«Sì, certo. Datti da fare, Modì, e ricordati quello che ti ho detto, non devono esserci dubbi di sorta.»

«Ti ho mai deluso?»

«Che succede, Modafferi, vuoi una medaglia?»

Chiuse la comunicazione e uscì per strada. La sua Punto era parcheggiata poco più avanti, grigia come lui e altrettanto invisibile. Seccato dal tono di Jannello, mise in moto e partì dirigendosi verso il centro. Se un giorno di quelli avesse scoperto di avere un male incurabile, l'ultimo gesto che avrebbe fatto prima di crepare sarebbe stato sparare a Jannello. Il solo pensiero della sua faccia mentre gli puntava la pistola lo rimise di buon umore.

Quando arrivò in Crocetta, l'orologio sul cruscotto segnava le undici e cinquanta. C'era una specie di mercato domenicale, quindi fu costretto a lasciare l'auto piuttosto distante dall'indirizzo di via Cristoforo Colombo dove si doveva recare. Ma non aveva fretta e fece una passeggiata sotto gli alberi di corso

Einaudi. Si concesse anche un cappuccino, un cornetto e uno sguardo al giornale, seduto fuori da un bar.

Alle dodici e venticinque, puntuale come il destino, si fermò davanti al portone del numero 45, un edificio piuttosto borghese della seconda metà dell'Ottocento.

Non c'era in giro molta gente, per lo più clienti che entravano e uscivano dal piccolo supermarket lì accanto e avevano ben altro da fare che notare la sua presenza. Modafferi sapeva mescolarsi tra la folla, era la sua vera specialità. In un'osteria per camionisti sarebbe sembrato un camionista che mangia un boccone prima di rimettersi al volante. Se un imbianchino avesse attaccato bottone con lui, gli avrebbe saputo rispondere nel suo stesso linguaggio, utilizzando il gergo del mestiere. In quel momento, davanti al portone, sarebbe potuto passare per un tizio che faceva consegne. Nessuno gli badava, era uno di loro.

Premette cinque o sei pulsanti del citofono e quando risposero alcune voci disse che doveva mettere la pubblicità in buca. Nonostante le proteste, qualcuno fece scattare la serratura. Un coglione che apriva lo trovava sempre.

Entrò nel piccolo androne e infilò le scale in un silenzio che rimase tale grazie alle sue scarpe con suola di gomma. Salì fino al terzo piano, poi fece mezza rampa in più e sedette sui gradini in attesa.

L'interno del condominio aveva un vago profumo di detersivo, misto a un odore di cibo che Modafferi non riuscì a identificare. Si guardò le scarpe e vide che erano macchiate di qualcosa di grigio, due o tre puntolini che comunque gli diedero fastidio. Prese dalla tasca del giubbetto un fazzoletto di carta, lo inumidì con la lingua, poi pulì per bene il cuoio nero delle calzature.

Stava per dare un secondo colpetto, quando sentì il portone che si apriva. Due donne entrarono chiacchierando e si fermarono di fronte all'ascensore. Infilò il viso tra gli elementi della ringhiera e giù di sotto vide che si salutavano. Una salì a piedi, l'altra entrò nell'ascensore.

Rimise a posto la tesa del cappello, quindi si alzò e prese il revolver dalla fondina. Mentre la porta di un alloggio al primo piano si chiudeva con uno scatto, l'ascensore raggiunse il terzo e le ante scorrevoli si aprirono con un fruscio. Sofia Avesani uscì sul pianerottolo e sobbalzò trovandosi davanti Modafferi.

«Faccia silenzio» impose l'uomo mettendo l'indice davanti alle labbra. «Dobbiamo parlare.»

Sofia vide la pistola e s'irrigidì. «È successo qualcosa?» biascicò.

«Nulla di grave, ma Jannello non è tranquillo. Forza, apra, entriamo in casa.»

Aveva abbassato l'arma, cosa che non tranquillizzò affatto la donna. Aveva una cinquantina d'anni, era alta e un poco sovrappeso. I capelli castani tagliati alla base del collo le davano l'aspetto di una professoressa in pensione. Qualche anno prima doveva essere stata una donna piacente, ma Modafferi decise che il suo fascino era ormai passato in cavalleria.

Mentre tentava di aprire le guardò il sedere largo, che tendeva i pantaloni leggeri di gabardine color crema. Portava una blusa di seta bianca con le maniche arrotolate e teneva in mano un sacchetto della spesa con dentro frutta e verdura. Siccome aveva un cervello analitico, ne dedusse che era passata dal mercato.

Nonostante l'agitazione, alla fine l'Avesani riuscì a infilare la chiave e aprì la porta. Entrarono nell'appartamento. L'ingresso era elegante, ma senza esagerare: parquet color miele, un comò con il piano di marmo, un mazzo di fiori e diverse fotografie dentro cornici d'argento. Al muro erano appesi un attaccapanni, dal quale pendeva una coppia di impermeabili colorati, e alcuni quadretti a olio – tre paesaggi marini che a Modafferi non fecero alcuna impressione.

Sofia posò la borsa sul piano del mobile, poi si voltò stropicciandosi le mani. Era pallida e la rabbia stava prendendo il posto dello spavento.

«Jannello non ha alcun diritto...» disse alzando la voce.

«Faccia silenzio» ribatté l'altro.

«Come si permette? Viene qui a fare il gradasso come se...»

«Vuole chiudere il becco? Jannello...»

«Lei è un maleducato, quando parlerò con lui...»

Modafferi tolse la sicura, poi con il pollice azionò il bottone del mirino laser, sollevò il braccio, e quando vide il puntino rosso sopra il seno destro della donna tirò il grilletto del revolver. L'arma non fece alcun rumore, soltanto lo scatto secco del cane che batteva sul percussore.

Sofia Avesani sobbalzò. Colpita al petto, sentì che le gambe le cedevano e tentò di reggersi al cassettone. Modafferi le sparò una seconda volta. Crollò di schiena sul pavimento di legno tirandosi dietro il sacchetto della spesa, che si rovesciò spargendo una manciata di albicocche per l'ingresso.

L'uomo le si avvicinò. La camicia di seta si stava già inzuppando di sangue, qualche goccia le era schizzata sul mento. Sofia lo fissò con gli occhi spalancati, le labbra esangui che si muovevano alla ricerca di una boccata d'aria. Gli ricordò un grosso pesce tirato fuori dall'acqua.

Valutò se sprecare un'altra di quelle preziose pallottole per darle il colpo di grazia, infine decise che non ne valeva la pena. Era questione di qualche minuto. Spense il puntatore laser, poi rinfoderò la rivoltella. Era proprio un oggetto portentoso; se qualcuno si fosse trovato nella stanza accanto non avrebbe sentito nulla.

Infilò dei guanti di nitrile nero, quindi fece un giro della casa aprendo cassetti, spostando mobili, cuscini e lampade. Rovesciò qualche suppellettile, ma senza esagerare. Doveva dare l'idea di una rapina, non di una messa in scena. Un drogato, magari, che dopo aver combinato quel bel casino si era dovuto accontentare di ciò che capitava a tiro.

Ispezionò mobili e armadi. Fingendo agitazione frugò ovunque con gesti rapidi, anche in camera da letto. Trovò un migliaio di euro, che ficcò in tasca, e una manciata di gioielli che raccolse in un sacchetto di plastica che si era portato dietro. In salotto arraffò qua e là qualche piccolo oggetto d'oro, e altre cianfrusaglie che per un tossico potevano avere un po' di valore.

Quando tornò all'ingresso l'Avesani doveva essere morta, soffocata dal suo stesso sangue. Ne era uscito parecchio dal naso e dalla bocca e una chiazza scura si stava allargando sul parquet dietro le sue spalle. Cercando di non metterci i piedi dentro le posò due dita sulla gola. Non c'era battito e i suoi occhi socchiusi guardavano ormai verso l'infinito. Vide che la borsetta della donna era ancora appesa alla sua spalla. L'aprì e prese telefono e portafogli.

Con ogni probabilità nessuno l'avrebbe trovata prima di qualche giorno. Entrando non aveva lasciato alcuna impronta, di questo era certo. Adesso, però, veniva la parte più difficile: levare le tende senza farsi notare. Ma in questo era un vero asso.

Raccolse un'albicocca. Aveva l'aria matura e succosa, se la sarebbe mangiata più tardi. Era un peccato sprecarle, ma non aveva tempo per mettersi a raccogliere anche le altre. Attraverso lo spioncino controllò che sul pianerottolo non ci fosse nessuno, poi dopo un ultimo sguardo al cadavere, uscì dall'appartamento e si richiuse la porta alle spalle.

VENTIDUE

Il filo conduttore

Lunedì 20

«Qual è il tuo nome e dove sei nata?»

«Mi chiamo Blessing Nwananga, nata in Nigeria a Benin City il 16 maggio di 2001.»

«Qual era la tua occupazione in Nigeria?»

«Dopo che ho finito la scuola di terza media, lavoravo per una ditta di export.»

«Vivevi con la tua famiglia?»

«Sì, in casa di mio padre con mia sorella. La mamma è morta assieme alle altre due mogli di mio padre.»

«Qual era la vostra situazione economica?»

«Avevamo pochi soldi, si andava avanti con mio stipendio che non era tanto.»

«Dove hai imparato l'italiano?»

«Lavorando per ditta di import-export. Aveva molti clienti italiani. Poi mi hanno licenziata. Il resto l'ho imparato qui.»

«Come ti è venuta l'idea di venire in Europa?»

«Quando ho lasciato lavoro in ditta, un amico mi ha portata in città per insegnarmi a fare la parrucchiera. Lui voleva sposarmi ma io ho spiegato che ero minorenne e non sapevo come sopravvivere a causa di povertà della mia famiglia. È stata la mia amica Susan che mi ha portata da sua madre. Mi hanno presentato una persona che ha detto che se volevo potevo fare la parrucchiera in Europa.»

In quel momento Blessing voltò il capo per dare un'occhiata fugace allo specchio dietro al quale Max, Sanda, Numero Uno e la dottoressa Spadaccino stavano assistendo a quella specie di interrogatorio. Aveva un viso di adolescente, con occhi neri pieni di tristezza, e una bella bocca dalle labbra grandi, ancora più scure della sua pelle ambrata. Così, senza alcun trucco, pareva più giovane della sua età. I capelli nerissimi, pettinati in tante minuscole trecce, le scendevano sulle spalle dandole l'aria di una ragazzina infelice.

«Come si chiamava la persona che doveva farti entrare in Europa? Era una donna?» continuò la vigilessa seduta davanti a lei.

«Sì, una donna, si chiamava Cynthia. Poi ho saputo che lei era madre di Zubaydah, la mia *maman*. Mi ha detto che aveva organizzato viaggio anche per altre ragazze e che ero arrivata in tempo per partire.»

«E questa Cynthia cosa ti ha proposto?»

«Di fare la parrucchiera in Belgio, proprio in città dove ero destinata. Dovevo incontrare sua figlia Zubaydah che mi doveva portare da una sua amica che aveva negozio di parrucchiere.»

«Siete partite subito?»

La ragazza esitò. Scambiò due parole con l'interprete, una donna nigeriana in costume tradizionale *yoruba* che le sedeva accanto. Assieme a loro nella stanza c'erano la poliziotta della squadra investigativa della polizia municipale che la stava interrogando e un suo collega che controllava la registrazione e il filmato dell'interrogatorio. In qualità di esperta in materia, era presente anche una dottoressa nominata ausiliario di polizia giudiziaria.

Blessing indossava una maglietta nera con la scritta ANTIGUA STYLE in rosa e una gonna bianca che le arrivava alle ginocchia. Ai piedi portava un paio di infradito di plastica verde.

«Prima di partire Cynthia mi ha detto che dovevo darle diecimila naira» disse infine.

«Quanto sono in valuta corrente?» bisbigliò Max.

«Poco più di venti euro» rispose Sanda. «Il prezzo di una vita.»

Intanto Blessing aveva ripreso il suo racconto. «Dopo che ha preso i soldi, mi ha portata da un santone che mi ha costretta a subire un rito *juju* e ha detto che avrei dovuto pagare un debito in denaro. Insieme a me c'era Kubra, una ragazza di sedici anni che però è morta durante il viaggio.»

«Ho capito. Ti hanno spiegato di che debito si trattasse?»

«Per spese di viaggio e mio mantenimento.»

«Di che cifra parlavano?»

«Non capisco.»

«Quanti soldi?»

«Ah... Quarantamila euro. Durante il rito, Cynthia e il santone mi hanno detto di giurare tenendo le mani su una statuetta piena di sangue. Poi ha preso una gallina, l'ha uccisa e...» Chiese un'informazione alla donna nigeriana, che le suggerì una risposta. «E l'hanno tagliata... Ecco, l'hanno tagliata in pezzi. Hanno preso il fegato e lo hanno posato sulla statua. Io ho dovuto prendere un pezzetto con la bocca. Per mandare giù mi hanno dato un bicchiere di liquore alla nocciola. Hanno anche minacciato di morte me e mia famiglia, se scappavo o non pagavo il debito.»

«Ricordi in che periodo dell'anno è successo?»

«Il giuramento è stato in luglio di tre anni fa.»

«Oltre a Kubra, erano presenti altre ragazze?»

«Solo Cynthia, che però non doveva giurare.»

«Quando siete partite per venire in Europa?»

«Il giorno stesso di giuramento.»

Erano tornate a casa di Cynthia, raccontò, dove c'erano altre quattro ragazze: Kubra, una che si chiamava Joy, un'altra di nome Charity e una quarta di cui non aveva mai saputo il nome. Cynthia le aveva fatte dormire in casa sua, poi la mattina dopo aveva consegnato loro un cellulare e cinquecento naira a testa per passare i controlli. Con quei quattro soldi in tasca e senza documenti, le ragazze avevano preso un autobus alla stazione di Ring Road ed erano partite in direzione di Kaduna. Non seppe dire quante volte si fossero fermate, né quanti camion avessero dovuto cambiare prima di arrivare in Libia. Ricordava solo che era stato un inferno ed era durato settimane.

A Dirkou avevano già finito i soldi e ai controlli i soldati e i poliziotti di guardia avevano violentato più volte le ragazze. Nessuna si era potuta sottrarre perché in caso di rifiuto minacciavano di rimandarle indietro. Disse che l'avevano ripetutamente picchiata e stuprata nel periodo in cui era rimasta chiusa in una casa abbandonata assieme ad altre persone, in attesa che i militari decidessero di farle ripartire.

In Libia, dopo aver patito la sete e i tormenti del viaggio, era stata anche costretta a separarsi da Kubra, stroncata dalle privazioni. L'avevano abbandonata sulla pista, come un animale. Il viaggio, con lunghe soste a cui le obbligava la polizia, era poi proseguito fino a Tripoli, dove erano stati rinchiusi diversi giorni in un edificio in attesa di ripartire.

Una sera lei e molti altri erano stati presi in consegna da un gruppo di liberiani che li avevano portati sulla costa. Prima di imbarcarli li avevano perquisiti. Avevano sequestrato tutti i telefoni. A quei pochi che ancora le possedevano, avevano portato via anche le cinture con i soldi.

Si era così trovata su un gommone con altre centoventi persone. Ricordava che prima della partenza l'avevano messa in mezzo ai bambini. Infine soltanto il mare, che pareva non dover finire mai.

«Quando siete arrivati in Italia?» domandò la poliziotta.

«Non lo so. Nel gommone c'era una perdita di benzina e in tanti siamo svenuti. Mi sono svegliata in infermeria della nave che ci aveva salvati. Poi siamo sbarcati in Sicilia.»

«Durante il viaggio, prima di salire sul gommone per l'Europa, qualcuno vi dava delle istruzioni?»

«Non avevamo più il telefono ma avevo il numero in mente. Nel centro di accoglienza una ragazza mi ha prestato il suo e ho chiamato Zubaydah, così sapeva dov'ero. Lei ha detto che un uomo mi avrebbe portata via.»

«D'accordo. Dopo che sei sbarcata in Sicilia, cos'è successo?»

«La polizia mi ha chiesto l'età e io ho detto che avevo ventitré anni, come mi avevano suggerito, così non mi hanno trattenuta. Ci hanno visitato i medici, poi con un autobus siamo andati a Bologna. In quel centro sono rimasta due settimane. Un giorno Zubaydah mi ha chiamato sul cellulare della ragazza e ha detto che l'uomo mi aspettava fuori dal centro.»

«Con quell'uomo sei arrivata direttamente qui in città?»

«Sì. Credevo che mi avrebbe portata in Belgio, invece alla stazione di Porta Nuova c'era Zubaydah che aspettava. Faceva freddo, non so che mese fosse. Siamo andati a casa sua e mi ha lasciato una settimana per riposare. Non mi parlava mai di scuola o del lavoro di parrucchiera. Poi una sera ha detto che dovevo prostituirmi. Mi ha dato vestiti, scarpe, dei trucchi e i preservativi.»

«Oltre a te, chi viveva nella casa?»

«Solo io e la *maman*. A volte veniva il fidanzato di Zubaydah che dormiva qualche giorno e poi se ne andava.»

«Zubaydah dormiva con te?»

«No, aveva la sua stanza. C'era una terza camera dove non dormiva nessuno. Zubaydah la teneva sempre chiusa a chiave ma una sera ho visto che era piena di valigie.»

«In strada, la prima volta ti ha accompagnata lei?»

Blessing tacque accigliata. Max era colpito dal racconto che stava ascoltando. Per quanto si fosse considerato un delinquente, non lo era mai stato quanto la gente che aveva costretto quella poveretta a subire un tormento del genere. Osservò quel volto del tutto privo di serenità e si chiese quanto tempo ci sarebbe voluto per cancellare ciò che aveva passato.

«Mi ha portata in un posto dove c'erano già due ragazze di mia stessa età» disse come risvegliandosi da uno stordimento. «Loro si chiamavano Joy e Falilat. Mi hanno spiegato cosa fare e cosa chiedere a clienti.»

«Quando tornavi a casa potevi riposare?» chiese la donna.

«Aiutavo con pulizie di casa e a cucinare.»

«Potevi uscire quando volevi? Zubaydah ti dava da mangiare?»

«Lei non lasciava, mi chiudeva dentro a chiave. Prima di lavoro non dava da mangiare. La sera tornavo a casa e dovevo prima consegnare a Zubaydah tutti i soldi, poi potevo mangiare. Se non avevo guadagnato, non dava niente.»

«Controllava se avevi dei soldi addosso?»

«Sì, mi faceva spogliare.»

«Cosa ti dava da mangiare?»

«Cibo africano e riso, ma poco.»

«Zubaydah ti disse che dovevi restituirle del denaro?»

«Quello che mi aveva detto Cynthia, che le dovevo quarantamila euro.»

Sanda aveva ascoltato l'interrogatorio come ipnotizzata,

incapace di distogliere lo sguardo da quella ragazzina nera, colpita dall'immensa sofferenza.

«Perché le stanno facendo questo?» domandò rivolta al commissario Spadaccino.

La poliziotta resse il suo sguardo per qualche istante, poi tornò a guardare al di là del vetro.

«Perché è importante. Le cose che racconta ci permetteranno di levare di mezzo un bel po' di persone, gentaglia che sfrutta queste poverette.»

«Che ne sarà di lei?»

«Non lo so. Cercheremo di includerla in un programma di reinserimento. Ma dipenderà anche dalla sua volontà. Potrebbero anche decidere di rimandarla indietro.»

Al di là del vetro l'interrogatorio proseguiva senza sosta. Blessing rispondeva alle domande come un automa, le mani abbandonate in grembo e lo sguardo appena accigliato. Anche la vecchia nigeriana, che in gioventù doveva essere stata costretta a mangiare la stessa minestra, sembrava nascondersi dentro al suo costume dai disegni blu e ocra come in una sorta di barriera impenetrabile.

«Quanto guadagnavi al giorno?» stava chiedendo la vigilessa.

«Certe volte sessanta euro, altre cento. Ogni giorno consegnavo tutto a Zubaydah.»

«Ti ha mai picchiata?»

«Sì, nei giorni che non portavo niente a casa.»

«Con cosa ti picchiava?»

«Con un bastone, mi picchiava in tutto il corpo e poi non mi faceva mangiare. A volte mi tirava i capelli e mi sbatteva la testa contro il muro. Dopo avermi picchiata dovevo stare in ginocchio contro il muro fino a quando decideva di farmi alzare. Diceva che gli dèi uccidono mia famiglia se non portavo soldi.»

«Al lavoro eri sola?»

«No, con le altre due ragazze, Joy e Falilat.»

«Avevano la tua stessa età?»

«Falilat è minorenne. I clienti sono tanto strani, hanno...» Si scambiò due parole con l'interprete. «Ecco, hanno ossessione perversa per bambine. A volte Zubaydah ci mandava in strada con animaletti di pelo o bambole per farci sembrare più piccole.»

La donna che la stava interrogando rimase in silenzio, lo sguardo fisso, come per elaborare ciò che aveva appena sentito. Infine parve riprendersi.

«Eravate insieme nello stesso posto?»

«Sì, prendevamo sempre il tram 4. Lavoravamo nello stesso *joint* vicino all'Auchan dove ci hanno poi trovato quelle persone gentili, il personale di comunità del Santo Spirito.»

«Mentre vi facevano prostituire, chi vi controllava?»

«Nessuno ci controllava. Zubaydah aveva dato un telefono alle altre ragazze. Chiamava loro e controllava anche me.»

«Quando avete deciso di scappare?»

«L'altra sera eravamo nel piazzale quando sono arrivati loro e ci hanno chiesto di pregare insieme. Zubaydah ci aveva minacciate che se non guadagnavamo sarebbe stato meglio non tornare a casa. Io avevo paura del rito *juju* ma i volontari hanno detto che il dio cristiano è più grande, così Joy e Falilat hanno deciso di scappare e mi hanno convinta ad andare con loro.»

Nella saletta tornò il silenzio. La dottoressa offrì una bottiglietta d'acqua a Blessing mentre i due poliziotti parlavano tra loro. L'interrogatorio doveva essere terminato.

Max guardò l'orologio. Entro un'ora avrebbe dovuto tornare al ristorante per dare una mano a Federica. Ma prima era necessario che Numero Uno stabilisse quando avrebbero avuto il permesso di parlare con la ragazza.

Dalle informazioni che poteva fornire Blessing dipendevano un'infinità di fattori. C'erano diversi frammenti da riunire e si sentiva perseguitato dal timore che, nel rimetterli insieme, l'omissione di alcuni piccoli dettagli gli avrebbe fatto perdere il filo conduttore.

VENTITRÉ

Arriviamo anche noi

Martedì 21

La stanza comune della casa protetta nella quale si trovavano era arredata con mobili di fortuna regalati dai volontari o da persone del quartiere che avevano a cuore la sorte di quelle povere ragazze tolte dalla strada. Non erano cose di lusso, due tavoli di legno, alcune sedie con la scritta CENTRO sullo schienale, e una libreria a vetri piena di romanzi ben allineati, libri fotografici e di viaggio e uno scaffale con funzione di archivio per i documenti della cooperativa. Un grande crocifisso di legno era appeso al muro vicino al soffitto e i ritratti del presidente della Repubblica e del papa condividevano le pareti con fotografie scattate in villaggi africani e con alcuni disegni pieni di colore, fatti da bambini.

Blessing era seduta a uno dei tavoli con le mani in grembo. Doveva aver dormito perché il suo aspetto era più riposato e meno teso. Gli occhi simili a dischi di ossidiana, pieni di una vita che per ora non le aveva dato altro che schiaffi, si soffermavano ora su Vittoria ora su Sanda, unico gesto che mostrava in lei un residuo di inquietudine. Indossava gli stessi vestiti del giorno prima e aveva raccolto le lunghe treccine in una larga crocchia dietro la nuca. Portava al collo una catenina d'argento alla quale era appesa la figurina in latta di una maschera africana stilizzata, forse una divinità femminile, con zigomi sporgenti, le palpebre abbassate e le labbra dischiuse.

Avere di fronte due donne, di cui una pressappoco del suo stesso colore, pareva metterla in qualche modo a suo agio. Per questo Max aveva pensato che fosse giusto che a parlare con lei andassero loro. Così, quella mattina, l'unica a essere turbata era proprio Sanda. Da anni viveva in posti che cercava di convincersi fossero i suoi posti, forse per il bisogno comune a tutti gli esseri umani di avere radici certe, il desiderio di trovare la propria sede naturale, senza sapere bene quale sia, poiché per alcuni individui le possibilità di trovarne una sono aleatorie.

I vari posti in cui aveva cercato di sentirsi a casa non erano mai stati quelli che aveva in mente. E lei, se non altro, qualcosa dalla vita lo aveva avuto. Ma quella ragazzina nera, costretta all'età adulta nella peggiore maniera possibile, non aveva nulla, neppure i vestiti che indossava. E da una simile enorme ingiustizia, Sanda si sentiva devastata, le ricordava la sua infanzia a Bordeaux con tutto ciò che era successo in seguito.

Le parve di essere tornata a quei tempi, prima di trasferirsi a Parigi, quando chiunque incontrandola per strada avrebbe pensato di lei che era una puttana, per i vestiti sfacciati di qualità scadente e per il modo in cui la costringevano a truccarsi. Ricordava ancora la sensazione di sentirsi stuprata ogni volta che un cliente la costringeva a soddisfarlo. Per lei la città era diventata un luogo sconosciuto, anche se ci era nata. Per non parlare della solitudine siderale, soprattutto nei momenti passati assieme alle persone che l'avevano messa sul marciapiede o quando uno di quei vermi grugniva sdraiato su di lei, ficcandole le mani dappertutto.

«Quando hai conosciuto Ismail?» sentì Vittoria domandare.

«È stato al MoneyGram, un giorno che sono andata con mia *maman*. Era lui che spediva soldi, dietro al vetro.»

«In quell'occasione vi siete potuti parlare?»

«No, ma ci siamo guardati molto.» Sorrise imbarazzata. «Si vedeva che gli piacevo e Ismail è bello.»

«Com'è riuscito a ritrovarti?»

«Una sera è venuto dove lavoravo. Non so come, però sapeva che stavo lì. Era in macchina e mi ha chiesto di salire, poi abbiamo fatto un giro e parlato.»

«Cosa pensava del tuo lavoro?»

«Non gli piaceva la gente con cui dovevo stare. Quella sera mi ha dato i soldi, come se fossi andata con un cliente. Diceva che se no mi avrebbero picchiata.»

«Poi vi siete rivisti?»

«Sì, ma sempre mentre lavoravo. Io non potevo fare diverso, ero sempre chiusa in casa. Lui era buono con me, prima di scendere dall'auto mi dava sempre i soldi.»

«Aveva intenzione di portarti via da quella gente?»

«Sì, diceva che lui mi avrebbe liberata.»

«Come mai non lo ha fatto?»

«Perché ha dovuto nascondersi.»

Si mise a giocherellare con l'orlo del mezzaro colorato che copriva il tavolo e che come altri tessuti che c'erano in giro doveva arrivare dall'Africa. In un angolo della stanza c'erano tre o quattro sgabelli di plastica colorata, circondati da casse di giocattoli vecchi e male in arnese.

«Sei innamorata di lui?» domandò Sanda.

La ragazza annuì. «Ismail vuole che andiamo in Francia.»

«Quando l'hai visto l'ultima volta?»

«Cosa gli volete fare?» chiese sfidandola con lo sguardo.

«Abbiamo bisogno di parlargli. Ismail ha delle informazioni che ci permetterebbero di arrestare dei delinquenti.»

«Lui non ha fatto niente, non voglio che lo arrestano.»
«Non lo arresterà nessuno, te lo garantisco. Vogliamo soltanto incontrarlo.»
«Come faccio a sapere che non mentite?»
Sanda si lasciò andare contro lo schienale della sedia, lo sguardo incollato a quello della ragazza.
«Non ho modo di provartelo, Blessing» disse. «Però so quello che ti è successo, ci sono passata anch'io e so cosa si prova nei confronti di chi ti tende una mano. Ismail lo ha fatto con te e posso immaginare quanto tu lo voglia proteggere.»
La giovane donna nera la fissava corrucciata, le labbra appena schiuse sui denti bianchissimi.
«Non abbiamo nulla contro Ismail» proseguì Sanda, «ma sappiamo che ha lavorato con persone cattive, come quelle con cui lavoravi tu, parassiti che per i soldi farebbero qualsiasi cosa. Se non lo troviamo noi, prima o poi lo troveranno loro e lo uccideranno.»
«Come faccio a credere questo?» domandò Blessing.
Vide che nei suoi occhi adesso c'era disperazione, una sorta di velo che rendeva le iridi di un colore incerto.
«Tu la conosci quella gente, sai di cosa sono capaci. C'è un solo modo perché voi riusciate ad avere un futuro insieme, ed è che quelle persone scompaiano dalle vostre vite. Se ci permetti di parlare con Ismail, noi faremo in modo che questo succeda.»
«Ma io non so come parlare con lui» sospirò la ragazza. «Ogni tanto passava un suo amico e mi portava messaggi di Ismail.»
«Però sai dove si trova» disse Vittoria, «ci puoi portare da lui.»
La ragazza parve ritrarsi, come incapace di prendere una decisione che sembrava infinitamente più grande di lei. Gli

eventi dei giorni precedenti, la fuga, l'interrogatorio e adesso questo incontro che aveva accettato, dovevano averla gettata nella più completa incertezza.

Infine sembrò trovare un poco di coraggio e sporse il busto sul tavolo con l'aria di chi voglia porre delle condizioni alle quali non intende rinunciare.

«Io posso portare voi da Ismail» disse a bassa voce. «Ma dovete venire sole, senza polizia.»

«Non possiamo venire sole» ribatté Sanda con calma. «Non ci sarà nessuna polizia, te lo prometto, ma i nostri due amici devono venire con noi.»

«Chi sono i vostri amici?» chiese diffidente.

«Le due persone che hai conosciuto quando sei stata interrogata, l'uomo alto con la barba e il kabilo. Si chiamano Max e Abdel, di loro ti puoi fidare.»

«Loro non sono poliziotti? Perché se dite bugie Ismail non vorrà farsi trovare.»

«No, sono due brave persone che si prenderanno a cuore la vostra sorte. Con noi non ci sarà nessun altro, questo te lo prometto.»

Vittoria diede uno sguardo all'amica come per chiederle se per caso era diventata matta. Sanda la tranquillizzò con un gesto che significava: me ne occupo io.

«Non voglio che a Ismail succede nulla» chiarì Blessing. «Dovete accettare le sue decisioni. Se lui non vuole venire con voi, non dovete costringerlo.»

«D'accordo. Sei sicura che non sia scappato in Francia?»

«Io credo di no. L'amico che ogni tanto porta sue notizie mi avrebbe detto questo.» D'un tratto il suo sguardo si illuminò. «E poi lui non sarebbe partito senza di me» aggiunse.

«Quindi è ancora qui in città.»

Scosse il capo. «No, Ismail è via.»

«Puoi portarci da lui?»

«Io so dov'è, ma non posso uscire sola di qui.»

«A questo pensiamo noi, c'è una persona che ti aiuterà a lasciare questo posto per qualche ora.»

«Allora d'accordo, vi porto da lui.»

«Grazie. Andrà tutto bene, vedrai» disse Sanda.

La ragazza guardò Vittoria. «Andrà tutto bene?» chiese con un filo di voce.

Lei annuì dubbiosa. «Sì, stai tranquilla. Sarà così.»

Parlarono per qualche altro minuto. Le chiesero se nella casa protetta si trovava bene, se le volontarie erano gentili con lei e con le sue due amiche.

«Loro sono nervose» disse Blessing. «Hanno paura, per il rito *juju*, per loro famiglie. Ma credo che qui stanno bene.»

Un orologio a muro segnava le quattro del pomeriggio.

«Hai bisogno di qualcosa?» domandò Vittoria.

«Un vestito bello per incontrare Ismail. Quelli che danno qui sono brutti.»

Sanda annuì con un sorriso. Le chiesero di non raccontare a nessuno della faccenda di Ismail, poi la salutarono dicendo che si sarebbero riviste presto e, dopo aver parlato con una delle responsabili, uscirono dalla struttura. Per strada la temperatura era ancora alta e la vecchia Opel Astra di Sanda sembrava un forno.

«Cosa ti è venuto in mente di prometterle tutte quelle cose?» la biasimò Vittoria allacciando la cintura.

«È l'unica soluzione possibile» ribatté la nera. «L'hai sentita, no? Se c'è la polizia di mezzo, non se ne fa nulla.»

«Ma non possiamo portare Blessing fuori di lì senza chiedere il permesso alla Spadaccino. Quindi puoi scommetterci che manderà qualcuno dei suoi.»

«Dobbiamo trovare un sistema. Forse Numero Uno può fare qualcosa. Mi sembra uno piuttosto ammanicato.»

«Sempre che sia d'accordo. E non ci giurerei.»
«Abbiamo quei badge che ci ha dato, quindi anche noi…»
La interruppe il trillo del cellulare di Vittoria. Era Abdel.
«Dove siete?» chiese.
«Siamo uscite adesso, abbiamo appena finito di parlare con Blessing.»
«Avete la macchina?»
«Sì, l'auto di Sanda.»
Abdel le diede un indirizzo. «Ci vediamo lì, il vecchio si trova già sul posto.»
«È successo qualcosa?»
«Non ne so nulla, Max mi ha detto di avvisarvi. Lo sto passando a prendere e arriviamo anche noi.»

VENTIQUATTRO

La scomodità della posizione

Numero Uno portava un completo scuro di un seducente punto di grigio-blu, non troppo elegante ma nemmeno dozzinale, e scarpe nere con la tomaia crivellata di forellini. Aveva una camicia bianca immacolata e una cravatta regimental a strisce oblique blu e grigio perla. Accanto a lui c'erano già Sanda e Vittoria. Un tizio con l'uniforme dei vigili urbani, un cinquantenne dall'aria perbene, i capelli grigi, baffetti sale e pepe e il berretto d'ordinanza in testa, stava chiacchierando con loro.

Passarono davanti al gruppetto, poi Abdel fu costretto a parcheggiare la sua Peugeot del '56 al fondo dell'isolato successivo perché tutto lo spazio utile era occupato da auto della polizia, vari furgoni e un'ambulanza con il lampeggiante acceso. Percorsero il marciapiede e dovettero superare un capannello di curiosi assiepato dietro un nastro bianco e rosso teso tra alcuni cavalletti di legno. Mostrarono i documenti all'uomo in uniforme. A un suo cenno l'agente di piantone permise loro di passare.

Di fronte al portone di via Cristoforo Colombo alcuni poliziotti in divisa parlottavano con altri in borghese. Max e Abdel raggiunsero il vecchio e vennero presentati all'ufficiale della polizia municipale, un vicecommissario, di cui scordarono subito il nome.

«Sofia Avesani è stata assassinata» disse Numero Uno vedendo il loro sguardo interrogativo.

«Quando è successo?» domandò Max stupefatto.

«Non sappiamo ancora nulla. Un vicino ha notato del sangue lungo il bordo della porta d'ingresso e ha chiamato i vigili. Sono entrati nell'appartamento e l'hanno trovata.»

«Abbiamo subito allertato la polizia» lo informò il vicecommissario. «In casi come questo la competenza passa alla Mobile.»

«Come l'hanno uccisa?» chiese Abdel.

«Le hanno sparato. Presto sapremo se siamo di fronte a una rapina finita in modo tragico o se si tratta di qualcos'altro, che so, un femminicidio o una discussione degenerata in violenza.»

«Pensa che potremo salire a dare un'occhiata?»

«Non dovrebbe essere difficile. Adesso mi informo.»

Dopo averli salutati con un lieve movimento del capo, l'uomo in divisa si allontanò e andò a parlare con i poliziotti.

«Come ha detto che si chiama, quel tipo?» domandò Max al vecchio.

«È il vicecommissario Ivo Gronich. È una vera fortuna che i vigili siano arrivati per primi, almeno possiamo sfruttare un insperato collegamento.»

«Com'è che lei è sempre pappa e ciccia con i vigili urbani?» domandò Sanda.

«Perché qui in città la mia squadra si appoggia alla polizia municipale» spiegò Numero Uno. «È una scelta di competenza territoriale che può essere di grande utilità.»

«Tutti fantasmi come lei?» rincarò la dose Abdel.

Il vecchio sorrise. «Diciamo che nel nostro lavoro il riserbo è un requisito necessario.»

Max addentò la pipa. «Nella lista siamo per caso inclusi anche noi?»

«Quantomeno lo auspico.»

«E il suo riserbo cosa le dice riguardo questa storia?» Con un cenno del mento Vittoria indicò il portone di via Colombo.

Numero Uno si rabbuiò. «Ho l'impressione che qualcuno abbia cominciato a tagliare i ponti col passato. C'era da aspettarselo, vogliono impedirci di giungere alla soluzione del nostro caso.»

«Forse non avremmo dovuto aspettare così tanto prima di parlare con lei» brontolò Max.

«Prima sarebbe stato prematuro» disse il vecchio. «L'Avesani aveva troppo da perdere per volerci rivelare qualcosa di importante. E adesso siamo noi ad aver perso lei.»

«In quella casa potrebbero esserci degli indizi.»

«Potrebbe. Ma adesso siamo obbligati a rispettare i tempi e le procedure della polizia.»

«Non è in grado di sveltire la pratica?»

«Ci proverò.»

Per qualche momento Ventura si sentì come se il suo presente si svolgesse su un aeroplano che ha cominciato una lunga caduta impossibile da arrestare. La gente che avevano contro sembrava decisa a non fermarsi davanti a nulla pur di mantenere tali i propri segreti. Si chiese se il vecchio non lo avesse sempre saputo, se non fosse conscio dell'assurdità dei suoi propositi investigativi, e la sola ragione per cui aveva deciso di affidarli a loro fosse proprio questa.

Pochi minuti e Gronich fece ritorno. Doveva essere un cognome ebreo. Baffi a parte, il suo viso ricordava quello flaccido e distaccato di Benjamin Netanyahu.

«Possiamo salire» disse.

L'androne era fresco. Poliziotti di ogni genere entravano e uscivano in continuazione. Il fatto che Sofia Avesani fosse una figura pubblica dava all'evento un certo rilievo.

Salirono le scale fino al terzo piano. La porta dell'appartamento era spalancata, sorvegliata da due piantoni che stavano parlottando a voce bassa. Una sottile striscia di sangue asciutto pareva una sbavatura tirata male con il righello. Si era distribuita lungo la parte inferiore del battente e una piccola quantità era sbordata sul pavimento del pianerottolo. Il rivolo da cui proveniva portava dritto come un'autostrada in miniatura fino al cadavere della donna, riverso sul parquet del pavimento.

Oltre all'odore spiacevole, la prima cosa che notarono fu la mezza dozzina di albicocche sparse per l'ingresso. Accanto al corpo c'era una borsa della spesa in plastica verdina dalla quale sporgeva un ciuffo di sedano.

Una donna alta, bionda, sui quarant'anni si avvicinò con l'aria di avere tutto sotto controllo. Indossava un tailleur leggero color crema e un bustino di seta grigio perla con un leggero drappeggio sulla scollatura. Era un bel tipo, con l'aria atletica, le gambe forti e dei bei piedi con le unghie laccate di rosso sui quali calzava sandali marroni.

«Sono la vicequestore Olivero» disse con un vago sorriso di labbra che indicava quanto quell'interruzione rappresentasse una seccatura alla quale era costretta a adeguarsi.

Ci fu uno scambio di strette di mano e il vecchio le diede un biglietto da visita ringraziandola per la cortesia di averli ricevuti. Mancò poco che la donna non scattasse sull'attenti.

«Non ho intenzione di farle perdere tempo» disse Numero Uno. «La dottoressa Avesani era una persona di nostro interesse e questo omicidio ci ha colti alla sprovvista. Vorrei solo conoscere la sua opinione in proposito.»

La Olivero si guardò attorno con aria pensosa. «È stata uccisa con due colpi di pistola, un revolver credo, perché non abbiamo trovato bossoli. Secondo il medico legale è morta nel giro di pochi minuti.»

«Una rapina?» domandò Abdel.

Lei lo fissò accigliata per qualche istante, infine sospirò.

«Potrebbe essere» ammise. «Ma diversi particolari ci danno da pensare. Intanto non c'è alcun segno di colluttazione. L'assassino deve averla colpita non appena sono entrati. La vittima ha ancora la borsetta a tracolla e la sporta della spesa si è rovesciata.»

«Hanno portato via qualcosa?» chiese il vecchio.

«Hanno frugato l'appartamento in maniera sommaria. Chi lo ha fatto aveva fretta, è evidente. Hanno preso dei gioielli, forse dei soldi e qualche oggetto che hanno trovato in giro. E ovviamente il portafogli e il cellulare che si trovavano nella borsa. Potrebbe essere un drogato che ha perso la testa, certo. Ma la mia opinione è che un tossicodipendente ci pensa due volte prima di buttare via dei soldi per comprarsi una pistola.»

«Quindi?»

«Quindi potrebbe essere un femminicidio o una discussione finita male. O un'esecuzione, certo. È ancora troppo presto per tirare le somme. La cosa strana è che nel palazzo nessuno abbia sentito gli spari. E l'idea di un silenziatore mi sembra per lo meno singolare. Non ci sono bruciature, quindi le hanno sparato da una distanza di almeno un metro.»

Due tizi che indossavano un camice bianco con cappuccio, le sovrascarpe di nylon azzurro e la mascherina, passarono loro accanto parlottando e uscirono dall'appartamento.

«Avete sentito gli altri inquilini?» chiese Abdel.

«Sì, abbiamo raccolto una testimonianza interessante. Pare che domenica mattina un uomo abbia suonato i campanelli dicendo che doveva mettere della pubblicità nella buca delle lettere. Qualcuno deve avergli aperto, ma nessuno l'ha visto entrare. È successo poco prima che la vittima tornasse da messa.»

«L'avrà aspettata seduto sulle scale» disse Sanda.

«È possibile. Pare che sulla strada del ritorno la dottoressa sia passata da un mercatino che fanno in piazza una domenica al mese e abbia incontrato una coinquilina. Sono tornate a casa insieme, ma si sono salutate giù all'ingresso. Mentre l'amica saliva a piedi al primo piano, lei ha preso l'ascensore.»

«E ha trovato il suo assassino sul pianerottolo.»

«È possibile, direi probabile. Non ho mai sentito di addetti per la pubblicità in buca che passino nei giorni festivi.»

«L'inquilina del primo piano non ha sentito nulla?»

«Niente di niente. Aspettiamo di vedere se autopsia e Scientifica potranno dirci qualcosa di più.»

«Sarebbe così gentile da farmi avere una copia dei rapporti?» disse Numero Uno. «Per noi potrebbero essere importanti.»

La Olivero annuì. «Il questore mi ha già dato ordini in proposito. In cambio le chiedo di condividere con me qualsiasi informazione possa essermi utile a risolvere questo omicidio.»

Tornarono di sotto e si congedarono anche dal sosia di Netanyahu, quindi lasciarono l'androne e raggiunsero l'auto di Abdel parcheggiata a due isolati di distanza.

«Sono convinto che la dottoressa Avesani sia stata tolta di mezzo» disse il vecchio. «Il lavoro che avete fatto deve aver smosso le acque e il fango sta venendo a galla.»

«È necessario stringere i tempi» disse Max. «Rispetto a quella gente, siamo in svantaggio; loro hanno ciò che a noi manca: una visione di insieme. Sanno come muoversi.»

Vittoria fece un cenno di insofferenza. «Dobbiamo parlare con Ismail Durka» brontolò. «E tutto ciò che abbiamo è la parola di quella ragazzina nera.»

«Ismail potrebbe essere il prossimo anello della catena» tenne a sottolineare Numero Uno. «Se lo trovano prima loro, chiuderanno la bocca anche a lui. E anello dopo anello, la nostra catena potrebbe spezzarsi lasciandoci con un pugno di mosche.»

«Quando pensa che Blessing ci possa accompagnare da lui?»

«Sto facendo il possibile per ottenere il permesso. Ci vorrà ancora qualche giorno.»

«Sempre che anche lei non ci stia raccontando un mucchio di balle» disse Sanda. «Non abbiamo nessuna certezza che sappia davvero dove si trova Ismail.»

«Lo scopriremo presto» tagliò corto Max. «Quando sarà costretta a portarci da lui sapremo se si è inventata tutto.»

«La priorità è che la riportiate indietro intera» li avvisò il vecchio. «Altrimenti avremo un mucchio di grane. Non dovete perderla d'occhio nemmeno un istante.»

«Stia tranquillo, faremo la massima attenzione.»

Numero Uno guardò l'orologio. «Vi aspetto dopodomani alla cascina» concluse. «Sarò lì alle sedici e mi auguro di avere già il via libera per la ragazza.»

Come evocata da una forza soprannaturale, la solita Mercedes nera scese lungo la via senza fare il minimo suono e si fermò accanto a loro. Il vecchio li salutò senza troppe cerimonie, poi fece il giro dell'auto e, come sua abitudine, salì accanto all'autista. La vettura si allontanò con un fruscio di gomma sull'asfalto e scomparve svoltando al primo incrocio.

Passato qualche istante, Vittoria disse a Max: «C'è Matilde che ti vuole parlare».

«Si è messa di nuovo a hackerare?»

«Temo di sì, vorrei che le facessi un discorsetto. Lei ti vede come una figura paterna.»

«Certo. Perché non venite domani sera a cena?»

«Grazie. Mi rendo conto di essere troppo protettiva, ma questa storia mi piace sempre meno.»

Vittoria non aveva torto. Per un certo verso quel momento gli appariva del tutto surreale, come se invece di esserci invischiato, assieme ai suoi compagni, l'avesse visto in un film o lo avesse letto in un romanzo.

«Dove avete l'auto?» chiese infine alle ragazze.

«In corso Einaudi» disse Sanda.

«Salite» le invitò Abdel, «vi diamo un passaggio.»

Vittoria e Sanda si incastrarono nell'angusto sedile posteriore e Max montò accanto ad Abdel. Il kabilo fece manovra e si diresse verso il centro, divertito dalle lamentele delle due donne che sbuffavano per la scomodità della posizione.

VENTICINQUE

Della sua vita

Mercoledì 22

Max si chiese come quella ragazzina riuscisse a mantenere una linea invidiabile nonostante tutto ciò che mangiava. Di certo era una buona forchetta. Come antipasto aveva divorato una porzione di terrina di coniglio con misticanza alla crema di Roquefort, alla quale aveva fatto seguire un piatto di agnolotti di magro. In quel momento stava facendo scomparire per magia un piatto di blanquette di vitello con contorno di fagiolini bolliti.

La cucina dell'Évêché le era sempre piaciuta. Quel misto di regionale con incursioni francesi che negli anni Max era riuscito a mettere a punto – alla perfezione, secondo lui – sembrava mandarla in visibilio. Lei e Vittoria erano comparse all'ora di cena e Max le aveva sistemate in un tavolino che guardava verso gli alberi dei giardini di piazza Respighi, le cui chiome sfiorate dall'ultimo sole del pomeriggio si muovevano appena nella brezza.

Osservò Matilde che cenava composta, con quell'aria quasi aristocratica che aveva ereditato da sua madre. Le somigliava molto, aveva lo stesso naso piccolo e affilato, una bella bocca e grandi occhi con sopracciglia folte e ben disegnate. I capelli spettinati, tagliati all'altezza del collo, le davano un aspetto più maturo della sua età. Si rese conto che in quel viso attraente dovevano trasparire in qualche modo i tratti dell'uomo che per una sola notte era stato suo padre, ma il tempo passato ne aveva quasi del tutto cancellato le fattezze dalla memoria di Max.

Indossava una maglia girocollo blu con le maniche lunghe e portava la catenina d'oro con la medaglietta di Santa Rita che Vittoria le aveva messo al collo quando era nata, togliendola dal proprio. Santa Rita, la santa degli impossibili. Eppure aveva davanti a sé la prova contraria, l'impossibile che era diventato realtà nel momento in cui sua madre aveva deciso di tenerla.

«Si è di nuovo messa a fare i suoi giochetti su Internet» disse Vittoria in tono seccato. «Sempre la stessa storia, nonostante le avessi chiesto di lasciar perdere.»

Matilde alzò gli occhi dalla blanquette di vitello e la guardò con aria scocciata.

«Quanto sei stressante» sbuffò. «Non ho fatto nulla di male, ho solo controllato quelle cose che volevate sapere.»

«Ti abbiamo detto in tutti i modi che quel genere di attività può essere pericoloso» replicò la madre, che al contrario della figlia aveva appena toccato cibo.

«Ma dài, mami, non sclerare. Ti giuro che faccio attenzione, non sono mica una bambina.»

«Mi costringerai a toglierti il computer. Già mi pento di avertene comprato uno nuovo.»

«Che tedio, se lo fai scappo di casa.»

«Ascolta» intervenne Max, «tua madre ha ragione. Ti abbiamo chiesto di non insistere. Lo so che hai grande fiducia nelle tue capacità e che ti senti invincibile. Ho avuto anch'io la tua età, cosa credi?»

«Sì, certo» brontolò Matilde, «nella preistoria.»

«Guarda che ti prendi un ceffone» la minacciò Vittoria.

Max rise. «Be', non proprio nella preistoria, avevano già inventato la ruota. In ogni caso devi rispettare i consigli di tua madre. E i miei. Siamo responsabili della tua sicurezza; saremo pure nati all'età della pietra, ma questo mondo lo conosciamo meglio di te. E sappiamo quali pericoli possono nascondersi in rete.»

«Va bene, ho capito» si lamentò Matilde, che aveva pure perso interesse nella blanquette. «Madonna che stress, mi sembra di stare all'asilo.»

«Lo so che sei una ragazza intelligente» disse la madre cercando di suonare conciliante. «Ma quelle persone potrebbero essere criminali. Non vogliamo che ti succeda qualcosa di brutto.»

«Che palle!» si lamentò. «Possibile che ci sia sempre qualcuno che ti dice quello che devi fare?»

«In famiglia non esiste democrazia» scherzò sua madre.

«Me ne sono accorta.»

«Sai cos'è la democrazia?» le chiese Ventura. Lei lo guardò immusonita. «È quella forma di governo in cui l'ottanta per cento dei cittadini è costretta a calpestare la merda che i cani del restante venti per cento lasciano sul marciapiede.»

«La mia vita è un sacco peggio di così» brontolò la ragazzina, per niente rallegrata.

«Comunque» aggiunse Max per chiudere la discussione, «dovresti darci retta. Ma visto che hai agito di testa tua, come sempre, potresti dirci cos'hai trovato di tanto importante?»

Matilde lo fissò astiosa, un boccone di spezzatino sulla punta della forchetta. «Non vi dico proprio niente» mugugnò. «Visto che siete dei furbacchioni, le informazioni trovatevele da soli.»

Mentre la ragazza finiva il suo piatto, Max e Vittoria scambiarono un'occhiata divertita. Non aveva tutti i torti, le avevano appena fatto una testa come un pallone per essere andata a ficcare il naso dove non doveva e in cambio pretendevano di sapere i risultati.

«Ascolta» propose, «di là in cucina ho ancora un paio di *cannelés* della Gironda. Se sputi il rospo sono tuoi.»

Il viso di Matilde si illuminò, pur senza abbandonare del tutto l'espressione diffidente di chi subodora una trappola. Max sapeva quanto le piacesse quel dolce profumato al rum e alla vaniglia, tipico di Bordeaux. Lo aveva imparato da Sanda e ogni volta che Matilde veniva a cenare al ristorante, lo faceva preparare per lei.

«Hai detto due porzioni?» chiese la ragazzina.

«Le ultime, e sono tutte per te.»

«D'accordo» acconsentì.

Dallo zainetto appeso allo schienale della sedia prese un mazzetto di fogli piegati in quattro. «Ho fatto qualche ricerca sulla Instant Farma» disse aprendoli e lisciandoli bene con il dorso della mano.

«Cos'hai saputo?»

«Il proprietario si chiama Paolo Settembrini. L'ha aperta nel 2005 e ha subito funzionato alla grande. Tanto che a un certo punto l'hanno ingrandita. Settembrini, o qualcun altro, ha chiamato la Palatina Srl per il nuovo capannone e gli uffici. Ci lavorano una trentina di persone tra magazzinieri e rappresentanti. Il direttore commerciale sembra essere un certo Tiziano Alga.»

«È un dirigente?»

«Si direbbe di sì. Rispetto ad altre è una realtà piuttosto piccola, ma ha contratti con un certo numero di case farmaceutiche e come cliente ha addirittura la Regione. Per loro forniscono farmaci al sistema per l'accoglienza dei richiedenti asilo. Per anni hanno privilegiato i Paesi del Terzo Mondo, specie l'Africa, che costituisce la parte più consistente del fatturato. Si direbbe che non abbiano mai avuto problemi di alcun tipo. Con la giustizia, intendo.»

«Cos'è che non ti convince?»

«Per un periodo piuttosto lungo andava tutto a gonfie vele, poi, per qualche motivo che non conosco, sembra che abbiano ridotto l'attività di proposito. Hanno limitato parte del mercato italiano e si sono concentrati sulla distribuzione all'estero.»

«Come fai a sapere queste cose?» chiese Vittoria stupita.

«Ho dato un occhio ai bilanci, mami, come vuoi che abbia fatto? Dall'andamento del fatturato negli anni si capiscono benissimo le dinamiche della società. E poi c'è la questione della Millenium Phœnix.»

«Quale questione?»

«Be', il fatto che sia stata venduta. La sede era a Benin City, in Nigeria. Era la società che gestiva tutto il mercato con i Paesi africani e con l'Asia. Fatturava alla grande.»

«Quando è successo?»

«Cinque mesi fa. È stata messa sul mercato e l'ha rilevata una ditta di import-export che si chiama Subra Net.»

«Ditta di laggiù?»

«No, di qui.»

«Italiana?»

«Di qui in città.»

Per qualche momento Max osservò la ragazza senza vederla. Alla fine sembrava che tutto quanto girasse attorno alla Instant Farma. Si ricordò di ciò che aveva raccontato Sara, l'amica della dottoressa morta assieme allo sconosciuto nella residenza in fiamme. Parlando dell'uomo, dell'amante di Erica Colletti, aveva accennato al fatto che le avesse regalato una scatola di medicinali o una pomata, in quel momento non ricordava bene, un campione non in vendita che poteva benissimo arrivare dalla Instant Farma.

«Ricordi la palazzina costruita sui resti della casa di accoglienza bruciata?» domandò.

«Sì, certo. Perché?»

«La Millenium Phœnix è stata venduta prima o dopo l'acquisto dei due appartamenti?»

La giovane frugò nello zaino e ne prese un plico di carte spiegazzate. Le sfogliò in fretta e trovò ciò che cercava.

«L'hanno venduta qualche settimana prima.»

«È probabile che si siano trovati con del denaro da riciclare, così hanno comprato gli appartamenti per l'Avesani e per quell'altro.»

«L'ho pensato anch'io» ammise Matilde. «Sai, mi è venuto in mente che i due proprietari potrebbero essere dei prestanome. Ho letto in un romanzo che quando i boss non vogliono far sapere che una cosa gli appartiene, usano quel sistema.»

«Potrebbe essere. Cos'hai saputo di questo Brasa?» chiese Max.

«Poco, è un pensionato della pubblica amministrazione.»

«In effetti sarebbe la figura perfetta del prestanome. Come hai detto che si chiama il direttore commerciale della ditta farmaceutica?»

«Non fanno farmaci, li distribuiscono. E comunque si chiama Tiziano Alga.»

«Hai sue notizie recenti?»

«No, ma se vuoi me le posso procurare.»

La madre li fulminò con lo sguardo.

«Non ce n'è bisogno» corse in ritirata Max. «Basterà una semplice telefonata.»

«Pensi che possa trattarsi del cadavere senza nome?» domandò Vittoria.

«Potrebbe darsi.» Si rivolse a Matilde. «Cosa sei riuscita a sapere della Subra Net?»

La ragazzina fece spallucce. «Poco o niente, il loro server è piuttosto ostico. Hanno delle buone protezioni. Comunque in rete c'è un sito di rappresentanza dove ho trovato alcune informazioni. Si occupano principalmente di spedizioni in Africa, India e Sud America. Importano pezzi di ricambio per trattori e macchine agricole. Magari darò un altro sguardo per vedere se esiste qualche tipo di relazione tra la Subra Net e la Instant Farma.»

«Non darai nessuno sguardo» sbottò Vittoria, «te lo proibisco. Vuoi metterti in testa che potrebbe essere gente pericolosa? Hanno bruciato vive sedici persone, cristo santo. Diglielo anche tu, Max, non voglio che si esponga.»

Max fissò Matilde, che alzò gli occhi al cielo gonfiando le gote con quell'espressione scazzata che hanno gli adolescenti quando cerchi di impedire che commettano qualche stronzata.

«Hai già fatto tanto, per aiutarci» disse infine. «È meglio che tu non corra altri rischi. Se quelle persone mangiassero la foglia potrebbero addirittura farla franca e questo sarebbe un peccato, non credi anche tu? Tutto il nostro lavoro sarebbe stato inutile.»

La ragazza annuì. «Va bene, non farò nulla se non ci sarai anche tu. Lo prometto. Ma ho scoperto altre cose che potrebbero esservi utili, le vuoi sentire?»

«Riguardo alla Millenium Phœnix?»

«Sì, prima di essere venduta era controllata dalla Instant Farma. Due direttori del posto e un consulente che arrivava da qui.»

«Che consulente?»

«Un certo Cirigliano.»

A Ventura quel nome non diceva nulla. «Il resto del personale era del posto?» chiese.

«Tutti tranne il responsabile dell'ufficio commerciale, che era Tiziano Alga. Credo che i dipendenti fossero tutti locali, anche il direttore che si chiamava Wilson Osakue, e il responsabile dell'ufficio commerciale, un certo Ismail Durka.»

Vittoria e Max fecero un salto sulla sedia. «Sei sicura del nome?»

«Di Wilson Osakue?»

«No, l'altro.»

Matilde frugò nello zaino e prese un foglio che diede a Max. Era la fotocopia di un documento, un contratto semestrale in lingua inglese. Non era molto nitida, ma il nome di Ismail lo si leggeva bene. Come aveva detto la ragazza, parlava di mansioni come commerciale e responsabile delle scorte. Era probabile che quello non fosse l'esatto incarico che Ismail aveva svolto alla Millenium Phœnix. Se tutto andava per il verso giusto, presto lo avrebbero saputo da lui.

«Senti un po'» lo interpellò la ragazza, «dove sono i miei *cannelés* della Gironda? Penso di essermeli meritati.»

Max si alzò con un sorriso. «Hai ragione, li vado a prendere.»

Si rese conto che ai tavolini accanto a loro stava cenando parecchia gente. Il vociare, il tintinnio di posate e bicchieri tornò a farsi sentire con prepotenza. Gli parve che per tutto il tempo della discussione loro tre fossero rimasti dentro una bolla, come chiusi all'interno di una camera anecoica. Tre senzatetto seduti sopravento, alle estreme propaggini del dehors, alzarono i bicchieri e brindarono alla sua salute. Un gruppo di hipster che arrivavano dal centro cittadino andò in brodo di giuggiole per la scena così genuinamente periferica.

Mentre tornava all'interno dell'Évêché, Max prese il cellulare dalla tasca del grembiule. Fece un cenno a Federica che lo stava cercando, poi selezionò un numero e fece partire la chiamata.

«Che succede, *patron*?» chiese la voce roca di Ignazio.

«Volevo sapere se è tutto sotto controllo» disse Max.

«Hai bisogno di rassicurazioni?» ridacchiò l'altro.

«Non sai quanto, amico mio, non sai quanto.»

«Stai tranquillo, va tutto liscio come l'olio. Nessuna sorpresa. Sai che ti puoi fidare di me.»

«Ci mancherebbe altro, con quello che mi costi!»

«Sei sempre stato uno spilorcio. Ma stai tranquillo, so fare il mio lavoro. Ti saluto, Max.»

Chiuse la comunicazione prima che Ventura potesse replicare. Dietro il bancone, Federica si stava sbracciando per attirare la sua attenzione, dovevano esserci problemi in cucina. Disse a Nirina di portare i *cannelés* a Matilde, poi si avviò per sottomettersi ai desideri dell'amore della sua vita.

GIOVEDÌ 30 – ORE 19.12.07

«Vuoi sapere una cosa? Quando gli affari vanno a gonfie vele, rischi di rilassarti, di sederti sugli allori, e finisci per dare tutto per scontato. Il denaro entra a fiumi e questo è ciò che conta, badi solo a godertela. È più forte di te, rifiuti l'idea che il cerchio perfetto si interrompa. Cominci a sentirti invincibile e sei certo di avere tutto sotto controllo. Ti convinci che certe cose non accadano, sai?, benché ce ne sia sempre il rischio. Avrei dovuto vendere subito ogni cosa, levarmi dai coglioni una volta per tutte. Invece mi sono illuso di averla fatta franca. È così che succede, un giorno qualcosa smette di funzionare e rischi di andare a gambe all'aria per colpa di una sciocchezza.»

«Immagino sia ciò che è accaduto ad Alga.»

«A lui, a Settembrini, a tutti quanti. Per fortuna c'era Jannello che se n'è accorto in tempo ed è riuscito a metterci una pezza.»

«Cerca di essere più chiaro, stai facendo casino.»

«Vedi di essere paziente, sono passati un po' di anni, le cose le sto ricordando man mano che le racconto. Se gli amici di Jannello sapessero che sto qui a parlarti dei cazzi loro, mi farebbero fare la fine dell'Avesani, e magari romperebbero il culo pure a te.»

«Chi ha ucciso l'Avesani?»

«Cosa vuoi che ne sappia? Della sua morte l'ho letto sui giornali, come te. Sarà stato un sicario venuto da fuori.»

«D'accordo, vai avanti.»

«Be', è presto detto. Ognuno di loro aveva il proprio lavoro vero a cui badare. Avrebbero potuto smettere, certo, ma sarebbe stato tutto più difficile, perché se sei dentro al sistema lo puoi oliare, puoi essere certo che tutto funzioni alla perfezione. E con il suo lavoro di direttore commerciale, Alga era sempre nei posti chiave, usava il suo fascino e sapeva tutto prima che succedesse, poteva dirigere senza destare sospetti, capisci? Era diventato in gamba, Jannello non avrebbe mai potuto fare a meno di lui. D'altro canto, Alga contava al cento per cento su Jannello, che aveva la visione del delinquente incallito.

Sono andati avanti così per quasi due anni, poi un giorno Alga si dev'essere reso conto, o ha sospettato, che Ruggero Cirigliano aveva capito qualcosa. Era diventato più sfuggente, aveva cominciato a fare domande su questioni che non gli sarebbero spettate, niente di fondamentale, ma sufficiente a mettere una pulce nell'orecchio di Alga.

«A quel punto, su consiglio di Jannello che non voleva gesti eclatanti, imposero a Settembrini di richiamarlo in sede, per metterlo a lavorare sulla distribuzione dei farmaci autentici. Ma Cirigliano doveva aver capito più di quanto pensavano loro. Però non aveva prove e poco per volta, anche se lo avevano tolto dalla Millenium Phœnix, ha cominciato a cercarle. In quel periodo si scopava una dottoressa che mandava avanti l'ambulatorio di una delle case di accoglienza per immigrati che dirigeva l'Avesani.

«Per fartela breve, assieme a quella tizia ha cominciato a esaminare i medicinali che ricevevano per curare i loro assistiti. Siccome lei ci sapeva fare, con una serie di analisi empiriche sono riusciti a capire che una parte dei farmaci che circolavano nelle comunità era contraffatta. Visitando quei negri, valutandone le condizioni, lui e la sua amica hanno raccolto parecchi indizi e li hanno nascosti da qualche parte nell'ambulatorio della casa di accoglienza, in modo da averli a disposizione una volta che fossero riusciti a mettere insieme prove convincenti.

«Sai cosa ti dico? Secondo me quei due l'hanno presa come una sorta di avventura, come in quei film di spionaggio. Penso che si siano pure divertiti e magari si immaginavano già il clamore che quella storia avrebbe avuto sui giornali una volta che l'avessero resa pubblica. Secondo me avevano capito che Alga era coinvolto, dovevano averlo scoperto analizzando le consegne e da alcuni incontri che Cirigliano gli aveva visto fare quando andavano insieme alla Millenium Phœnix, giù in Africa.»

«Come ha fatto Tiziano Alga a mangiare la foglia? Immagino che Cirigliano e la sua amica si siano comportati con una certa cautela.»

«Il loro problema era che non avevano mai sentito parlare di Jannello, quindi non potevano sapere che, all'occorrenza, era solito eliminare gli intoppi utilizzando sistemi radicali.»

«Però qualche imprudenza dev'essergli scappata.»

«Non un'imprudenza, un errore fatale commesso per ignoranza: a un certo punto hanno deciso di confidarsi con Paolo Settembrini, che credevano estraneo alla vicenda.»

«Cazzo...»

«Puoi dirlo forte, se si sparavano un colpo in testa facevano prima. Quando se li è trovati davanti, Settembrini deve aver sudato freddo. Gli sarà passato davanti agli occhi il film del suo mondo che si sgretolava, la moglie che lo piantava in asso, i figli che non gli avrebbero più rivolto la parola. Soprattutto gli anni di galera dai quali sarebbe uscito a pezzi. Insomma, quei due stavano minando dalle fondamenta tutto ciò che aveva costruito in una vita di lavoro. È riuscito comunque ad arginarli, dicendo che li avrebbe aiutati e che prima di muoversi dovevano avere prove inattaccabili. Si è anche offerto di tenere nella sua cassaforte il materiale che avevano raccolto, ma Cirigliano gli ha garantito che le cose erano nascoste nella residenza e che nessuno le avrebbe potute trovare.

«Capisci la follia? Si sono messi il cappio al collo da soli. Terrorizzato da ciò che poteva succedere, Settembrini ha subito chiamato Alga per mettere la questione nelle sue mani. Quando ha saputo che Cirigliano stava per disintegrare i progetti per la sua lussuosa vecchiaia, pure Tiziano avrà fatto un bel salto. È filato come un razzo da Jannello e hanno capito che esisteva un solo sistema, togliere di mezzo i piccioncini e le prove che avevano nascosto. Immagino il loro rammarico, ma d'altra parte, sai come si dice, no?, alla guer come alla guer.»

«*À la guerre comme à la guerre*...»

«E io cos'ho detto? Be', per farla breve, Jannello aveva bisogno di una persona che gli togliesse le castagne dal fuoco in maniera pulita e senza troppe sbavature. E quella persona ero io. Non che quell'incarico mi piacesse troppo, sai, ma mi teneva già per i coglioni per una maledetta questione di droga. Che ti posso dire, nessuno è perfetto.

«Io per lui avevo già eseguito diversi lavori, non per vantarmi ma nessuno conosce il fuoco come me, posso maneggiarlo come un artista plasma la sua creta, gli do la forma che voglio, lui va dove decido io. L'ho ammaestrato, se mi concedi questa metafora un poco ardita. A Jannello avevo risolto diversi problemi, capannoni bruciati per riscuotere l'assicurazione, intimidazioni, sai, quel genere di cose che fanno le persone perbene. E devo dire che mi pagava bene, non posso proprio lamentarmi. La pensione la arrotondavo alla grande.

«Morale della favola, mi chiama e mi dice che stanno dietro a una faccenda che va affrontata di petto. Non correrò alcun rischio, mi garantisce, perché alla fine si metterà tutto a posto con la successiva perizia. In parole povere, da me si aspettava che ogni cosa fosse ridotta in cenere. Mi ha concesso una settimana per organizzarmi e ha detto di aspettare, che mi avrebbero fatto sapere quand'era il momento di intervenire. Mi sono toccati anche un paio di sopralluoghi notturni, sai, per capire bene che tecnica usare. Avevano una specie di rimessa dove tenevano il trattorino, il tagliaerba, quella roba lì. C'era della benzina e del fertilizzante. Insomma, un lavoretto che sarebbe riuscito a un principiante. Nel frattempo, immagino che abbiano seguito quei due per capirne le abitudini, poi una sera è arrivato il via libera per andare a bruciare tutto.»

«Trovo singolare che la cosa non ti faccia né caldo né freddo. Ne parli come di un picnic tra amici.»

«Cosa vuoi che ti dica? È passato un sacco di tempo e io tutta quella gente manco la conoscevo. In realtà nemmeno lo sapevo che in quel posto ci fossero tutti quei negri... Scusa, quegli extracomunitari. Però, *mors tua, vita mea*, non pensi anche tu? D'altra parte, adesso pagherò per quello che ho fatto, no? Poteva andarmi bene, invece mi avete beccato.»

«Il nitrato d'ammonio lo avevano loro?»

«Ma figurati, usavano un concime inoffensivo, roba da quattro soldi. Abbiamo fatto le cose per bene, quella sera, tutto il fertilizzante che tenevano nella rimessa ce lo siamo portato via noi. Io mi ero procurato diversi chili di nitrato d'ammonio. D'altra parte anche quello è inoffensivo, se non sai come farlo esplodere. Poi ci ho messo la benzina e la nafta. Per tua informazione, la nafta può raggiungere delle temperature micidiali. Con quella rischi che ti beccano subito. Comunque ha funzionato tutto a puntino, corto circuito, incendio, esplosione e tutto il resto. Mi spiace dirlo perché non c'è da andarne fieri, ma quei poveracci non avevano scampo.

«Mentre io sistemavo le cose con l'innesco, i due uomini di Jannello che erano con me hanno sparso il nitrato d'ammonio nell'orto e in giro per il giardino, poi ho dato fuoco alle polveri.»

«Immagino che ti sia goduto la scena.»

«Goduto no, ma... Insomma, è stato un capolavoro, non mi era mai capitato che un incendio divorasse così in fretta un edificio. Non so cos'avessero accumulato in quella palazzina, ma qualsiasi cosa fosse doveva essere altamente infiammabile. Ti garantisco che la velocità con cui si è propagato il fuoco mi ha davvero lasciato di stucco. Un quarto d'ora dopo bruciava come una pira. Uscivano vampate dalle finestre e dal tetto, faceva un rumore pazzesco, sembrava un urlo. Doveva esserci tanto di quel fumo da impedire qualsiasi reazione a chi era chiuso là dentro.

«Eppure, ogni tanto si udivano delle urla, grida confuse. Un tizio è anche riuscito a sollevare la serranda di una finestra, ma si vedeva che era già avvolto dalle fiamme. Non ha nemmeno trovato la forza di buttarsi di sotto. Che spettacolo terribile, il fuoco che si impadroniva rapidamente della notte. Dal punto in cui mi trovavo creava l'illusione di un falso movimento, una sorta di fessura spalancata sul buio...»

«Taglia con la poesia, per favore.»

«Un vero sabba, ti dico. Anche se erano le tre di mattina, parecchia gente è uscita dalle case vicine, gridavano, piangevano, si strappavano i capelli, ma non si potevano avvicinare per via del calore insopportabile. Non sono riusciti ad aiutarli in alcun modo. Il culmine della follia è stato quando si sono sentiti quei colpi alla porta d'ingresso, deboli all'inizio, poi sempre più forti, come se qualcuno la prendesse a calci o a spallate. Un suono disperato, sai? Prova a immaginarti la scena, un vero inferno. Il legno era in parte carbonizzato e alla fine ha ceduto. Sono venuti fuori in tre, si riparavano con una coperta che stava bruciando. Sono riusciti ad allontanarsi di qualche metro, poi sono caduti a terra. Quelli che c'erano lì fuori li hanno trascinati via dopo aver spento le fiamme. Mai avrei pensato che qualcuno potesse salvarsi da un incendio del genere.

«I pompieri sono arrivati venti minuti dopo. A quel punto credo che l'edificio stesse in piedi per miracolo, bruciava come una torcia. Ricordo di aver pensato che se lì dentro avevano nascosto qualcosa, potevano scordarsi di recuperarlo.»

«Perché sei rimasto lì?»

«Non lo so. All'inizio perché volevo essere sicuro che l'innesco funzionasse a dovere, poi... Be', lo conosci il fuoco, no? Cosa c'è di più bello da guardare?»

VENTISEI

Vi consiglio di fare attenzione

Venerdì 24

La differente ampiezza con cui si può guardare questo mondo, aveva sempre pensato Abdel, era stabilita da quanto peso si tende ad accordare alla morale. La sua giovinezza l'aveva impiegata a sfuggire quel concetto, la morale, che detestava sopra ogni cosa. Per reazione, non si era mai davvero preoccupato che le sue azioni andassero contro i valori o i princìpi in base a cui altri individui prendevano invece le proprie decisioni.

Col passare del tempo, si era convinto che fare o subire la morale fosse sbagliato. Riteneva che si trattasse di un'arma a doppio taglio con la quale si finiva sempre per ferire se stessi.

Rispetto a quel sentimento cui la gente tende a dare così tanta importanza, il suo punto d'origine, lo stato sociale dei suoi genitori e il luogo stesso dov'era nato lo avevano sempre costretto in una posizione ambigua. Tale ordine era accompagnato da immagini di trasgressione che tendevano ad allontanarlo dalla morale almeno quanto l'idea dell'inferno allontanava alcune persone dal commettere le nefandezze che avrebbero desiderato.

Tuttavia, questo non gli impediva di indignarsi quando riteneva che un gesto, o una serie di gesti, superasse la soglia della lecita convivenza civile. Cosa che in genere – e quello doveva essere un caso lampante – avveniva sulla pelle di altri esseri umani, per questioni puramente economiche. La maniera in cui era stata trattata Blessing superava con abbondanza la soglia di qualsiasi tipo di morale, da qualunque lato la si volesse guardare. Le persone responsabili meritavano di venire annientate.

Ciò di cui stava parlando Numero Uno in quel momento, giusto per fare un esempio, non faceva che consolidare questa sua convinzione. Le due giovani nere raccolte sulla strada assieme a lei avevano lasciato di nascosto la casa protetta in cui erano ospitate. La loro intenzione, secondo l'opinione dei volontari che le avevano avute in custodia, era di tornare dalla loro *maman* e da quegli stessi criminali dai quali erano fuggite.

«E Blessing?» chiese Max.

«Per fortuna ha deciso di rimanere» lo informò il vecchio. «Lei vuole raggiungere Ismail.»

«Quando è successo?»

«Ieri notte. Io l'ho saputo questa mattina dalla dottoressa Spadaccino. Prima di scappare si sono confidate con alcune delle ragazze che vivono là dentro. Erano terrorizzate, temevano una reazione violenta dei loro protettori o possibili ripercussioni sulle loro famiglie.»

«Non c'è una sorveglianza, in quel posto?» sbottò Sanda.

«Si sono calate da una finestra in piena notte.»

«Erano sole?»

«No, nella stanza assieme loro dormivano altre due donne. Prima di dare l'allarme hanno aspettato che fossero lontane.» Il vecchio allargò le braccia come per dire che non poteva farci nulla.

«Sono preoccupato per Blessing» ribadì Ventura. «Potrebbe essere in pericolo.»

«Ho chiesto che la trasferissero in un'altra struttura» lo rassicurò Numero Uno. «In ogni caso...» Prese un foglio piegato dalla tasca interna della giacca e lo diede a Max. «Questa è l'autorizzazione. Lasciamo passare il weekend, c'è troppa gente in giro. Lunedì Blessing vi porterà da Ismail Durka.»

«L'essenziale è che nei prossimi giorni non riescano a metterle le mani addosso per impedirle di accompagnarci.»

«Sarà spaventata, poveretta» disse Vittoria, che avendo una figlia riusciva a immaginarne meglio degli altri lo stato d'animo della giovane prostituta.

«Quando ha deciso di lasciare la sua *maman*, sapeva che avrebbe corso dei rischi» tagliò corto il vecchio. «Comunque, adesso si trova in un posto sicuro, non lo conosce nessuno. Lunedì la passerete a prendere e la porterete con voi. Se non mente, in giornata avrete la possibilità di parlare con Ismail.»

«C'è sempre l'eventualità che Durka non si faccia trovare.» Abdel incrociò le braccia guardando scettico il vecchio. «O che non sia solo e ci metta nelle condizioni di dover reagire.»

«Non è un'ipotesi da scartare» ammise Numero Uno. «In quel caso la sicurezza di Blessing è la cosa fondamentale. Evitate di scontrarvi e riportatela indietro tutta intera.» Prese la sua ventiquattrore di pelle e ne tirò fuori una cartellina di plastica trasparente. Conteneva alcuni fogli che posò sul tavolo. «Abbiamo a che fare con gente pericolosa. Qui ho i primi risultati degli esami autoptici e balistici sul cadavere di Sofia Avesani.»

«Qualcosa di sensazionale?» Sanda non riuscì a evitare il tono sarcastico.

«Giudichi lei» ribatté il vecchio senza scomporsi. «Dal corpo della dottoressa Avesani hanno estratto due proiettili. La loro particolarità è saltata subito all'occhio dei tecnici della balistica.»

Mostrò la foto di due pallottole di forma cilindrica, parte in piombo, parte in rame, appena rastremate sulla punta. Erano deformate in modo leggero dall'impatto, ma si vedeva a occhio nudo quanto differissero dai normali proiettili a ogiva.

Silenzio in aula e sguardi interrogativi.

«Secondo il rapporto tecnico provengono da cartucce russe 7N36, un tipo di munizione a dir poco particolare.»

«Non ne ho mai sentito parlare» ammise Max che dei quattro, data la lunga carriera criminale, era quello più preparato nell'uso delle armi da fuoco.

«Sarebbe singolare che non fosse così. È un tipo di proiettile totalmente silenziato, in dotazione ai servizi segreti dell'URSS durante la guerra fredda. Viene utilizzato su un numero limitato di armi corte, in sostanza su un paio di pistole e un revolver.»

«Cosa intende per "totalmente silenziato"?» domandò Sanda.

«Al momento dello sparo non emette alcun suono tranne quello meccanico del percussore. Il nostro assassino deve aver usato un revolver...» Prese una seconda foto che mostrava una rivoltella simile a quella che avrebbe potuto avere un personaggio di Walt Disney. «Un revolver sovietico OTs-38 Stechkin a cinque colpi.»

«Com'è possibile?» chiese scettico Max. «Nessun tipo di revolver può montare un silenziatore. Lo sparo farebbe comunque un rumore infernale.»

«Difatti, signor Ventura. In questo caso è la cartuccia a essere silenziata. Al momento dello sparo, una moderata quantità di polvere aziona un pistone che spinge il proiettile fuori dalla canna e nel contempo sigilla il bossolo impedendo la fuoriuscita dei gas. Questo ne evita l'espansione e annulla del tutto il suono dello scoppio. In sostanza, se la utilizzassi nella stanza accanto, voi non sentireste nulla.»

«È diabolico» si lasciò sfuggire Vittoria.

«Ci sta per caso dicendo che la dottoressa è stata uccisa da un killer del KGB?» scherzò Abdel.

«Niente affatto. Ma qualcuno aveva a disposizione quell'arma, signor Soltani, e la cosa non è affatto divertente. Per il mio ufficio, sarebbe comunque interessante sapere come se l'è procurata.»

«La mafia russa potrebbe usare un aggeggio del genere» disse Max dubbioso. «Anche se è difficile considerare l'ipotesi che un sicario dell'Est sia venuto fin qui solo per sparare all'Avesani.»

«In ogni caso» ribadì Numero Uno, «questa rivoltella ci regala almeno due certezze. La prima è il motivo per cui nessuno ha sentito i colpi; la seconda è che un rapinatore occasionale non potrebbe possedere un'arma tanto sofisticata. E questo non lascia dubbi: hanno ucciso Sofia Avesani per tapparle la bocca.»

«Visto che ci ha gettati nell'arena in pasto ai leoni» lo apostrofò Sanda in tono sgarbato, «ha qualche buon suggerimento da darci per una circostanza del genere?»

Il vecchio la fissò assorto per alcuni istanti. Non credeva troppo nel rimorso. Ciò che l'aveva spinto a chiudere un occhio nei loro confronti lo reputava piuttosto un gesto dovuto. Non si biasimava per averli coinvolti fino a quel punto, lo riteneva anzi più che necessario. Li avrebbe aiutati a ripulire la loro anima rudimentale e a rifarsi, come dire, una verginità sociale.

«Non molti» borbottò quindi, come parlando a se stesso. «Questa gente ha cominciato a sparare, perciò vi consiglio di fare attenzione.»

VENTISETTE

Stringendo su di lui

Tiziano Alga dormiva male da diverse notti, e questo influiva in modo nefando sulle sue giornate, che diventavano lunghe e pesanti. Si sentiva come quei buoi che trascinano enormi carri di letame in giro per la campagna, ne sentiva la fatica e la puzza. Quella stanchezza che stentava a levarsi di dosso alimentava la sua naturale passività, che a tratti diventava più forte di qualunque altro stimolo.

Per questo, quando doveva prendere una decisione o almeno sentiva l'esigenza di farlo, veniva immediatamente colto da una sorta di debolezza esaltata che esercitava su di lui l'effetto opposto a quello che si sarebbe auspicato, rammollendolo, paralizzandolo o costringendolo a rimanere in attesa di un qualche genere di evento miracoloso che risolvesse i problemi al posto suo. Tendeva così ad abituarsi a un'attesa che rischiava di diventare una condizione cronica che per essere vinta avrebbe avuto bisogno di una valida motivazione.

E lui in quel momento di motivi ne aveva uno solo, cercare di uscire da quel pantano nella migliore condizione possibile. La sensazione di essere preso in una morsa che andava chiudendosi in maniera inesorabile non lo mollava un secondo. Quando aveva raccontato a Di Fazio dei due sbirri e della chiacchierata con la Tagliaferri, si era aspettato che lui chiamasse l'Avesani e la pagasse per continuare a tacere. Invece quell'idiota ne aveva parlato a Jannello che, senza consultarsi con lui, aveva deciso di toglierla di mezzo. E adesso i giornali non parlavano d'altro.

Non riusciva a capire chi potesse aver rimesso in discussione quella vecchia storia che pensava morta e sepolta. La targa dei presunti sbirri che aveva visto parlare con la Tagliaferri doveva essere falsa, perché non corrispondeva a nessun veicolo in circolazione. A pensarci, si trattava di un particolare inquietante.

Qualcuno stava di nuovo indagando, l'Interpol o chi cazzo era, e sembrava intenzionato a non mollare. E questo gli toglieva il sonno, perché quei sedici cadaveri carbonizzati non avrebbero mai smesso di essere una bomba a orologeria che prima o poi, ne era certo, gli sarebbe esplosa in faccia.

Anche se avevano tagliato diversi legami con il passato, ne rimanevano parecchi, il più importante dei quali era la proprietà della Millenium Phœnix che Luigi aveva voluto mantenere. All'inizio era stata una vera e propria miniera di denaro, su questo non c'erano dubbi, ma al momento buono l'avrebbero dovuta mollare. Invece il suo socio l'aveva tenuta facendola acquistare dalla Subra Net. E se esisteva una via per arrivare fino a loro, passava da quella parte. E prima o poi l'avrebbero trovata.

Invece di sparare all'Avesani, Jannello si sarebbe dovuto occupare di quel negro della malora. Lui sì che sapeva tante cose, sufficienti comunque a mandarli tutti in galera per un pezzo. Purtroppo se l'era squagliata prima che riuscissero a capire quanto fosse pericoloso e per ora non c'era stato verso di trovarlo.

Fermo a un semaforo chiese al bluetooth dell'auto di fare il numero di Jannello.

«Ciao, Tizià, che cazzo succede?» disse la voce del socio.

«Nulla, sto andando in ufficio e volevo sapere se ci sono delle novità.»

«Che novità?»

«Su Ismail.»

«Tranqui, amico, non ti fare il sangue amaro. È tutto sotto controllo, la risolviamo alla svelta.»

«Sei sicuro? Quello ha in testa l'abc, hai capito? Dalla A alla Z. Se si mette a cantare è meglio di *X Factor*.»

«Canterà, ma con i cherubini. In un colpo solo facciamo le pulizie generali. Mi conosci, no? Li banniamo tutti quanti. Se ne sta occupando lo Spada, devo dirti altro?»

«D'accordo, Lou. Ma non era meglio affidare la questione a Modafferi?»

«Spadafora è il top del top. Lascia le decisioni ai grandi, non ne sai un tubo di queste cose.»

«Ok, se lo dici tu...»

«Dormi tra due guanciali, se ne occupa zio Luigi. Ti saluto.»

Chiuse la comunicazione. Nel frattempo il semaforo era diventato verde. Proseguì lungo corso Stati Uniti, poi svoltò per trovare un posto dove parcheggiare.

Con quella sua aria da spaccone, Jannello lo mandava in bestia. Trattava tutti come tirapiedi, anche lui che tutto sommato aveva fatto la sua fortuna. Aveva accumulato tanto di quel denaro da non sapere cosa farne per più generazioni. Ma di generazioni non ne aveva manco una. Forse era giunto il momento di tirare i remi in barca. Se fosse stato furbo, avrebbe mollato l'osso. Con tutti quei soldi poteva ritirarsi e vivere come un pascià in uno di quei paradisi fiscali dove c'erano mare, cibo buono e tanta figa.

Alga uscì dalla Audi con un sospiro e attraversò via Vela diretto verso l'elegante palazzina in cui aveva aperto il suo ufficio. Da lì poteva controllare il modesto ma estremamente remunerativo impero che aveva messo in piedi con Jannello. Tutto ciò che riguardava la Subra Net era lì dentro e da quel punto privilegiato, senza che Settembrini lo sapesse, poteva controllare pure i movimenti della Instant Farma – che ormai considerava sua – e tutto ciò che combinavano giù a Benin City tramite quel che restava della Millenium Phœnix, in pratica una stampante per fatture false.

Visitò alcune boutique che era solito frequentare dove comprò due giacche estive, qualche camicia, dei pantaloni con indosso i quali si immaginò strafigo, e due paia di mocassini di una pelle talmente morbida che pareva velluto.

Si stava incamminando verso l'ufficio carico di pacchetti, quando vide uscire da un portone una giovane naiade sui venticinque, bruna, elegante, carrozzata Pininfarina, che stringeva tra le braccia un mazzo di cartelline colorate. Forse la segretaria di uno dei tanti notai che infestavano la zona. Indossava una camicetta azzurra di seta, una corta gonna bianca e aveva bei piedi calzati in sandali dal tacco alto.

Un vero tocco, come quelle che piacevano a lui. Decise di lasciar perdere il lavoro e le andò dietro godendosi il suono intermittente dei suoi tacchi sul marciapiede. La ragazza lasciava nell'aria un lieve sentore di mughetto che Alga, intanto che pensava come abbordarla, aspirò con voluttà. Controllò nella tasca della leggera giacca estiva e le sue dita si chiusero sulla boccetta di GHB, l'Ecstasy liquida che aveva sempre con sé. Se gli riusciva di agganciarla l'avrebbe invitata a bere qualcosa e poi... be', magari ne veniva fuori una seratina coi fiocchi.

La donna si fermò accanto a una Ypsilon verde petrolio, l'aprì e si chinò per mettere le cartelline sul sedile del passeggero, offrendo così a Tiziano un panorama irresistibile che tendeva in magnifiche rotondità il tessuto sottile della gonna. Mentre lei sedeva al volante ebbe pochi secondi per decidere se fare uno scatto per fermarla o meno. Infine la guardò partire con un sospiro. Con tutta quella mercanzia che aveva in mano, non poteva certo mettersi a correre.

Girò sui tacchi e tornò verso la palazzina. Entrò in ufficio, salutò ad alta voce senza ottenere risposta, poi raggiunse il suo studio a cui, inutilmente, aveva cercato di dare una parvenza di eleganza culturale. Al contrario, i brutti quadri e gli oggetti costosi ma pacchiani che aveva raccolto attorno a sé gli gettarono in faccia la certezza di ciò che era in realtà, uno zoticone arricchito. Bello come un attore, certo, ma pur sempre uno zoticone.

Sedette all'ampia scrivania di cristallo a forma di fagiolo e spostando con gesti distratti i fogli che aveva sul sottomano si mise a pensare alla brunetta che si era appena lasciato scappare. Stava cincischiando una bozza di contratto quando sentì bussare alla porta.

Vrenna entrò senza aspettare il permesso e si sedette sulla poltroncina davanti a lui, una cosa che mandava in bestia Alga. Rimase comunque in silenzio a fissarlo senza simpatia.

«Ci hanno provato di nuovo» lo informò l'uomo.

Aveva il viso butterato, con tratti contadini che neanche il susseguirsi di generazioni era riuscito a scalfire. I capelli folti, color topo, e la camicia di lino bianco spiegazzata gli davano l'aria del *viveur* uscito da una canzone di Fred Buscaglione.

«Hanno provato a far cosa?» disse sgarbato Alga.

«A entrare nel nostro server. Jannello non ti ha detto niente?»

Tiziano aprì bocca senza emettere alcun suono. Nonostante il tentativo di non mostrare il proprio turbamento, ebbe quasi l'impressione di sentire il freddo metallo delle manette stringersi sui polsi.

«Chi...» riuscì infine a balbettare. «Chi diavolo lo sta facendo?»

«Ci sto lavorando. È qualcuno che sa il fatto suo, altrimenti a quest'ora lo avrei già beccato.»

«Credi che sia la polizia?»

«E perché mai dovrebbe essere la polizia? La Subra Net è un'azienda come tante altre. No, è un ficcanaso di altro genere.»

«Bisogna fermarlo» disse Alga risoluto.

«Per sapere chi è devo dargli un po' di corda.»

«Cosa vuol dire?»

«Che devo lasciarlo entrare. Solo così lo posso beccare.»

«E vuoi lasciare che si faccia i cazzi nostri?»

Il viso butterato di Vrenna si deformò in una sorta di ghigno che voleva essere divertito, ma a Tiziano parve quello di una maschera grottesca.

«Non avrà tempo di fare nulla, perché gli daremo una bella lezione. Rocco e Toni sanno come trattare gli spioni.»

Stava parlando di Silano e Pennestrì, i due picchiatori di Jannello, gente pericolosa dalla quale era meglio stare alla larga.

«Cosa pensi che stia cercando quel tipo?» chiese.

Vrenna fece spallucce. «Magari sta solo giocando. Oppure si tratta di spionaggio industriale. La Subra fa un sacco di soldi con il commercio dei ricambi. Può essere che qualcuno intenda scalzarci per prendere il nostro posto. È già successo.»

«Sei certo che non sia la polizia? Con 'sta storia dell'Avesani potrebbero averci messo gli occhi addosso.»

«Ma va', quella tipa non ha mai avuto niente a che fare con la Subra Net. E poi mi risulta che Modafferi abbia fatto un lavoretto pulito. L'unica cosa che scopriranno sarà che le ha sparato con quella cazzo di stramba pistola che ha preso chissà dove.»

«Mi auguro che tu abbia ragione.»

«Vedrai, alla fine sarà qualche ragazzino brufoloso che passa la giornata sul telefonino e si crede un hacker. Anche se...»

«Anche se?»

«Ha l'aria di conoscere bene i sistemi e non è un dilettante, questo te lo posso garantire.»

«In effetti ci sono studenti del liceo più svegli di quei tipi di Houston che hanno spedito l'uomo sulla luna» disse Alga, più per convincere se stesso che l'altro.

«In quel caso basterà qualche sberla ben data. Comunque, stai tranquillo» concluse Vrenna, «se ci riprova lo becco di sicuro.»

Prima di alzarsi gli puntò un dito a mo' di pistola e fece l'occhiolino. Tiziano lo seguì con lo sguardo mentre usciva dalla stanza. Gli tornò in mente il paradiso fiscale pieno di figa, dove il solo problema che avrebbe avuto sarebbe stato quello di trovare sistemi divertenti per spendere i suoi soldi.

Ma per il momento era incapace di togliersi dalla testa l'immagine che continuava a perseguitarlo: una morsa d'acciaio che si stava stringendo su di lui.

VENTOTTO

Il loro stesso percorso

Lunedì 27

La mattina, prima del sorgere del sole, l'aria offriva una trasparenza in cui ogni cosa sembrava accentuare la propria forma esaltando particolari che in circostanze normali erano a malapena visibili. Tutto quanto appariva come in uno di quei rari sogni che capita di ricordare per breve tempo dopo il risveglio. Con lentezza accelerata la luce perdeva la sua componente azzurrina, man mano che la progressione dell'alba superava la cima delle montagne per spandere il proprio chiarore sul mondo.

La Volvo di Max aveva lasciato l'autostrada prendendo l'ultima uscita prima del Frejus e adesso stava attraversando l'abitato pressoché deserto di una località di villeggiatura. Dal finestrino socchiuso entrava una brezza fredda che si sarebbe scaldata soltanto alla luce della giornata estiva.

Sparuti gruppi di neri erano le sole persone in giro a quell'ora del mattino. Alcuni di loro avevano zaini in spalla e si muovevano come carbonari verso l'ennesimo tentativo di passare oltre frontiera. Altri ciondolavano accanto alla stazione aspettando che i locali dell'associazione Rainbow for Africa aprissero i battenti, mentre i volontari della Croce Rossa davano loro un po' di cibo e del tè caldo per colazione.

Sul sedile posteriore, stretta tra Sanda e Abdel, Blessing li osservava in silenzio. Forse ne immaginava l'intento, ma il suo sguardo pareva perso a una distanza siderale. Indossava dei bermuda colorati, la camicetta che le aveva portato Sanda e un maglione stretto in vita. Ai piedi portava calze di cotone bianco e scarpe da camminata con la suola a carrarmato.

Max passò accanto al villaggio olimpico e infilò la provinciale 216 che saliva verso il pian del Colle. La strada correva tra piante, arbusti e prati che si allungavano in dolci declivi verso i contrafforti di roccia che la trasparenza dell'aria faceva apparire lontani. Le cime ancora innevate sorgevano come una muraglia sopra le morbide rotondità delle colline coperte di conifere dalle varie tonalità di verde.

Qui e là diversi edifici – per lo più baite, villette e campeggi di fronte ai quali erano posteggiati automobili, furgoni e qualche camper – parevano sparsi a caso nella natura. Superarono una località che si chiamava Les Arnauds e il paesaggio divenne più selvaggio e meno abitato. I piloni degli impianti di risalita fermi segnavano come chiodi le larghe ferite sul dorso della montagna. Attorno alle stazioni di partenza si raccoglievano piccoli agglomerati di edifici, negozi di attrezzatura e residenze estive.

Seguendo la cartina che gli aveva dato Blessing, Max proseguì fino a un rettilineo a lato del quale si apriva un lungo parcheggio pieno di vetture. Adesso le creste si ergevano granitiche attorno alla valle. Fermò l'auto in un posto libero, poi scesero tutti. Un ampio prato digradava alla loro destra lasciando appena intravedere la sommità di piccole costruzioni di legno, ognuna delle quali aveva sul tetto una parabola per la TV satellitare. Doveva trattarsi di un campeggio o qualcosa del genere.

Guardò l'ora. Erano le sei meno un quarto e non c'era anima viva. Lasciata la città con il buio, per giungere fin lì avevano impiegato poco meno di due ore. I suoi compagni si stavano sgranchendo le gambe passeggiando attorno alla Volvo. Tutti quanti indossavano l'abbigliamento adatto a una camminata in montagna. Ventura era l'unico con i pantaloni lunghi, gli altri li portavano tagliati al ginocchio.

Vittoria si avvicinò a Max sollevando sui capelli gli occhiali da sole. Nonostante gli abiti comodi, la figura longilinea non perdeva nulla della sua sensualità. Scambiarono qualche parola prima di mettersi a guardare la cartina e Max indicò un punto a sinistra della piramide di roccia che Ismail aveva chiamato "Aiguille Rouge".

«Il sentiero parte oltre quelle balze» disse, «dove cominciano le rocce. Dobbiamo raggiungere le pendici della montagna, poi si sale in diagonale verso il valico.»

«La mappa ti sembra verosimile?» chiese Vittoria.

Ventura si strinse nelle spalle. «È fatta a mano, ma ha l'aria di un lavoro accurato. Alcuni segni servono a capire se siamo sulla strada giusta. Penso che indichino il percorso ai rifugiati che tentano la traversata.»

«Non ti sembra strano che Ismail si nasconda lassù?»

«Tutta questa storia mi sembra strana. Cerchiamo di tenere gli occhi aperti.»

«Sarà una bella sgambata» disse Abdel guardando verso la montagna. «Forse è meglio se ci diamo una mossa.»

Sanda si avvicinò a Blessing. Trovò che fosse carina, così, con l'aria perbene e vestita come loro.

«Pensi che a Ismail piacerai?» le domandò.

Lei sorrise. «Credo di sì. Non volevo sembrare...»

«Non lo sembravi nemmeno prima. Sei solo una bella ragazza.»

Blessing si guardò attorno imbarazzata. «Sento che Ismail è vicino» mormorò.

«Non sa che stai arrivando, immagino che per lui sarà una bella sorpresa.»

«Siete pronte?» le richiamò all'ordine Max.

Raggiunsero gli altri sul retro della Volvo. Posarono tutti i cellulari nel baule e presero gli zaini con dentro un minimo di attrezzatura, l'acqua e il cibo da consumare durante la salita. Infine si misero in marcia.

Pareva un falsopiano, invece i prati si arrampicavano verso la base delle rocce con una pendenza che da subito rese il cammino faticoso. La mancanza di un sentiero, le pietre affioranti e l'erba alta rallentavano il passo.

Il sole stava già illuminando il fondovalle, quando raggiunsero la prima pineta. Il sentiero non doveva essere lontano e i cinque camminavano in ordine sparso, in silenzio. Nessuno di loro, a parte Sanda, era allenato per quella passeggiata in salita. Da qualche parte tra il colle e la cima dell'Aiguille Rouge doveva esserci un passaggio che dopo il valico portava giù a Névache o Briançon.

Max si trovò a camminare accanto a Blessing che marciava di buona lena, come sospinta da un'energia soprannaturale. Con un sorriso le diede una pacca di incoraggiamento sulla spalla.

«Tutto bene?» chiese.

La ragazza annuì. Fecero qualche altro passo l'uno accanto all'altra. «Non ti manca il tuo Paese?» chiese Max a un certo punto.

«Un po'» ammise. «Però credo che qui si può vivere meglio. Giù non ci sono certezze.»

«Quanti siete in famiglia?»

«Io sono figlia della seconda moglie di mio papà, lei è morta. Ho due sorelle che stanno ancora a Benin City. I tre figli delle altre mogli sono andati ad Abuja per cercare lavoro e non li abbiamo più visti. Mio padre si occupava poco di noi, riusciva appena a darci da mangiare.»

«Dopo che sei arrivata in Italia hai potuto parlare con lui o con le tue sorelle?»

«No, credono che io sia in Belgio. Volevo mandare dei soldi, ma la *maman* mi portava via tutto quello che guadagnavo. E poi mi vergogno, non voglio che sappiano cosa facevo.»

«Sei stata costretta, non devi fartene una colpa.»

Blessing si strinse nelle spalle. «Quando sono arrivata in Italia, volevo lavorare da parrucchiera. Sono brava, perché a Benin City ho imparato bene. Le persone che portano qui noi non danno nessun documento. Io non sapevo che fosse necessario un permesso di soggiorno. Senza, non si può lavorare.»

«Sistemeremo tutto, vedrai.»

«Volevo solo cambiare la mia vita» disse con amarezza. «Il vero problema, se vuoi lasciare il lavoro di strada, è che nessuno ti può davvero aiutare.»

Uscirono dalla boscaglia di conifere che si stendeva su un falsopiano di terra e rocce e attraversarono una pietraia in mezzo alla quale scorreva un ruscello di acqua gelida di colore grigiastro. Si fermarono su uno spiazzo all'attacco di un sentiero appena accennato che si arrampicava serpeggiando lungo un dislivello di qualche centinaio di metri. La parte superiore di un grosso sasso era scalfita da un segno dall'aria tribale che Ventura confrontò con quello sulla mappa.

Fecero una sosta e bevvero qualche sorso dalle borracce.

«Hai qualche riscontro?» chiese Abdel.

Max mostrò il segno. «Siamo sulla strada giusta.»

«Non poteva nascondersi in città?» si lamentò il kabilo. «In una fabbrica abbandonata, magari. Proprio in cima a una montagna doveva andarsi a ficcare.»

«Un po' di movimento ci fa solo bene» scherzò Vittoria. «Questa storia stava diventando ossessiva.»

«Siamo già in Francia?» domandò Sanda.

«Da più di mezz'ora.»

«Non c'è il rischio di incontrare i *flic*? Sarebbe un bel casino.»

«Da questa parte della montagna in genere non vengono. Se non cambiamo versante, non dovremmo fare brutti incontri.»

Su in alto, sulla costa della montagna dove la vegetazione si faceva più rada, videro due figure che salivano lente. Max prese un piccolo binocolo dallo zaino e seguì il loro passo lento per qualche minuto.

«Chi sono?» chiese Sanda.

«Due neri» disse dando lo strumento alla ragazza. «Cercano di passare la frontiera, è probabile che siano partiti questa notte. Il sentiero che ha segnato Ismail dev'essere quello che utilizzano per espatriare. Può darsi che lassù ci sia una sorta di rifugio e che scendano di notte verso Névache.»

Sanda restituì il binocolo. Max diede un ultimo sguardo, ma i due si erano intanto infilati in un folto gruppo di abeti. Il sole illuminava ormai buona parte del vallone e cominciava a fare caldo. Si levarono le maglie e le misero negli zaini, poi ripresero a salire lungo il pendio. Adesso la marcia era più lenta e faticosa. Procedevano in fila indiana, con Max che apriva la strada, Blessing al centro con le ragazze, e Abdel in coda al gruppo.

Nell'ultimo tratto, il sentiero prese ad arrampicare lungo una sorta di canalone spoglio nel quale cresceva una vegetazione rada e striminzita, costellato di grosse rocce e pietre che ne rendevano impreciso il tracciato. Trovarono altri due segni che erano riportati anche sulla piantina.

La fatica cominciava a farsi sentire. La salita era più impervia e difficoltosa di quanto avessero potuto immaginare. Spesso si interrompeva o si biforcava e senza i segni di Ismail non sarebbero mai riusciti ad arrivare nel posto giusto.

Per raggiungere la prima sella, che si trovava più o meno a metà del percorso, impiegarono oltre due ore e mezzo. Fecero una seconda sosta sedendo sulle rocce affioranti e questa volta mangiarono anche un pezzo di cioccolato.

Sopra di loro il fianco della montagna si alzava quasi dritto, una parete rugosa e inaccessibile dove la vegetazione cominciava a diradare. Il cielo era di un azzurro profondo, quasi innaturale, appena striato da nuvole impalpabili che si muovevano veloci. Salirono un'altra mezz'ora e d'un tratto sbucarono davanti alla strada che portava al col de l'Échelle. Max li fermò al coperto dei rami perché un camper stava arrancando su per la salita.

Aspettarono che si allontanasse, poi attraversarono in fretta e percorsero qualche decina di metri di asfalto finché non trovarono il segno che indicava la ripresa del sentiero. Rallentarono soltanto quando furono di nuovo al riparo degli alberi e fecero una nuova sosta su una sporgenza di roccia che affacciava sul vallone.

Se tutto procedeva secondo i piani, a metà mattinata avrebbero raggiunto Ismail e dopo aver ascoltato ciò che aveva da dire non ci sarebbe stato altro da fare che tornarsene indietro. Potevano essere tutti a casa prima di notte. Il ristorante era chiuso, pensò Max, quindi avrebbe potuto ospitare Blessing per cena e magari darle pure da dormire. Una volta finita quella storia, si sarebbero occupati di trovarle una sistemazione migliore e l'avrebbero aiutata a cercare un lavoro.

Osservò la valle che svaniva in direzione della pianura in un misto di smog e di umidità. La strada ricordava un sottile nastro di seta e attorno al parcheggio le auto e le baracche del camping parevano particolari di una miniatura.

Distratto dalla bellezza del paesaggio, non si rese conto del SUV che aveva parcheggiato poco lontano dalla Volvo e non fece nemmeno caso alle cinque persone che si stavano preparando a seguire il loro stesso percorso.

VENTINOVE

Tutto questo tempo

Si lasciarono alle spalle un tratto a mezzacosta su un terreno argilloso, chiazzato di ciuffi di erba color ruggine e coperto di abeti verdissimi in mezzo ai quali gli aghi giallastri delle piante morte spiccavano come pennellate maldestre. Le rocce calcaree erano quasi bianche alla luce del sole, ma la parete in ombra che si alzava dritta alla loro sinistra era scura, piena di rughe e anfratti. Vi si arrampicava, in un equilibrio quasi impossibile, una vegetazione di conifere e arbusti che la faceva somigliare a un bosco verticale.

Camminavano ormai da più di tre ore e non dovevano essere lontani dalla meta. Adesso il tracciato saliva scosceso e scarno, appena visibile sulla superficie butterata del suolo. Come la pelle di un serpente enorme si arrampicava verso un immenso sperone di granito pallido che segnava l'ingresso di una gola o di un valico che ancora non potevano vedere. L'ultimo segnale lo avevano incontrato una ventina di minuti prima e, stando alla cartina, presto avrebbero dovuto imboccare l'ultima biforcazione, quella che li avrebbe allontanati dalle piste battute.

Camminavano in silenzio, gli uni dietro agli altri, ansimando leggermente per lo sforzo. Max si chiese se qualcuno da lassù li avesse già adocchiati. Qualunque cosa fosse la destinazione, i due neri che avevano visto marciare sopra di loro dovevano averla già raggiunta.

Fecero una pausa per bere. Al fondo della valle si vedevano una diga e lo specchio di acqua blu scuro di un bacino artificiale. La brezza leggera muoveva il bosco mitigando appena il caldo della giornata quasi estiva.

«Quanto cazzo manca?» ansimò Abdel.

«Non molto, credo» disse Max. «Risparmia il fiato.»

«A che altezza siamo?»

«Poco più bassi dei duemila, ci sono ancora troppe piante.»

Vittoria si era seduta sul tronco di un albero caduto e si stava sciacquando il viso. Sanda e Blessing, che al contrario degli altri non sembravano sentire la fatica, proseguirono per qualche decina di metri sul sentiero, all'ombra di piccole piante che contornavano la pista. Contro la mole immensa della montagna avevano l'aspetto di due lillipuziane. Si spinsero fino a una specie di cresta erbosa che sembrava segnare l'estremità di un abisso tra il costone sul quale stavano salendo e la parete di fronte che si ergeva in pieno sole, quasi verticale.

Sanda si voltò e fece loro segno di darsi una mossa. Gli altri si rimisero in piedi e si avviarono a passo lento per raggiungerla. Il costone in realtà non si apriva su un precipizio, ma digradava verso una stretta gola che passava tra le due cime. Sanda indicò una pietra sulla quale era inciso uno dei segni tribali di Ismail. Se non ci fosse stato, non avrebbero mai notato il tracciato che si staccava dal sentiero principale per costeggiare la gola seguendo l'attacco della parete di roccia.

Si incamminarono all'ombra degli abeti su un percorso quasi orizzontale che ogni tanto scendeva per poi risalire in costa seguendo l'andamento della montagna. Dopo una quindicina di minuti sbucarono su una fitta boscaglia di abeti, larici e betulle che saliva verso la cresta. Adesso il percorso era visibile solo grazie alla mancanza di aghi di pino sul terreno e per alcuni grossi sassi che ne segnavano a tratti la direzione.

Stavano per raggiungere la sommità quando una voce li colse di sorpresa.

«Chi siete?»

Si fermarono e Max alzò lo sguardo. Di fronte aveva due neri che impugnavano grossi bastoni. Portavano entrambi abiti da montagna e scarponcini. Uno era magro e alto, un bell'uomo dal fisico scattante e i muscoli sottili sotto la maglietta girocollo che indossava. L'altro era grosso come una casa e alto quasi due metri, aveva la cute talmente scura che nella penombra del bosco non se ne distinguevano quasi i lineamenti. Con addosso una pelle di leopardo, poteva passare per il classico numida dei film sull'antica Roma. Aveva il cranio rasato e braccia erculee. La T-shirt con il logo di Rainbow for Africa pareva scoppiare sotto la spinta dei pettorali possenti.

«Stiamo cercando Ismail Durka» disse Ventura.

«Come avete fatto ad arrivare fin qui?» lo apostrofò quello magro con aria sospettosa.

Blessing uscì da dietro la schiena di Abdel e gli sorrise.

«Ismail...»

Il giovane uomo di colore non poteva essere più sorpreso.

«Blessing?» balbettò. «Come sei riuscita...»

Con le lacrime agli occhi la ragazzina lo raggiunse. Ismail lasciò cadere il bastone e la strinse tra le braccia. Sembrava incredulo e commosso. Il numida non li perdeva d'occhio e continuava a impugnare la sua mazza.

«Com'è possibile?» domandò Ismail fissando Max.

«È stata liberata da un'associazione religiosa di volontari.»

«Un'associazione?»

Ventura raccontò in poche parole ciò che era successo nei giorni precedenti. Man mano che procedeva, il volto di Ismail si accigliava, come se non gli piacesse affatto ciò che stava sentendo. A un certo punto Max se ne rese conto e smise di parlare.

«È una trappola» disse il nero in tono risoluto.

«Una trappola?» chiese incredula Vittoria.

«Certo» sbottò Ismail. «Hanno usato lei per arrivare a me. Sono mesi che Alga cerca di farmi fuori.»

«Tiziano Alga?»

«Certo, è un vero pezzo di merda.»

«Ne sei sicuro?» Sanda lo fissò scettica.

«Non c'è altra spiegazione» strinse Blessing a sé. «Quella gente non si fa certo soffiare le ragazze in questo modo. Quando l'associazione l'ha liberata, era sola?»

«No» mormorò lei. «Eravamo in tre.»

«Dove sono le altre due?»

Blessing si mise a piangere in silenzio. Aveva l'aria affranta.

«Mi dispiace» singhiozzò, «volevo solo stare con te.»

«Sono scappate dalla casa protetta» ammise Max.

Scosso da quel pianto disperato, Ismail l'abbracciò attonito.

Accanto a loro, il gigante non aveva cambiato espressione. Se ne stava immobile con il suo bastone in mano, come se nulla al mondo potesse scalfire la sua sicurezza.

«Stanno arrivando» disse con profonda voce di basso.

«Nessuno ci ha seguiti» ribatté Sanda. «Ne sono sicura, ho controllato.»

«Non avevano bisogno.» Il numida la fissò impassibile. «Vi hanno messo un localizzatore, per seguire a distanza.»

«Non dire sciocchezze, Bozambo» lo apostrofò la nera. «Ci credi proprio così stupidi? Non avevano modo...» Un pensiero dovette passarle per la testa perché si interruppe di colpo e il suo sguardo si spostò su Blessing. «Dove hai preso quella collana?» le chiese.

Ancora turbata, la ragazza strinse la catenina che le avevano visto al collo durante l'interrogatorio.

«Me l'ha data Zubaydah» disse. «Una sera che ho portato più soldi del solito.»

«Toglila.» Sanda allungò la mano.

Lei la sfilò e gliela porse. La nera si rigirò fra le dita la piccola maschera tribale formata da uno stampo di latta piegato in due. Prese dalla tasca un coltello a serramanico e dopo aver liberato la lama separò la parte posteriore del monile. Un minuscolo aggeggio le cadde nel palmo.

Il numida si avvicinò, lo prese tra indice e pollice e lo osservò senza cambiare espressione. Infine, i suoi occhi neri cercarono quelli di Sanda.

«Io avevo detto» sorrise.

Lo posò su un sasso. Stava per fracassarlo con la base del suo bastone, quando Ismail lo fermò. Lo raccolse da terra e lo gettò giù nella gola.

«Sei tu che comandi?» domandò poi a Max.

«Qui non comanda nessuno. Mettiti bene in testa che adesso siamo tutti sulla stessa barca.»

Il nero lo fissò pensoso per qualche istante. Lungo il collo e sui dorsi delle mani si vedevano le cicatrici lasciate dal fuoco.

«Come ti chiami?» chiese infine.

«Max.»

Ismail si rivolse al numida. «Nawal, portali al rifugio. Io e messiè Max andiamo a vedere com'è la situazione.»

Ventura si tolse lo zaino e dopo aver preso il binocolo lo consegnò ad Abdel. Attesero di essere soli, quindi il nero gli fece segno di seguirlo. Risalirono un pendio scosceso che portava in cima alla parete tagliando il percorso lungo la gola dalla quale erano arrivati. L'ultimo pezzo era roccia pura, ma Max riuscì a superarlo senza difficoltà.

Si trovarono su una sorta di terrazza, chiusa da una rada boscaglia di pini striminziti e giallastri che affacciava sulla valle. Si sdraiarono nell'erba e strisciarono fin sul bordo del dirupo; giù in basso non si vedeva anima viva. Il parcheggio dal quale erano partiti sembrava lontanissimo.

Rimasero in silenzio per diverso tempo a osservare la vegetazione. Sulla strada diverse automobili e qualche camper si muovevano come insetti, se ne percepiva il ronzio portato dalla brezza. A un certo punto Ismail diede una pacca sul braccio di Max e indicò un punto alla base di una parete rocciosa parecchio più in basso.

«Il falco vede il coniglio solo se si muove» disse.

Un gruppo di uomini stava attraversando una radura tra le piante. Erano in cinque e viaggiavano leggeri. Vestivano indumenti inadatti alla camminata e per questo procedevano con difficoltà. Tre di loro stavano fumando. Un quarto indossava addirittura un abito grigio e il quinto, sovrappeso, continuava ad asciugare il sudore sul viso con un fazzoletto bianco.

Max portò il binocolo agli occhi. Riconobbe subito l'atteggiamento, ne aveva visti tanti come loro, ai bei vecchi tempi. Nonostante in quel paesaggio fossero del tutto fuori luogo, con gli abiti da città e le scarpe infangate, si rese conto di avere di fronte dei professionisti da non sottovalutare. Il tizio in giacca e cravatta aveva a tracolla un corto mitra munito di silenziatore, gli altri dovevano essere armati di pistola. Si trattava di ciò che a Marsiglia lui e i suoi compari chiamavano una squadra di disinfestazione.

Passò il binocolo a Ismail, che li osservò con calma finché non scomparvero di nuovo nella vegetazione.

«Avete delle armi?» chiese Max.

Il nero scosse il capo. «Siamo nei pasticci» brontolò.

«Non dare la colpa a Blessing» disse. «L'hanno usata senza che lei lo sapesse.»

«Questo non cambia le cose. Presto saranno qui.»

«Quanto pensi che impiegheranno?»

«In quelle condizioni, non meno di tre ore.»

«È possibile che abbiano saputo della piantina che le hai dato e ne abbiano fatto una copia a sua insaputa.»

«È stato il padrone del *money-transfer*» disse rabbioso Ismail. «Sapeva di me e di Blessing e mi ha venduto a quella gente.»

«Pensi che la sua fuga l'abbiano organizzata loro?»

«Non c'è dubbio, altrimenti le altre due ragazze non sarebbero tornate indietro.»

«Comunque, ha l'aria di una spedizione organizzata come si deve. Credi che si siano resi conto che abbiamo scoperto il segnalatore?»

«Può darsi. Comunque ho fatto bene a impedire che Nawal lo distruggesse. Magari seguiranno il segnale in fondo alla gola e questo gli farà perdere tempo.»

«Dubito che si lascino prendere per il naso; a parte l'abbigliamento, non sembra un gruppo di sprovveduti.»

«Se scendessimo in Francia?» propose Ismail.

«Non lo possiamo fare» rispose Max in tono perentorio.

L'altro voltò il capo per dargli uno sguardo. «Cosa vuoi dire?»

«Che per noi sarebbe anche più pericoloso.»

«Anche qui non ci sarà da scherzare» brontolò.

Dal tono Max capì che era preoccupato. Forse anche qualcosina di più. «Torniamo dagli altri» suggerì. «Avevo previsto un'eventualità del genere, nello zaino ho della roba che potrebbe aiutarci.»

Arretrarono strisciando sul terreno, poi si alzarono e rifecero il percorso al contrario. Tornarono dove avevano lasciato i compagni e risalirono la boscaglia fino a un punto in cui la gola si apriva su un passaggio coperto da una fitta vegetazione e da spessi arbusti carichi di foglie.

Attraverso il disegno intricato dei rami si scorgevano la valle di Névache e la strada che portava a Briançon.

Quasi appesa ai piedi della parete rocciosa, vide quello che Ismail aveva chiamato il rifugio: una tettoia fatta di tronchi d'albero coperti da muschio, fogli di plastica e cespugli secchi, con pareti improvvisate che la nascondevano alla vista di eventuali escursionisti. Aveva un aspetto provvisorio e Max pensò che d'inverno fosse impossibile abitarci.

«I *passeurs* lo usano per sostare durante il giorno» lo informò Ismail. «Per scendere in Francia è più prudente muoversi la notte.»

All'interno c'era puzza di umidità e di mille altre cose spiacevoli che sapevano di miseria, di speranze, della ricerca di un posto nel mondo dove poter iniziare una nuova vita. Un po' ovunque erano accatastate bottiglie d'acqua e scatolame. Il mobilio era essenziale, rocce per sedersi e un vecchio tavolaccio che in origine doveva essere stata una porta.

Seduti in un angolo, due neri in maglietta e jeans stavano mangiando dei fagioli in scatola. Avrebbero avuto bisogno di una doccia e pure di una lavanderia. Dovevano essere quelli sopra di loro sul sentiero. Avevano l'aria spaventata, di certo non si aspettavano tutta quella gente.

Nawal e un terzo nero in tuta da ginnastica stavano parlando con Sanda e gli altri. Blessing sedeva su un sasso con l'aria affranta.

«Lui è Amir» disse Ismail indicando l'uomo in tuta. «Loro sono solo di passaggio.» Accennò ai due che stavano mangiando, che ricambiarono il cenno di saluto di Max con aria da cani bastonati.

«Che facciamo?» domandò Vittoria.

Max si strinse nelle spalle. «Sono in cinque, armati di mitra. Saranno qui tra circa tre ore.»

«Cosa intendi fare?» Abdel lo fissò, le mani affondate nelle tasche dei bermuda.

«Sono vestiti da città, per loro la salita sarà micidiale. Arriveranno piuttosto provati, possiamo prenderli di sorpresa.»

«Con che? Ci facciamo delle cerbottane?»

«Non proprio.» Max prese il suo zaino, lo aprì e dopo aver tolto la maglia lo rovesciò sul tavolo. Una serie di oggetti metallici si sparse sul piano di legno scuro. C'erano anche un certo numero di cartucce da caccia, alcuni corti cilindri d'acciaio dipinti di nero e una bobina di filo da pesca.

«Che roba è?» chiese Amir.

«Allarmi perimetrali.»

«È roba inoffensiva» brontolò Sanda.

«Non questi.» Max indicò le cartucce. «Nove pallettoni di piombo ciascuna. Puntati nella giusta direzione, questi aggeggi possono essere micidiali. Li ha modificati un amico bracconiere.»

Inserì la cartuccia nella scanalatura dell'otturatore, poi le avvitò sopra uno dei tubi metallici. «Il segreto sta nella canna. Senza questo accorgimento i pallettoni non bucherebbero nemmeno un foglio di carta. Così invece, se lo beccano bene possono uccidere anche un cinghiale.»

«Quanti ne hai?»

Max si strinse nelle spalle. «Solo sei.»

«Come li fai funzionare?» domandò Nawal.

«Carichi il meccanismo di sparo a molla e lo blocchi con il fermo al quale è legato il filo da pesca. Lo fissi al tronco di una pianta con delle viti e tendi lo spago nell'erba in modo che non si veda. Funziona come una mina Claymore, quando inciampi nel filo, il fermo libera il percussore e tanti saluti.»

«Pensi che possa funzionare?» chiese Vittoria.

«Per salire quassù non hanno scelta, devono superare quel

passaggio più stretto.» Indicò il bosco al fondo del pendio. «Se le piazziamo in maniera strategica funzioneranno eccome. Due di loro ce li togliamo dai piedi di sicuro, magari anche tre. Gli altri troveremo un modo per sistemarli.»

«Sono letali?» domandò Ismail.

Max annuì. «Con questo sistema i pallettoni hanno una distanza utile di un metro, un metro e mezzo, poi la rosa si allarga troppo. Puntata verso l'alto diventa micidiale. Faremo un bel baccano, quindi potrebbe arrivare la polizia. Mi sa che su questo posto dovrete metterci una pietra sopra.»

«Non è importante, è da troppo tempo che lo usiamo. Cominciava a non essere più sicuro.»

«Mentre sistemiamo le trappole» disse Abdel, «raccogliete un po' di sassi. Roba bella grossa, ma che si possa tirare.»

Gli altri lo guardarono perplessi. «Be'?» aggiunse il kabilo. «Non avete mai visto un film sul Medio Evo?»

Silenzio in aula. La tensione si poteva tagliare con il coltello. Tutti quanti dovevano rendersi conto che le probabilità di farcela contro un'arma automatica non erano scontate.

I due neri e Amir si erano intanto avvicinati con aria esitante. «Noi parte adesso» disse quello più alto. «Non può rischiare casini. Lui moglie e figlio che aspettano.» Indicò l'amico.

Ismail fece un cenno di assenso.

«Mi spiace, tutto questo non era previsto» disse, poi li abbracciò con trasporto. «Amir vi accompagnerà fino in basso.»

Abdel avrebbe voluto protestare. Quei due se la stavano dando a gambe, mentre avrebbero potuto essere d'aiuto. D'altra parte non c'entravano nulla con quella storia, e il rischio di lasciarci la pelle era reale. In fondo non se la sentì di biasimarli.

«Amir non può restare?» chiese.

«Senza di lui potrebbero farsi male» disse Ismail, «il percorso per scendere è accidentato.»

Uscirono dal rifugio e Ismail li accompagnò fino all'attacco del sentiero che portava in Francia. I tre cominciarono a scendere e ben presto scomparvero dalla vista. Li salutò un'ultima volta alzando un braccio, poi tornò al rifugio.

«Bisogna che ci mettiamo al lavoro» disse. «Non c'è tutto questo tempo.»

TRENTA

Il tavolino della dea

Nel corso degli ultimi anni, da quando si era imbarcato in quell'avventura tanto redditizia, Tiziano Alga si era abituato a una vita priva di preoccupazioni, una sorta di cornucopia che sembrava materializzare dal nulla tutto ciò che serviva a soddisfare i suoi desideri. E senza dover muovere un dito se non per organizzare, arginare, rimettere in riga e incassare, cose per le quali si sentiva piuttosto portato. E questo grazie anche alla presenza inossidabile di Jannello, alla collaborazione dei suoi sgherri – che nessuno avrebbe osato contraddire – e soprattutto grazie a quella città che pareva generosa in modo particolare con le persone che pretendevano la propria parte, evitando le scocciature e senza andare troppo per il sottile.

Distratto dalla semplicità e dalla mancanza di intoppi cui l'attività lo aveva abituato, si era lasciato andare ignorando o evitando di proposito di considerare i notevoli mutamenti che non era stato in grado di percepire. Per una serie evidente di allineamenti planetari del cazzo, si era trovato di colpo in una situazione che lo angustiava e lo metteva in affanno.

Alga non aveva mai creduto nel rimpianto, lo considerava un impedimento alle proprie velleità e di conseguenza tendeva a rimuovere all'istante qualsiasi pensiero che potesse provocare la comparsa di questo sgradevole sentimento. Quindi, siccome si riteneva parte integrante del complesso meccanismo che avevano messo in funzione, lasciava quasi sempre a Jannello il compito di eliminare gli intoppi che avrebbero potuto in qualche modo fermarlo.

E visto che Luigi tendeva a farsi desiderare, forse per imporre l'unica forma di supremazia che era capace di produrre, vale a dire l'efficienza della brutalità, ne aveva sovente dovuto esortare l'azione risolutrice. Del resto aveva capito che, per invidia, al socio piaceva vederlo ogni tanto nelle canne. Si era così abituato all'attesa, l'aveva quasi tramutata in uno stile di vita, e non ignorava quindi che, ora più che mai, soltanto la letale efficacia di Jannello avrebbe potuto spianare loro la strada.

Ma non c'era da scherzare o da perdere tempo, perché quelli che stavano smontando pezzo per pezzo il loro business sembravano intenzionati ad andare fino in fondo.

Quando passò per la terza volta davanti alla facciata della stessa clinica, capì che stava girando a vuoto, la testa persa nei pensieri che lo stavano assillando. Vide un posto in una fila di auto parcheggiate a lisca di pesce e ci si infilò. Non appena fermo, aprì il finestrino e spense il motore. La temperatura estiva del primo pomeriggio cominciò a contaminare il gelo dell'aria condizionata che rendeva l'interno dell'auto simile a una cella frigorifera.

Accese una sigaretta e si mise a fumare pensoso, lo sguardo fisso sull'altra parte del viale alberato. Per qualche momento non vide altro che un caleidoscopio di colori che si muovevano privi di una qualsiasi forma intelligibile. Infine mise a fuoco e con aria schifata distolse lo sguardo da un gruppo di senzatetto che stava attraversando il viale portandosi dietro la propria roba puzzolente.

Ciò che lo stupiva era l'indifferenza della gente cui passavano accanto. Fosse stato per lui, avrebbe solo desiderato che qualcuno si decidesse a fare piazza pulita. Pure in periferia gli davano fastidio, figurarsi lì, in pieno centro.

Sputò fuori dal finestrino, poi finì di fumare e gettò lontano il mozzicone facendolo schizzare via con la punta delle dita. Non voleva chiamare Jannello per non fare la figura di quello agitato, ma in realtà l'ansia lo stava divorando. Se qualcosa fosse andato male, o se i suoi scagnozzi avessero fallito, sarebbe stato un vero disastro. L'inizio della fine.

Si rese conto di non riuscire a star fermo. C'era sempre la possibilità che la baldracca nera avesse mangiato la foglia, che avesse avvisato i poliziotti, o quello che erano, e che, senza saperlo, Spadafora e i suoi compari stessero cadendo in una trappola dalla quale sarebbero usciti orizzontali. E se Ismail vuotava il sacco, tanti saluti a tutti.

Prese dal cassettino un pacchetto di gomme da masticare e ne mise una in bocca. Poi ne mangiò subito un'altra e si mise a ruminare come un cammello, tamburellando sul volante con la punta delle dita. Infine afferrò il cellulare e fece partire una chiamata.

«Sarai mica nervoso?» disse la voce di Jannello. «Ho scommesso cento euro con Vrenna che mi avresti chiamato, non ci credeva.»

«C'è poco da fare gli spiritosi» borbottò Alga. «Hai notizie di Spadafora?»

«Quando il lavoro è terminato, chiama lui, non ti preoccupare.»

«Mi preoccupo eccome. Se fallisce finiamo dritti nella merda, lo sai benissimo.»

«Ma quale merda e merda, tra un paio d'ore sarà tutto un ricordo. Lo Spada farà piazza pulita e continueremo a vivere felici e contenti. Sei un tipo ansioso, Tizià, sei bravo a organizzare, ma quando è il momento di tirare fuori le palle, non servi proprio a niente.»

«Non me la sto facendo sotto» ribatté Alga, piccato dalle parole del socio. «Cerco solo di prevedere ogni possibilità, visto che nessuno di noi si aspettava che sarebbero tornati a ficcare il naso in quella storia. In ogni caso, ti ricordo che se ci siamo messi in tasca tutti quei soldi, è solo per merito mio.»

«Merito tuo un par di palle.» Jannello si fece una risata. «Te l'ho detto, hai delle buone idee, ma per farle funzionare ci vogliono le persone come me, gente con i nervi saldi. Se la polizia viene a bussare alla mia porta, non mi metto certo a tremare come un budino di gelatina.»

Tiziano tacque masticando amaro. Era furibondo, non sopportava di essere preso in giro in quella maniera, lui che l'aveva coinvolto in un affare tanto redditizio. Eppure, Jannello non perdeva occasione per mortificarlo. Quella grandissima testa di cazzo non riusciva a capire che l'assedio si era ormai esteso su più lati; una piccola distrazione poteva farli precipitare nel baratro della galera.

«Sei sicuro di avere tutto sotto controllo?» disse infine. «Ho una brutta sensazione, su questa storia, non sappiamo chi siano quelle persone, né chi abbiano dietro a tirare le fila.»

«Minchia, Tizià, sei davvero una lagna» si lamentò l'altro, sbadigliando. «Si può sapere cos'è che ti preoccupa tanto?»

«Non riesco a capire cosa diavolo vogliono. Non credo sia per caso che abbiano riaperto le indagini sull'incendio. Penso che dovremmo tagliare la corda con i nostri soldi, finché siamo in tempo.»

«Mollare tutto? Ma sei cretino? Una volta che Spadafora ci avrà liberati da questo impedimento, nessuno potrà più romperci le palle. Rilassati, Alga, abbiamo ancora un mucchio di denaro da tirare su. Non ho nessuna fretta di andare in pensione.»

Accompagnò le parole con una risata grossolana. Tiziano

pensò che era messo proprio bene, nelle mani di un pazzoide con il delirio di onnipotenza.

«Puoi stare tranquillo» aggiunse l'altro, «entro questa sera è tutto risolto. Dammi retta, trovati una bella ragazza e fatti qualche bella scopata. Di questa faccenda se ne occupa zio Luigi.»

«Se lo dici tu...» bofonchiò Alga, incapace di ribattere.

«A proposito di ragazze» cambiò argomento l'altro. «Vrenna ha beccato l'hacker che insidiava la nostra rete.»

«E chi è?» domandò cercando di nascondere l'irritazione per il fatto che Vrenna ne avesse parlato con Luigi e non con lui.

«Una ragazzina, una tipa con le palle.» Fece un'altra risata. «Ieri sera è entrata nel server della Subra Net, la zoccola, e Vrenna l'ha inchiodata.»

«Cosa stava cercando?»

«Prima che la fermasse ha ficcato il naso un po' ovunque, specie tra i documenti della Millenium Phœnix.»

«Sapete chi è?»

«Sarà pure in gamba, la pollastrella, ma Vrenna è una vecchia volpe. Questa volta le ha beccato l'IP e Di Fazio è riuscito a identificarla. Si chiama Matilde Merz, ha solo sedici anni.»

«Di Fazio?»

«Ma certo, testone, in Regione possono sapere tutto di tutti. Vrenna ha mandato l'IP a Di Fazio e dopo mezz'ora aveva nome e indirizzo. Tanto per la cronaca, quell'avido bastardo mi ha chiesto in cambio un sacco di soldi.»

«Cristo...» Alga accese una seconda sigaretta. «E adesso che intenzioni hai?»

«Ho mandato due dei miei a farle la posta sotto casa. Quando la ragazzina esce le faranno passare la voglia di farsi i cazzi nostri.»

«Chi hai mandato?»

«Pennestrì e un amico suo.»

«Ma sei scemo? Pennestrì l'ammazza, quella.»

«Stai bravo, Tizià, gli ho detto di prenderla a ceffoni. E se non è un cesso, magari se la fanno a turno. Giusto un bello spavento e un biglietto di benvenuto nel mondo del sesso, due incentivi sufficienti a farle cambiare hobby, non credi?»

«Sei fuori di testa? Ha solo sedici anni, i giornali faranno il diavolo a quattro.»

«Meglio, così gli stronzetti adolescenti capiranno che il computer si usa per seguire gli influencer e non per ficcare il naso negli affari che non ti riguardano. Adesso devo lasciarti, ho una persona. Ti chiamerò per dirti dove si svolgerà il funerale di Ismail.»

Fece un'altra delle sue risate e chiuse la comunicazione. A Tiziano parve di uscire da una specie di frullatore nel quale era stato sballottato per tutto il tempo della telefonata. A completare il quadro già nefasto, mancavano solo la ragazzina hacker e le violenze che le avrebbero inflitto Pennestrì e il suo amico.

Gli venne da vomitare e per respingere il conato fu costretto a sputare la gomma americana masticata. Tanto non aveva più sapore. Ci voleva qualcosa di forte, un alcol raffinato che lo aiutasse a mandare giù tutta quella spazzatura. Aveva già il dito sul pulsante d'accensione, quando scorse una donna che stava attraversando il controviale.

La riconobbe subito, era la tipa che aveva seguito nei pressi dell'ufficio qualche giorno prima. Quel pomeriggio indossava un tubino di seta cruda color zafferano che ne segnava i rilievi con più precisione di una carta geografica. Appesa alla spalla portava una borsetta elegante di pelle marrone; niente cartelline, questa volta, né altre menate del genere.

Trovò che fosse ancora meglio del precedente incontro, con

i capelli neri sciolti sulle spalle, folti e profumati, immaginò, e la leggera abbronzatura che doveva essersi fatta nel weekend.

Vide che si sedeva a un caffè sotto i portici e decise che questa era la volta buona. Uscì dall'auto e chiuse con il telecomando. Non c'era molta gente in giro e sotto gli ombrelloni del bar sedeva giusto una mezza dozzina di clienti. Non doveva essere una preda troppo difficile; avrebbe esordito chiedendo se lavorava da un notaio, di cui avrebbe inventato il nome, nei pressi dell'ufficio e che l'aveva notata più volte lì intorno, restando colpito dalla sua bellezza. Se c'era una cosa che gli veniva bene era conquistare la fiducia delle donne, il resto lo avrebbe lasciato al suo fascino e alla droga che stava per rifilarle.

Già dimentico di tutto il resto, controllò di avere in tasca la boccetta di GHB, poi attraversò la strada e, sfoderando il suo sorriso più seducente, si diresse verso il tavolino della dea.

TRENTUNO

Ottocento euro

Spadafora si guardò attorno asciugando il sudore sulla fronte con un fazzoletto, la sigaretta che pendeva tra le labbra. Si erano fermati all'imbocco di una sorta di scarpata che saliva ripida verso uno sperone di roccia, in parte nascosto dalle punte affusolate di un bosco di abeti e larici dai colori intensi. Giù in basso, velata dalla foschia, si stendeva la valle da dove partiva quella sorta di sentiero appena accennato – quella merda di sentiero del cazzo, per dirla tutta – che in quasi quattro ore di fatica improba, e al costo di un abito da ottocento euro ormai da buttare, li aveva portati fino in cima al costone. Il sole picchiava come un martello e sotto la giacca leggera sentiva il fastidio della camicia fradicia di sudore.

Si diede mentalmente del cretino per essersi vestito in quel modo, ma nessuno gli aveva detto che per portare a termine il lavoro avrebbe dovuto scalare una montagna. Osservò la punta delle scarpe inglesi, infangata e graffiata in maniera irrimediabile. Erano da buttare via pure quelle. Gli avevano riempito i piedi di vesciche, alcune delle quali, a ogni passo, gli provocavano un dolore infernale. Passando attraverso le suole di cuoio, l'umidità del terreno gli aveva impregnato anche le calze.

Anche i suoi uomini sembravano esausti per via della salita. Foti e Lardera erano seduti su una larga roccia coperta di muschio, i pantaloni fradici fino al ginocchio e le facce lucide di sudore. Foti stava osservando con aria sconsolata la suola di una delle sue preziose Nike Yeezy 2 Red October da dodicimila euro, che si era per metà scollata dalla tomaia. E gli altri non erano messi meglio, visto che passare le giornate seduti a bere Punt e Mes nel bar all'angolo, mangiando porzioni abbondanti di fusilli alla silana, non aiutava certo a renderli più brillanti in situazioni come quella.

«Dobbiamo andare» disse a un certo punto.

«Porca troia, Spada» si lamentò Mancuso. «Potevi dirlo che si andava in cima al Monte Bianco.»

«E che cazzo, Gennà...» ribatté Spadafora. «Pensi che mi vestivo così, se sapevo di dover fare l'alpinista?»

Gli altri sghignazzarono. «Sembra come nelle barzellette» disse Foti avvitando un tozzo silenziatore sulla punta della sua pistola.

Anche gli altri erano intenti a preparare la loro arma.

«È possibile che ci stiano aspettando» aggiunse lo Spada. «C'è qualcosa che non mi torna, il segnalatore che aveva al collo la negra è fermo da un pezzo e rispetto a dove siamo adesso si trova troppo in basso.»

«Pensi che lo abbiano trovato?» chiese Gallo, il quinto del gruppo, un mingherlino fresco come una rosa, che sembrava il solo a trovarsi a proprio agio in quel frangente.

«È possibile. Magari ci hanno pure visti dall'alto. Dubito che siano armati, però è meglio se ci muoviamo con cautela.»

«Seguiamo il segnale?» domandò Mancuso mostrando una specie di smartphone sul cui schermo si vedeva una mappa del territorio circostante. Il localizzatore era indicato da una luce rossa che pulsava a sinistra del punto in cui si trovavano, una zona più bassa, oltre le rocce che chiudevano la scarpata.

«No, in quella direzione non si arriva da nessuna parte. Il

passo è in cima al pendio, quindi andiamo su a dare un'occhiata.»

«E se sono già scesi giù in Svizzera?» disse Lardera.

«È la Francia, idiota, la Svizzera è da un'altra parte. Se hanno proseguito lasciamo perdere, non voglio guai con sbirri di alcun tipo. È chiaro?»

Annuirono tutti quanti, poi spensero le sigarette pestandole sotto i piedi. Spadafora controllò che il caricatore da cinquanta colpi del suo Spectre M4 fosse inserito per bene e si assicurò che l'arma avesse il colpo in canna. Sentiva in bocca il sapore amaro dell'adrenalina, una sensazione che l'istinto della caccia scatenava ogni volta nel suo organismo. Uccidere, in un modo o nell'altro, era stato il suo lavoro per buona parte della vita.

Fece un cenno con il mento e tutti quanti ripresero la marcia. Si aprirono a ventaglio per coprire un'area più vasta e salirono lenti nel sottobosco. C'era odore di muschio e aghi di pino. Il terreno era coperto di ciuffi d'erba scura, alta una quindicina di centimetri, che nei punti più ombrosi diventava color ocra. La pendenza si era intanto fatta più ripida, il terreno più umido e scivoloso. Bestemmiando percorsero un lungo tratto disagevole che portava a una folta boscaglia piena di cespugli nei quali Spadafora riuscì pure a impigliarsi, strappando una manica della giacca.

Si fermarono perché la brezza che scendeva dall'alto portò il suono indistinto di voci umane. I cinque si scambiarono uno sguardo d'intesa, poi Gallo avanzò di qualche passo precedendo gli altri.

Fece in tempo a percorrere qualche metro prima che uno scoppio secco rimandasse un'eco metallica contro le pendici della montagna. Barcollando, Gallo riuscì ancora a compiere un passo di lato, poi cadde in avanti e rimase immobile.

Gli altri componenti del gruppo si erano abbassati d'istinto, stupefatti da quell'attacco improvviso che non si capiva da dove fosse arrivato. Mancuso si rimise in piedi e muovendosi svelto corse verso il compagno ferito.

«Fermo!» strillò Spadafora.

Un secondo boato ruppe il silenzio della montagna. Con un verso gutturale l'uomo crollò sul terreno. Riuscì ad aggrapparsi al tronco di una pianta per non rotolare giù dalla scarpata e strisciò al riparo a forza di braccia.

«Non vi muovete» berciò Spadafora ai suoi. «Hai visto da dove sparano?» chiese poi rivolto a Mancuso, che nel frattempo era riuscito a mettersi seduto, la schiena appoggiata al tronco di un abete.

Era pallido come un morto, il viso stravolto dal dolore. Chinò la testa per fissare il sangue che già gli stava inzuppando i pantaloni e la parte bassa della polo. «Non stanno sparando» balbettò cercando di reprimere una smorfia. «Sono delle specie di trappole, roba con i pallettoni.»

Sgomento, l'altro tacque per qualche istante. I suoi uomini lo stavano osservando immobili, i volti tesi e le armi strette in pugno.

«Riesci a vedere Gallo?» chiese infine.

Mancuso voltò il capo alla sua destra, poi tornò a guardare Spadafora. «Non si muove» disse con un filo di voce. «Ha la faccia insanguinata, il colpo deve averlo preso in pieno.»

«Stai lì fermo» lo rassicurò. «Chiudiamo questa storia e torniamo a prenderti.»

Fece segno a Foti e Lardera di procedere con cautela, tastando il terreno e facendo attenzione alle trappole. Dovevano risolvere la questione un po' alla svelta, quei due colpi dovevano essersi sentiti fino sulla luna. Non era escluso che, da una parte o dall'altra, prima o poi polizia e forestale salissero a dare un'occhiata.

In quanto a Ismail, doveva essere nascosto più in alto, assieme alla baldracca nera e a quei tizi che l'avevano portata su. Era quasi sicuro che le sole armi in loro possesso fossero quelle trappole di merda che avevano sparso nel bosco. Non sapeva quante ce ne fossero, ma andando su con calma si potevano evitare. Poi sarebbero scesi da un'altra strada.

Non si udiva più alcun suono. Spadafora si sentiva sporco e sudato, e parecchio incazzato. Fece un cenno e i due che lo accompagnavano si arrestarono accucciandosi. Puntò il mitra e lasciò partire una serie di brevi raffiche su per la salita. Il silenziatore attutiva gli spari, ma il rumore era inequivocabile.

Ripartirono tastando l'erba e il terreno che si trovavano davanti, attenti a qualsiasi anomalia. L'innesco poteva essere un filo teso tra le piante o un fascio laser che correva all'altezza delle caviglie. Optò per il primo poiché il secondo gli parve troppo sofisticato.

Foti si trovava a una quindicina di metri sulla sinistra quando una figura gigantesca gli comparve di fianco sbucando dall'ombra. Non ebbe nemmeno il tempo di dire *bah*. La punta del bastone che impugnava il nero lo centrò sul viso con la violenza di un maglio spaccandogli il labbro e rompendogli alcuni denti. Barcollò imprecando mentre Spadafora sparava una mezza dozzina di colpi nella direzione in cui era scomparso il negro colossale.

Intontito, Foti si appoggiò a un tronco sputacchiando sangue e frammenti di molari. Partendo dalla mandibola, il dolore gli attraversava la testa come una lama rovente. Vide nell'erba la pistola che gli era caduta e si chinò per raccoglierla.

Una terza esplosione squarciò il silenzio. Siccome era piegato, buona parte dei pallettoni andò a vuoto, ma alcuni lo presero alla spalla sinistra e uno gli strappò il lobo dell'orecchio. Si trovò seduto per terra, il sangue tiepido che gli colava lungo il collo. Muovendosi cauto, Lardera lo raggiunse e lo aiutò a rimettersi in piedi. Raccolse l'arma e gliela mise in mano.

Spadafora li stava osservando con aria demoralizzata. Se fosse dipeso da lui, avrebbe preso quel che rimaneva dei suoi uomini e se ne sarebbe tornato indietro. Ma Jannello non avrebbe approvato; voleva Ismail fuori dai giochi e quello bisognava fare.

Si scambiò uno sguardo con Lardera. «Pensi che ce la fa?» domandò.

Prima che l'altro potesse rispondere, Foti annuì con un cenno del capo. «Voglio strappargli il cuore con le mie mani» biascicò.

Pareva uscito da un incidente d'auto. Il volto tumefatto si stava tingendo di blu e teneva la spalla rattrappita. Aveva l'aria incazzata e questo non poteva che spronarlo a continuare. Spadafora prese un fazzoletto di tasca e si deterse il sudore dalla faccia.

«Dobbiamo solo eliminare Ismail» disse tra i denti, «poi ce ne torniamo a casa.»

Muovendosi con cautela i due si spostarono sulla destra – dove avevano già fatto scattare tre trappole ed era improbabile che ce ne fossero altre – e iniziarono a salire. Non avevano fatto una decina di passi quando il colosso nero ricomparve da dietro un grosso larice e colpì Foti sulla testa mandandolo lungo e tirato per terra. Riuscì ancora a dare una bastonata a Lardera, poi si buttò curvo nell'ombra della vegetazione. Spadafora sparò e lo vide crollare in avanti oltre il versante della montagna.

Uno l'aveva beccato. Lardera perdeva sangue da una larga abrasione sul collo. Foti era rotolato a valle per qualche metro e sembrava fuori combattimento.

«L'ho beccato» disse lo Spada. «Forza, sistemiamo gli altri.»

Ricominciarono a salire, Lardera davanti in cerca di eventuali fili tesi tra gli alberi e l'altro che lo seguiva tenendo il mitra puntato davanti a sé. Era stanco e per la prima volta ebbe la sensazione che qualcosa non stesse andando per il verso giusto. Non solo in quel momento, nella sua intera esistenza. Si rese conto di essere aggrappato a una barca che faceva acqua da tutte le parti, un legno nella tempesta che nemmeno uno caparbio come Jannello sembrava più in grado di governare.

Il primo sasso venne giù dall'alto facendo frusciare i rami carichi di aghi, cadde con un tonfo alla loro sinistra e rotolò saltellando giù dalla ripa. Un secondo li mancò di qualche centimetro.

Cominciarono ad arrivare più numerosi, grossi come mele, una vera pioggia di pietre che li costrinse a spostarsi verso il centro del bosco per ripararsi dietro i tronchi. Puntò il mitra verso l'alto e si mise a sparare nella direzione dalla quale stavano tirando. Sentì i proiettili che colpivano legno e rocce su in alto, qualcuno rimbalzò lontano con un miagolio.

I lanci si interruppero per qualche secondo e udirono il rumore di passi e pietrisco che cadeva lungo la parete di roccia. Voci concitate che non riuscirono a comprendere si lasciarono dietro una eco lontana. Tirò ancora il grilletto finché lo scoppiettio delle raffiche non si interruppe perché il caricatore era vuoto. Lo lasciò cadere e ne infilò un secondo che aveva preso dalla tasca posteriore dei pantaloni.

Fece scattare l'otturatore, poi ricominciarono a salire uno accanto all'altro. La sassaiola riprese più fitta di prima. Afferrò un braccio di Lardera ma non fece in tempo a tirarlo al riparo. Una grossa pietra prese il compagno in piena fronte con un suono spaventoso. Sentì il sangue di Lardera che gli schizzava sulla faccia. L'uomo roteò le braccia nell'aria in un vano tentativo di rimanere in piedi, poi ruzzolò come un sacco di patate giù per la ripa.

Con un urlo di rabbia, Spadafora si mise a correre su per il bosco sparando a raffica verso le voci che aveva sentito. Fronde dure gli graffiavano la faccia e fu costretto a schivare qualche altro sasso. Qualcuno gridò e si udì un fischio modulato, poi il silenzio. Si accucciò un momento, conscio del pericolo che stava correndo con le trappole e tutto il resto, e rimase in ascolto.

Un fruscio lì accanto lo fece sobbalzare. Vide una figura femminile che cercava di nascondersi, forse la baldracca nera. Tanto valeva sistemare anche lei. Puntò e lasciò partire una breve scarica di proiettili che maciullò i tronchi degli abeti che aveva davanti, sollevando una nube di polvere e schegge che odorava di resina. Scorse un altro movimento e le tenne dietro scavalcando una roccia che sporgeva dal terreno, poi il suo piede finì per urtare qualcosa di elastico.

Lo scoppio della cartuccia gli sfondò il timpano dell'orecchio destro e l'ultima cosa di cui ebbe coscienza prima di cadere nell'erba fu l'impatto dei pallettoni sul suo vestito da ottocento euro.

TRENTADUE

Quella situazione spaventosa

Pennestrì era propenso a credere che la gente mentisse sempre, senza alcuna esitazione e senza pensarci troppo. A qualsiasi domanda era certo di ricevere in risposta una menzogna. Per questo aveva passato la vita diffidando degli altri, mettendo in dubbio le loro affermazioni riguardo al nome, al lavoro, a ciò che facevano, ai luoghi in cui erano stati, a cosa avevano visto o sentito e, spesso, anche riguardo alle loro preferenze sessuali. Di conseguenza, nei confronti dell'enorme quantità di informazioni che le persone scambiavano tra loro, Pennestrì aveva finito per mantenere due soli atteggiamenti: disinteresse e violenza. Il disinteresse quando le questioni non lo riguardavano o lo interessavano in maniera indiretta; la violenza quando, al contrario, la verità la voleva assolutamente sapere e per sentirla era costretto a picchiare, mutilare, minacciare e distruggere.

Chissà come, gli venne in mente Jannello, che della menzogna era un sacerdote. Adesso lo costringeva a occuparsi pure delle ragazzine, dandogli per giunta informazioni fumose sulle ragioni per cui doveva farlo. Si rese conto che gli aveva sempre e solo raccontato un sacco di balle. Luigi non si era mai fidato di loro, questa era la sacrosanta verità, né di lui né della marmaglia che aveva a libro paga. Intanto però si sporcava le mani al posto suo. Non che avesse qualcosa di cui lamentarsi, a parte il trattamento. Aveva sempre fatto il suo lavoro e a volte, come in quel frangente, si era pure divertito.

Era dalla mattina che facevano la posta sotto casa della ragazzina, l'avevano già pedinata, ma era mancata l'occasione giusta. Non era niente male, per la sua età, quasi un peccato doverle dare una lezione. Chissà perché Jannello aveva affidato quell'incarico proprio a lui. Come sempre, non avrebbe perso tempo a chiedere particolari che nessuno gli avrebbe dato.

Vide Silano che arrivava con i caffè e i panini. Ravviò con le dita i corti capelli grigi e si passò le mani sul viso segnato da una vita di eccessi, fumo e alcol. Prese il bicchierino di carta che gli passò il compare, poi frugò nel sacchetto di carta bianca che gli offriva.

«Pomodoro e uovo o tonno e carciofini» disse Silano. «Non avevano altro.»

Pennestrì guardò meglio e scelse quello con pomodoro e uovo. Mentre l'altro si sedeva accanto a lui sulla panchina, posò il caffè e si mise a svolgere il nylon che chiudeva il tramezzino. Lo addentò schifato dal fatto che fosse troppo molle. A quell'ora era già tanto che avessero trovato qualcosa da mangiare.

«Be'?» domandò Silano con la bocca piena e le labbra unte di olio. «E se quella non si muove?»

«Torniamo domani» rispose Pennestrì. «Vedrai che prima o poi la becchiamo nel posto giusto.»

Il compare prese dalla tasca una copia di "Topolino" tutta cincischiata e si mise a sfogliarla. Mentre lo leggeva muoveva le labbra emettendo un brusio, come se stesse parlando a bassa voce. Quando lo faceva a Pennestrì venivano dei tali nervi che l'avrebbe picchiato con una chiave inglese. Gli diede una gomitata per farlo smettere. L'altro non se la prese più di tanto.

«Secondo te» disse senza levare gli occhi dal fumetto, «perché quando esce dalla doccia Paperino si mette un asciugamano in vita e per il resto del tempo sta sempre con il culo al vento?»

«Chiedilo a Walt Disney» rispose Pennestrì masticando piano.

Bevve un goccio di caffè. All'ombra delle piante si stava appena bene, anche se a quell'ora del pomeriggio il caldo era soffocante. A parte un gruppo di vecchi che ciondolavano dalla parte opposta dell'aiuola, il giardino di largo Sempione era deserto. L'ultima persona a entrare nel portoncino di alluminio e vetro dello stabile, un condominio del primo dopoguerra, era stata una donna grassa che portava alcune borse di un supermercato. Forse era la madre della ragazza, forse no. La questione lo lasciò indifferente.

«Quella è minorenne, Antonio» disse Silano come se gli avesse letto nel pensiero, «non è che ci stiamo mettendo nei casini?»

«Fai conto che sia un lavoro come un altro. Doveva farsi i cazzi suoi, adesso avrà quello che merita.»

«Con una così non è che mi tiri indietro, sia chiaro, ma corriamo un bel rischio.»

«Non ti rompere la testa, Rocco, ci muoviamo soltanto se sono sicuro. Basta impedirle di gridare. Fai come ti ho detto ed evita di pensare, che quello non è mai stato il tuo forte.»

Intanto avevano finito tramezzini e caffè. Pennestrì raccolse plastica e bicchierini, infilò tutto nel sacchetto di carta e si alzò per andarlo a buttare in un cestino dell'immondizia poco distante. Mise una sigaretta tra le labbra e l'accese guardando l'ora. Si strinse nelle spalle lasciando uscire il fumo dalle narici. Aveva voglia di bere roba forte e mangiare qualcosa di meglio di quei tramezzini schifosi. Mentre tornava alla panchina vide il portoncino che si apriva con un ronzio e la ragazzina, Melania o come cazzo si chiamava, uscì per strada.

La fissò quasi sorpreso, non si aspettava che la giornata avrebbe offerto loro una nuova opportunità. Tanto meglio, non aveva mai visto Jannello nervoso come in quel periodo, prima chiudevano quella faccenda e meglio sarebbe stato per tutti. Emise un fischio leggero e Silano lo raggiunse.

Risalirono via Sempione tenendosi a buona distanza dalla ragazzina. Nel caso ci fosse stata un'occasione, avrebbero fatto in fretta a raggiungerla. Camminava davanti a loro con passo deciso, quasi spensierato. Indossava una canottiera senza maniche rosso scuro, ampie braghe blu di tessuto leggero e un paio di infradito. Sulle spalle portava uno zaino rettangolare di plastica color avorio chiuso da un cinghietto di pelle.

Pennestrì scoprì di essere eccitato. Quel bocconcino era ben diverso dalle mignotte sovrappeso che di solito passava il convento. Si rese conto di aver pensato a lei tutto il santo giorno, al suo fisico sottile dalle curve acerbe e a quei capelli scuri che ondeggiavano a ogni passo. Averla davanti, quasi a portata di mano, scatenava in lui un'ingordigia che aveva radici lontane, nella sua incapacità di affascinare o di sedurre, frustrazione che si era portato dietro per una vita intera trascorsa tra rifiuti e derisioni.

Quella stronzetta, invece, poteva quasi considerarla una sua proprietà. Per questo continuava a guardarsi attorno in cerca di un'ispirazione, di un luogo appartato dove assolvere il piacevole compito che gli era stato assegnato. Poche cose gli davano soddisfazione come sentirsi a caccia, un lupo che inseguiva un agnello. Aveva imparato che con le donne non bisognava andare tanto per il sottile; qualche sberla ben data e facevano quello che volevi.

Svoltarono in corso Giulio Cesare e Pennestrì attraversò la

strada lasciando Silano alle calcagna della ragazza. Si spinse più avanti lanciando occhiate a destra e a sinistra. Purtroppo c'era parecchia gente in giro e un discreto traffico. E nessun posto che soddisfacesse le sue esigenze.

Scesero verso il centro per due o tre isolati, poi svoltarono a destra in una via più stretta e meno frequentata. Così andava già meglio, pensò.

Mentre arrivavano al fondo del vicolo, si rese conto che si trattava di una strada senza sbocco, chiusa al fondo dal cantiere di un condominio in costruzione. L'area era delimitata da una recinzione di lamiera ondulata blu piuttosto alta; due elementi fungevano da cancello ed erano tenuti fermi da una catenella chiusa con un lucchetto. Attraverso i tubi Dalmine e le assi del ponteggio traspariva lo scheletro in mattoni e cemento dell'edificio che si alzava per una mezza dozzina di piani.

A Pennestrì il posto parve perfetto, dovevano solo trovare il modo di entrare all'interno del cantiere. Lì nessuno li avrebbe disturbati. La ragazza si fermò di fronte al portone di uno stabile di tre piani e suonò un campanello sul citofono. Le aprirono e scomparve all'interno dell'androne.

Una coppia uscì da un'altra abitazione e salì su una vettura con la quale si allontanarono verso corso Giulio Cesare. Il cantiere sembrava deserto, forse chiuso per l'estate.

«Riesci ad aprire quel lucchetto?» domandò Pennestrì a Silano.

L'altro si avvicinò per dargli un'occhiata.

«In cinque minuti» disse.

«Allora datti da fare.»

Mentre si metteva al lavoro con i ferri del mestiere, Pennestrì si sistemò accanto al portone. Era certo che la ragazzina non si sarebbe fatta aspettare, cominciava a essere l'ora in cui le madri vogliono le proprie figlie a casa per la cena. In pochi minuti Silano levò la catena dai fori che tenevano chiusi i battenti e la gettò in un angolo, poi scostò una delle ante lasciando uno spazio sufficiente a passare.

Dovettero attendere una ventina di minuti. Stavano finendo di fumare una sigaretta quando udirono lo scatto della serratura. Si aprì il portoncino e ne uscì Matilde, che fece per allontanarsi verso il viale al fondo del vicolo.

Pennestrì la prese al volo bloccandole le braccia e la strinse a sé tappandole la bocca con una mano. Dopo un attimo di smarrimento, la ragazza iniziò a reagire tentando di liberarsi dalla stretta. L'uomo la sollevò da terra e la portò di peso oltre il cancello che Silano accostò subito alle loro spalle.

«Prendile le gambe» ansimò Pennestrì rivolto al compare.

Aveva il fiatone perché la giovane si stava dimenando come un'ossessa, emettendo urla soffocate. Silano si piegò per afferrarle le caviglie, ma si prese una ginocchiata sul mento. Incazzato, la colpì con un pugno allo stomaco e lei smise di divincolarsi, cosa che gli permise di agguantarla per le cosce. La sollevarono di peso e la portarono oltre i pilastri nudi del piano terra dell'edificio. Ovunque erano sparsi sacchi di cemento, ferri, assi di legno, mucchi di sabbia e altro materiale da costruzione.

Passarono oltre una betoniera incrostata di ruggine e calce ed entrarono in una stanza interna che aveva ancora i legni della cassaforma sulle pareti.

Mentre uno la tratteneva, l'altro riuscì a levarle lo zaino e lo gettò in un angolo. Matilde continuava a mugolare dimenandosi come un animale in trappola e Pennestrì cominciava a fare fatica a tenerla. Con la mano libera l'afferrò per i capelli e le sbatté un paio di volte la testa contro il muro. Sentì che le gambe della ragazza cedevano e la spinse a terra piantandole un ginocchio sulla schiena. Silano prese dalla tasca i due stracci che si era portato dietro e la imbavagliò ficcandogliene a forza uno tra le labbra e legandole l'altro attorno alla testa.

Spaventata, Matilde ebbe l'impressione di soffocare. Il tipo che la teneva a terra le legò i polsi dietro la schiena con un pezzo di corda, poi cominciò a infilarle le mani dappertutto.

«Allora...» disse con il fiatone. «Ti piace curiosare nei computer degli altri, non è così? Pensavi che non ce ne saremmo accorti, eh, troietta?»

La ragazza si lasciò sfuggire un mugolio isterico e ricominciò a dimenarsi cercando di sottrarsi alla stretta dell'uomo. A quel punto il terrore le impediva quasi di ragionare.

«Sai cosa succede adesso?» continuò Pennestrì sollevandole la canottiera sulla schiena. «Ti insegniamo un passatempo più divertente di Internet, una cosa che potrai fare con i tuoi amichetti.»

Le afferrò il bordo dei pantaloni e li abbassò scoprendole il sedere, poi afferrò le mutandine e le strappò via.

«Vedrai che goduria» disse ancora. «Ma non devi fare resistenza, altrimenti le prendi. Dài, stai ferma, c'è sempre una prima volta, nella vita.» Si rivolse a Silano. «Questa è una vera anguilla» disse affannato. «Dammi una mano che la giriamo.»

Si udivano soltanto i respiri affaticati dei due uomini e i gemiti sgomenti della ragazza. Mentre Pennestrì l'acchiappava per i polpacci, l'altro la prese per le spalle e vincendo la sua resistenza riuscirono a voltarla sulla schiena. Matilde sentì sotto di sé il ruvido pavimento di cemento che le graffiava la pelle.

Pennestrì le aprì le gambe e ci mise in mezzo le ginocchia per impedirle di richiuderle. Adesso non aveva più voglia di parlare, aveva in testa solo quel corpo giovane e selvaggio che si dimenava tra le sue mani. Stava per sbottonarsi i pantaloni quando venne acchiappato per i capelli.

Con una violenza inaudita, l'aggressore gli picchiò la faccia contro la parete. Pennestrì sentì i denti che si rompevano e la bocca gli si riempì di sangue. Cadde di lato, quasi addosso al compare che senza capire bene cosa stesse succedendo stava cercando di mettersi in piedi. Una ginocchiata colpì Silano sul naso e lo frantumò. Fu come un flash che gli esplodeva nel cervello. Un secondo calcio nel petto lo mandò a ruzzolare sul pavimento.

Intanto Pennestrì si era in parte ripreso. La vista annebbiata dal sangue, cercò di aggrapparsi alla vita dell'uomo che lo aveva assalito per farlo cadere. Si sentì sollevare come un fuscello, poi qualcosa lo colpì alla coscia. Comprese che si trattava di una coltellata perché la gamba cedeva. Il dolore lancinante gli strappò un grido rauco. Non ebbe nemmeno il tempo di rendersi conto di ciò che gli stava succedendo. Venne afferrato per le spalle e scaraventato come un fantoccio contro il muro. Prese una botta tremenda sulla nuca e tutto divenne nero.

Mentre si afflosciava a terra, lo sconosciuto raggiunse il compare che stava strisciando sul cemento e gli rifilò un calcio cattivo nel fianco. Il fiato mozzo, in un debole tentativo di difesa, Silano tentò di afferrare il piede prima che potesse colpire di nuovo, ma stordito com'era non ci riuscì. L'uomo gli sollevò il capo prese a sbattergli la faccia sul pavimento finché il poveretto non diede più segni di reazione.

L'uomo si rimise dritto. Sollevò appena la mascherina chirurgica nera che gli copriva il viso e con una mezza bestemmia sputò un grumo di catarro sul corpo esanime di Silano. Con gesti lenti rimise la camicia nei pantaloni, poi ravviò i capelli grigiastri con la punta delle dita. Infine raggiunse Matilde e si chinò su di lei.

«Tu vieni con me» disse.

La prese tra le braccia come avrebbe fatto con un piccolo cane, sollevandola senza alcuno sforzo, e uscì dall'edificio in costruzione. Completamente nel pallone, la bocca piena di stracci e il cuore che batteva nel petto come un tamburo, la ragazzina chiuse gli occhi nel tentativo di allontanare la mente da ciò che poteva ancora succederle in quella situazione spaventosa.

TRENTATRÉ

Per aver pensato a proteggerla

Sanda si accucciò ai piedi di una roccia, protetta da alcuni grossi abeti che con i loro rami facevano da schermo. Tolse la mano dal braccio e vide che le dita erano sporche di sangue. Un proiettile doveva averla presa di striscio. Trovò un fazzoletto di carta nella tasca e lo premette sulla ferita.

La trappola era scoppiata, c'era quindi la possibilità che il tizio con il mitra fosse stato colpito. Attese ancora qualche momento, poi, visto che non si udivano rumori si alzò con cautela e tornò sui suoi passi. Scorse l'arma abbandonata nell'erba e la raccolse.

Trovò l'uomo poco più avanti, riverso sulla schiena, una gamba a cavallo di una roccia che doveva essere in procinto di scavalcare quando era stato investito dallo sparo. Indossava un vestito grigio sporco e strappato. Una falda della camicia era uscita dai pantaloni scoprendo l'addome. Sul petto, il tessuto era insanguinato. Uno dei pallettoni lo aveva colpito poco sopra il pomo d'Adamo lasciando un foro nero dal quale colava un rivolo scuro.

Si avvicinò tenendolo sotto tiro e gli posò due dita sul collo. Non c'era battito. Max aveva ragione: se ben piazzate, quelle trappole potevano far fuori anche un maiale.

Raggiunse la parete che chiudeva la gola e si arrampicò sulle rocce per avere la visuale libera sull'altra parte della scarpata.

Scorse Ventura accucciato assieme a Vittoria dietro una grossa pietra che pareva in bilico sul precipizio. Entrambi avevano in mano dei sassi. Mise quattro dita tra le labbra ed emise un fischio simile al grido di un uccello. Era una nera, che diavolo, la giungla l'aveva ancora nel sangue.

Max si voltò, la scorse e le fece un segno con il braccio. Sanda mostrò il mitra sventolandolo nell'aria come un trofeo. A forza di segni Ventura le fece capire che loro sarebbero scesi lungo il versante che affacciava sulla valle, per cercare Nawal che forse era ferito. Li seguì con lo sguardo mentre si muovevano al riparo delle rocce, poi rientrò nel bosco.

Nel frattempo, lasciata la cresta, Max e Vittoria erano giunti al fondo di una breve pietraia e si stavano addentrando tra arbusti in mezzo ai quali crescevano conifere di ogni dimensione. Si arrestarono accanto al fusto di un larice morto i cui rami secchi svettavano sopra la boscaglia. Dalla valle provenivano suoni indistinti, ovattati, per il resto era silenzio.

«Pensi che Nawal sia finito quaggiù?» chiese.

Max si guardò attorno. «Quando l'ho visto cadere, ho notato questa pianta spoglia. Non può essere lontano.»

«Potrebbero averlo ucciso.»

«Se così fosse sarebbe rimasto lassù, invece si è buttato di sotto per evitare la raffica.»

In quel momento udirono una bestemmia soffocata. Avanzarono per una cinquantina di metri e trovarono il gigante nero rannicchiato contro un vecchio tronco.

Era ferito a una gamba e il ruzzolone gli aveva lasciato graffi ed escoriazioni. La cintura dei pantaloni era stretta attorno alla coscia come un laccio emostatico. Gli si accucciarono accanto e Max gli diede una bottiglietta d'acqua che l'altro bevve con avidità.

«Dove ti hanno beccato?» domandò.

Il nero mostrò il lato della coscia. Il pantalone era forato in due punti, segno che la pallottola era uscita dopo aver attraversato il muscolo. Non si vedeva molto sangue.

«Ismail e sua donna?» chiese.

«Sono al sicuro, stai tranquillo, ancora nascosti in cima al colle con Abdel. Quella gente non li avrebbe comunque trovati.»

«C'è ancora qualcuno di loro?»

«Non lo sappiamo. Sanda si è impossessata del mitra, il proprietario è fuori combattimento. Non so quanti degli altri ci stiano ancora cercando.»

«Io visto un cadavere e ho sistemato un altro. Quattro trappole hanno funzionato.»

«Così pare» ammise Max.

«Dobbiamo riportarlo su» disse Vittoria, che in quanto donna era più pragmatica.

«Puoi camminare?» chiese Max al colosso.

Lui tentennò. «Penso non senza aiuto» disse.

«Dammi una mano, proviamo a tirarlo su.»

Cercarono di rimetterlo in piedi, ma pesava una tonnellata e con quella gamba andava sorretto, cosa che la donna non era in grado di fare. Lo adagiarono di nuovo nell'erba.

«Vado a cercare Abdel» disse Vittoria. «Con lui e Ismail, portarlo su dovrebbe essere più semplice.»

Max la fissò indeciso per qualche istante. «D'accordo» acconsentì, «ma cerca di stare attenta, ci sono ancora due trappole inesplose.»

Nawal frugò nella tasca del giubbotto e prese un corto coltello da caccia che porse a Vittoria.

Lei ammiccò, poi lo prese. Fece un cenno a Max, infine li lasciò e si diresse svelta verso il limitare della vegetazione. La luce del primo pomeriggio si era fatta più morbida. Vittoria si muoveva facendo attenzione a riconoscere i segnali che avevano messo in corrispondenza delle trappole, piccoli frammenti di stoffa gialla che indicavano l'albero a cui erano fissate.

Mentre saliva per un pelo non inciampò in un paio di gambe stese per traverso. Si fermò e guardò il cadavere sdraiato a faccia in giù ai suoi piedi. La scarica doveva averlo preso in pieno. Attorno alla faccia e alla bocca aveva già un nugolo di mosche di cui si sentiva l'incessante ronzio.

Stava per muoversi quando venne afferrata per la collottola e strattonata. Indietreggiò cercando di non inciampare e cadde di schiena andando a sbattere contro il corpo di un uomo. Non ebbe nemmeno il tempo di spaventarsi. Si divincolò ruotando il busto, ma lo sconosciuto la colpì con un pugno alla base della nuca e la spinse a terra. Intontita, Vittoria cercò di allontanarsi strisciando, ma un calcio nella schiena le strappò un gemito costringendola a raggomitolarsi per proteggersi dai colpi che lo sconosciuto continuava a menare alla cieca.

Cadendo aveva perso il coltello. Sopra di lei, l'uomo si reggeva a una pianta. La parte alta dei pantaloni e la polo che indossava erano lorde di sangue. Appendendosi a un ramo le si avvicinò trascinando la gamba destra. Era evidente che faticava a rimanere in piedi.

«Puttana...» ansimò. «Adesso la paghi...»

Vittoria si girò di lato cercando il coltello tra gli aghi di pino, ma l'aggressore lasciò la presa e le cadde addosso. Scalciò tentando di divincolarsi ma lui le stava aggrappato per impedirle di scappare e intanto la colpiva. Riuscì a mettersi a cavalcioni sopra di lei e cercò di afferrarle i polsi per impedirle di difendersi. Siccome faticava comunque a trattenerla, alla fine fu costretto a lasciarla andare.

Vittoria sputò un grumo di terra e aghi di pino che le erano finiti in bocca, poi girò lo sguardo verso l'alto e vide il pezzetto di tessuto giallo attaccato al tronco che svettava sopra di lei. L'uomo raccolse un sasso e alzò il braccio per colpirla.

Sgomenta, annaspò con la mano nell'erba alla base del tronco e le sue dita incontrarono il filo da pesca teso a una decina di centimetri da terra. Con la forza della disperazione lo afferrò e diede uno strattone. Lo scoppio della cartuccia l'assordò e subito dopo il corpo inerte dell'uomo si afflosciò sul suo.

Trafelata, bloccata a terra dal peso che le stava addosso, rimase immobile per diverso tempo cercando di placare l'agitazione e recuperare le forze. Sentiva il sangue umido e caldo dell'uomo che le scorreva sul viso e sul collo e il ribrezzo l'aiutò a raccogliere l'energia per scrollarsi di dosso il cadavere, che rotolò lì accanto. Sollevò il busto pulendosi con il dorso della mano.

Nelle orecchie le giungeva a ondate un fischio incessante e fastidioso. Nonostante la nausea riuscì a mettersi in ginocchio e si piegò in avanti scossa dai conati.

Un fruscio alla sua destra la costrinse a sollevare il capo. Max comparve tra gli alberi con un bastone in mano. La vide e si precipitò ad aiutarla.

«Sei ferita?» chiese spostando le ciocche di capelli che le coprivano il viso.

Vittoria scosse il capo e indicò il corpo che giaceva lì accanto. Max lo rivoltò con la punta di un piede. L'uomo era morto, la rosa di pallettoni aveva investito la parte superiore del torace e la sua testa si trovava troppo vicino alla trappola per lasciargli qualche possibilità di sopravvivenza.

Aiutò l'amica a rimettersi in piedi e controllò che stesse bene.

«Dobbiamo andarcene da questo posto» disse. «Bisogna recuperare Ismail e Blessing, con il casino che abbiamo fatto non possiamo permetterci di incontrare dei poliziotti.»

«Nawal?» domandò Vittoria.

«Quando ho sentito lo sparo l'ho lasciato là sotto. Più tardi recuperiamo anche lui.»

Udirono dei passi che scendevano di corsa fra gli alberi e poco dopo Sanda li raggiunse sbucando dal fitto della boscaglia. Impugnava il corto mitra che portava a tracolla.

«Più su ne ho trovati altri due» disse prima che gli altri potessero aprire bocca. «Sono feriti, non si possono muovere.»

«Quindi li abbiamo tolti di mezzo tutti e cinque.»

La nera annuì. «Hanno avuto sfiga» scherzò. «Forza, torniamo al rifugio. Il tempo passa e bisogna che qualcuno salga dove si nascondono Abdel e Ismail per dirgli che è tutto a posto.»

«Ci vado io» disse Vittoria, che nel frattempo si era ripresa.

Si avviarono su per la scarpata e salendo recuperarono le cinque trappole scariche e la sesta inesplosa. Max e Sanda portarono i due feriti sotto la tettoia e li immobilizzarono con del cordame che trovarono in una cassa. Non erano stati colpiti in modo grave, ma nessuno dei due era in grado di muoversi. Avrebbero fatto una telefonata e prima di notte li avrebbe raccattati la polizia, di una parte o dell'altra. Scesero ancora nel bosco per cercare il resto delle armi, ma trovarono solo tre pistole.

Sanda le scaricò, le smontò e ne gettò i vari pezzi giù da un dirupo disperdendoli dove nessuno avrebbe mai potuto recuperarli.

Mezz'ora più tardi Vittoria e Abdel rientrarono al rifugio con Ismail e Blessing. Andarono a prendere Nawal e gli rimisero in sesto la gamba, steccandola in modo che potesse camminare con l'aiuto di un bastone. Infine fecero un tè su un fornelletto da campeggio. Si sedettero attorno al bricco fumante e cominciarono a interrogare Ismail, ben felice di vuotare il sacco su ciò che sapeva delle varie attività della Instant Farma e della Millenium Phœnix. Per oltre un'ora, Max registrò ogni parola con il cellulare.

Erano le quattro del pomeriggio quando si prepararono per rientrare in città.

«Ho deciso che scendo in Francia» disse Ismail. «E Blessing viene con me.»

Erano tutti in piedi sul bordo della scarpata. Il sudanese la strinse a sé passandole un braccio sulle spalle.

«Questo non è possibile» lo informò Max. «Abbiamo garantito che sarebbe tornata insieme a noi.»

«A fare cosa? Rimanere chiusa in una casa protetta in attesa che quella gente gliela faccia pagare?»

«La tua testimonianza sarà sufficiente per metterli dentro tutti quanti.»

Ismail rise. «Certo, so bene come funziona la giustizia in questo Paese. E poi Blessing corre il rischio di farsi mandare in Nigeria. No grazie, lei viene con me. Ho agganci a Briançon, gente che ci aiuterà ad arrivare a Parigi. D'ora in avanti mi occupo io di lei.»

La giovane nigeriana era raggiante, in tutti quei giorni non le avevano mai visto negli occhi una simile felicità. Una nuova vita che cominciava, nuove speranze, una possibilità. Sanda posò una mano sul braccio di Max.

«Lasciala andare» disse. «Ha ragione lui, riportarla indietro sarebbe un'assurdità. Numero Uno si inventerà un sistema per mettere a posto le cose con la polizia.»

Il nero la guardò con gratitudine. «Nawal verrà con noi» aggiunse. «Se lo lasciamo qui sarà rimpatriato.»

Ci furono abbracci e strette di mano, auguri di buona fortuna e promesse di rivedersi che difficilmente sarebbero state mantenute. Infine Max si incamminò e i quattro iniziarono a scendere lungo la scarpata.

Il primo pezzo era piuttosto ripido e furono costretti a procedere in diagonale per non rischiare di cadere o di farsi male. Avevano percorso qualche centinaio di metri, quando vennero fermati dalla voce di Ismail che gridava.

«Messiè, messiè, ferma!»

Lo videro scendere come un pazzo fra le piante e si fermarono ad aspettarlo. Il nero li raggiunse affannato per la corsa.

«Dimenticavo una cosa importante» disse non appena ebbe ripreso fiato. «Mentre ero a Benin City, un giorno Alga incontrò due persone che arrivavano dall'Italia. Senza volerlo ho sentito che parlavano. Credo che uno dei due fosse la persona che ha dato fuoco alla casa di accoglienza.»

«Dove ci sono state quelle sedici vittime?»

«Sì, dove stavamo io e Ahmed.»

«Cosa ti ha fatto pensare che fosse lui?»

«Ho sentito solo pezzi di conversazione, ma parlavano di quello. Il giorno dopo un ufficio di fornitori della Millenium Phœnix a Benin City è bruciato, ci sono stati due morti.»

Rimasero in silenzio, sorpresi da ciò che avevano appena sentito da Ismail. L'incendio della residenza doveva essere uno dei tanti lavori che quella persona faceva per Alga e soci. Era probabile che quando c'era da togliere di mezzo un ostacolo si rivolgessero a lui.

«Quindi sei convinto che abbiano chiamato quell'uomo per bruciare l'ufficio» disse Abdel.

«Credo che lo hanno fatto venire apposta. L'altro doveva essere un suo aiutante, non ha mai parlato. Teneva sempre in testa un cappello, quelli con il bordo...»

«Tipo un borsalino?»

«Sì, lo chiamavano tutti Modì. Lo ricordo per il nome buffo.»

«Come Modigliani?»

«Chi?»

«Il pittore, Amedeo Modigliani, il suo soprannome era Modì.»

«Non lo conosco. Comunque c'è stata anche un'inchiesta, ma hanno deciso che si trattava di una disgrazia. Credo che la polizia sia stata corrotta.»

«Sai come si chiamava quell'uomo?» domandò Max.

«Non ricordo. Ma a un certo punto hanno scherzato su quanto avesse funzionato bene un incidente successo tempo prima. Ridevano e hanno bevuto tanto alcol.»

«L'incidente successo a Benin City?»

«No, sono certo che fosse in Italia. Credo di aver capito che si trattava di uno scambio di persona. Questo li divertiva.»

«Sempre un incendio doloso?»

«No. Ma è lui che quella notte ha ucciso tutti i miei compagni dando fuoco all'edificio» ribadì convinto. «Di questo sono sicuro perché sapeva tutto. Avevo deciso che lo avrei ucciso, ma è ripartito il giorno dopo.»

«Lo hai mai più incontrato?» chiese Vittoria.

Ismail scosse il capo. «Dovete trovarlo. Quell'uomo sapeva tutto sui traffici di Alga e dei suoi soci, dev'essere uno importante.»

«Era un bianco?»

«Sì, uno di quei vecchi che si vestono per sembrare giovani, un tipo alla moda, capisci? Portava appesa al collo una catenina con un lingotto d'oro.»

«È ripartito con Tiziano Alga?»

Ismail annuì. «Da quel giorno ho cominciato a raccogliere tutte le informazioni che trovavo. Per mettere insieme quello che vi ho raccontato ho impiegato settimane. L'ultima volta che sono tornato in Italia mi aspettavano all'aeroporto. Ho capito che mi avevano scoperto e sono scappato.»

«Come mai sei rimasto in città?»

«Li volevo denunciare, ma poi ho incontrato Blessing e non era giusto che fosse coinvolta nelle mie storie. Tanto, prima o poi mi prendevano, questo poco ma sicuro. Mentre lavoravo al *money-transfer* ho capito che il padrone li conosceva e ho lasciato il posto. Così, quando ho incontrato Nawal sono venuto quassù insieme a lui. Abbiamo fatto passare in Francia tanti amici. È una cosa più utile che fare sangue cattivo con quella gente, no?»

Abdel gli diede il suo numero di cellulare e chiese di inviare un messaggio nel caso gli fosse venuto in mente qualcos'altro. Poi i quattro si rimisero in marcia per raggiungere un sentiero più battuto che li avrebbe portati a valle come escursionisti qualsiasi.

La notte era arrivata come un colpo di vento. Scendendo dalle colline simile a un fluido scuro aveva poco per volta assorbito ogni cosa, edifici, alberi, strade, aveva superato l'automobile e reso visibili i fari sull'asfalto. Lasciando un residuo di giorno sulla cima delle montagne, il buio aveva trascinato il grasso ventre opaco sulla terra, coprendo il mondo con le sue grandi ali nere.

Impiegarono un paio d'ore a tornare in città e Max lasciò Sanda in palestra e il kabilo alla sua officina. Seduto al volante, si sentiva esausto. Non aveva più l'età per quella merda, non era più in grado di difendersi in maniera adeguata. I riflessi che riusciva a raccogliere nei momenti di bisogno non erano che un pallido residuo della molla scattante che erano stati una volta.

Strinse tra i denti il cannello della Butz-Choquin e voltò il capo per guardare Vittoria al suo fianco. Aveva il cellulare all'orecchio e il volto pallido, i lineamenti tesi dall'ansia.

«Continua a non rispondere» disse abbassando la mano

per guardare lo schermo, come se in quella luce diafana avesse potuto trovare una risposta.

«Starà dormendo» cercò di rassicurarla.

«Non è possibile, la sto cercando da ore. Dev'esserle successo qualcosa.»

«Stai tranquilla, Vittoria, Matilde è una ragazza in gamba. Sarà da una sua amica e avrà il cellulare nello zaino.»

Lei scosse il capo con aria desolata. «Ma figurati, ce l'hanno sempre tra le mani, quel maledetto aggeggio. Ha sempre risposto alle mie chiamate.»

Aveva cercato di contattare la figlia fin dal momento in cui erano partiti dalla montagna, senza riuscirci, in un crescendo di tensione che nessuno di loro era riuscito a smorzare. Max sperava che non avesse fatto altre imprudenze. Le aveva chiesto di lasciar perdere i suoi tentativi di hackeraggio, ma non era sicuro che Matilde gli avesse dato retta.

In più, Vittoria era riuscita a passargli parte della sua ansia.

Parcheggiarono accanto ai giardini di largo Sempione, di fronte al piccolo parco giochi che a quell'ora della notte era deserto. La donna non attese nemmeno che l'auto fosse del tutto ferma, scese e si precipitò a suonare il citofono. Max mise il freno a mano, poi raccolse dal sedile posteriore il proprio sacco da montagna e quello di Vittoria e la raggiunse sul portoncino.

«Non è in casa...» balbettò continuando a premere il campanello. «Max, mi sento male, dove può essere finita?»

«Ci sarà una spiegazione, non ti agitare.» Le posò una mano sulla spalla. «Saliamo, forse ha lasciato un messaggio.»

Le passò lo zaino e lei si mise a frugare in una tasca laterale cercando le chiavi. Le trovò, aprì e due minuti più tardi erano nell'appartamento. Il messaggio scritto a biro su un pezzetto di carta a quadretti era posato sul comò dell'ingresso. "Ciao mami” aveva scritto Matilde in una calligrafia veloce, “faccio un salto da Paoletta a prendere dei programmi. Ci vediamo più tardi.”

«Chi è Paoletta?» domandò Ventura.

«Una compagna di classe. Pensi che sia ancora lì?»

«Può darsi. Magari l’hanno invitata a cena.»

Vittoria guardò l’ora con una smorfia. «È mezzanotte passata. Sarebbe già tornata o mi avrebbe avvertita.»

«Hai il telefono di questa Paoletta?»

Prese il cellulare dallo zaino e cercò il numero nella rubrica. Max notò che le tremavano le mani e si sentì in colpa per quella situazione a dir poco spaventosa per una madre.

Dovette attendere una dozzina di squilli prima che le rispondesse una voce assonnata.

«Accidenti, cos’è uno scherzo? È notte fonda.»

«Paola, sono la mamma di Matilde. Scusa l’ora, ma lei non è a casa e non so dove sia finita. Speravo fosse lì con te.»

Dall’altra parte ci fu un momento di silenzio. «È stata qui oggi pomeriggio» disse la ragazza. Adesso il tono di voce era più attento. «Le ho dato i programmi che le servivano, abbiamo parlato dieci minuti, e poi se n’è andata.»

«A che ora è stata da te?»

«Boh, quando è uscita saranno state le sei e mezzo di sera, forse le sette.»

«Ti ha detto se andava da qualche altra parte?»

«No, mi spiace. Forse è uscita con degli amici...»

Vittoria fu costretta a uno sforzo per non mettersi a piangere al telefono. «Ti ringrazio, Paola, aspetterò che si faccia viva. Mi dispiace di averti svegliata.»

«Nessun disturbo, signora Merz, davvero. Vedrà che Matilde sarà presto a casa. Per favore, mi avverta quando arriva.»

«Lo farò, grazie» le assicurò Vittoria trattenendo un singhiozzo.

Chiuse il telefono e guardò Max con aria disperata. «Dove può essere finita?» chiese con un filo di voce.

«Sono sicuro che non le è successo nulla, stai tranquilla.» La condusse in salotto e la costrinse a sedere sul divano. «Può essere con gli amici, magari ha bevuto un bicchiere di troppo...»

«Matilde non beve mai.»

«Lo so, ma in certe situazioni si fanno delle sciocchezze.»

«Forse dovremmo chiamare la polizia» sospirò.

Il cellulare di Max mandò un trillo. Lo prese dalla tasca e si alzò per leggere il messaggio. Vittoria lo guardò. Era tesa come una corda di violino. Tornò a sedere accanto a lei.

L'abbracciò e la strinse contro di sé. L'SMS che aveva appena ricevuto gli aveva provocato un batticuore dell'accidente. Stava per parlare, per dirle tutto, quando il campanello di casa squarciò il silenzio facendoli sussultare.

La donna si liberò dell'abbraccio e scattò in piedi correndo verso l'ingresso. Max le andò dietro con l'aria di un cane bastonato.

Lei prese la cornetta del citofono. «Matilde!» gridò. «Amore mio...» aggiunse in un sussurro.

Premette il pulsante di apertura, poi aprì la porta d'ingresso e uscirono sul pianerottolo. L'ascensore scese al piano terra, si arrestò per qualche istante, quindi si rimise in moto. Le parve che a salire impiegasse un'intera era geologica. Infine le ante scorrevoli si aprirono e Matilde era lì, in compagnia di un uomo grande e grosso. Era a piedi nudi, con l'aria provata e qualche graffio sulla fronte, ma per il resto ebbe la certezza che stesse bene.

Senza una parola corse a rifugiarsi tra le braccia della madre. Lei non le chiese nulla, non disse una parola, non ne sarebbe stata in grado. Senza fiato la strinse posandole la guancia sul capo, felice di averla di nuovo con sé. Rimasero abbracciate a lungo, in silenzio, davanti allo sguardo tranquillo dello sconosciuto che le osservava impassibile.

«Vieni in casa» le disse a un certo punto.

Sulla porta incrociarono Max. I due si scambiarono una lunga occhiata. In quella di Vittoria vide una tacita accusa, piena di rabbia e frustrazione, un peso che lo fece sentire vulnerabile e inadeguato. Poi madre e figlia passarono oltre e proseguirono verso la camera della ragazza.

L'uomo uscì dall'ascensore e si avvicinò alla porta.

«Ciao, Ignazio» sospirò Ventura. «Dài, entra.»

Si strinsero la mano. Lo fece passare, poi chiuse la porta alle loro spalle e lo condusse in salotto. Dalla camera da letto di Matilde provenivano singhiozzi ovattati.

Ignazio si sedette in poltrona e accavallò le gambe. Le maniche arrotolate della camicia azzurra che aveva indosso mostravano gli avambracci asciutti e muscolosi. Qua e là il tessuto era chiazzato di macchie color ruggine. Il volto abbronzato, magro e nervoso, pareva scolpito nel legno, segni incisi dal tempo e da una vita trascorsa dalla parte avversa della barricata.

Su un mobile erano posate alcune bottiglie di liquore e dei bicchieri. Max versò due dosi generose di whisky e ne porse una a Ignazio. Si lasciò sprofondare sul divano e bevve un bel sorso d'alcol. Sul basso tavolino di cristallo vide il telefono di Vittoria. Lo prese e mentre l'amico lo osservava cercò il numero di Paoletta e le scrisse un messaggino dicendo che Matilde era tornata a casa e che andava tutto bene. Si scusò anche per il disturbo.

«Sei stato previdente» disse a un tratto Ignazio. «Quei due l'avrebbero rovinata per sempre.»

Aveva una voce gentile, musicale, che male si intonava con il suo aspetto legnoso.

«Sono ancora vivi?» domandò Max con tono piatto, indicando le macchie di sangue rappreso sulla camicia.

«Pressappoco. Di certo non hanno mai preso una legnata del genere. La ricorderanno per un pezzo.»

«Dov'è successo?»

«In un cantiere qui vicino. L'hanno beccata mentre usciva da un portone. Gente in gamba, non mi ero quasi accorto che le stessero dietro.»

Ventura annuì. «Era andata a trovare un'amica.»

Silenzio. Bevvero entrambi. «In genere non faccio domande» disse Ignazio, «ma ho l'impressione che abbiate pestato i piedi a della brutta gente. Quei due erano bestie, bisogna essere marci nel cervello per trattare in quel modo una ragazzina.»

«L'hanno...»

L'uomo scosse il capo. «Soltanto un bello spavento e qualche sberla. Li ho fermati in tempo. Ma questo...»

«Si può sapere perché hai impiegato così tanto ad avvisarmi? Matilde non rispondeva al cellulare e...»

«L'ha lasciato nello zaino che è rimasto in quel cantiere. Domattina andrò a recuperarlo.»

«Ma il tuo no. Bastava che mi chiamassi. Sua madre era fuori di testa per l'angoscia. Perché non l'hai fatto?»

«Era sotto shock» sospirò Ignazio. Finì il whisky e posò il bicchiere. «Era terrorizzata, non volevo che sua madre la vedesse così. Ho deciso di portarla da me e di rimetterla un po' in sesto prima di riaccompagnarla a casa. Le ho fatto fare una doccia e...»

«Ti ho cercato almeno tre volte, potevi rispondere.»

«Il mio telefono era rimasto in macchina. L'ho dimenticato quando l'ho presa in braccio per portarla su da me. Poi dovevo pensare a lei e così… D'accordo, mi dispiace per sua madre. Ho ritenuto che la salute della piccola fosse più importante.»

Max si alzò, prese i due bicchieri e versò un'altra dose di alcol in entrambi. Diede a Ignazio il suo e tornò a sedere.

«Vorrei che continuassi a tenerla d'occhio» disse. «Almeno finché questa storia non sarà conclusa.»

«D'accordo. Non ho nient'altro da fare.»

«Lei non deve saperlo, cerca di essere discreto.»

«Come sempre.» Vuotò il bicchiere in un unico sorso, poi si alzò dalla poltrona. «Adesso però me ne vado, ho bisogno di dormire.»

«Grazie» disse Max. «Grazie davvero.»

L'altro gli fece una specie di saluto militare con due dita, poi girò sui tacchi e scomparve in corridoio. Sentì la serratura che scattava, poi la porta che si chiudeva. Rimase immobile sul divano a girarsi il bicchiere tra le dita, incapace di trovare la forza per rimettersi in piedi e andare a casa. Aveva avvertito Federica che sarebbe arrivato tardi, ma era sempre più tentato dall'idea di dormire su quel divano.

Caricò la pipa e l'accese cercando di calmarsi. L'indomani il ristorante sarebbe stato aperto e poi c'era Numero Uno che avrebbe voluto sapere com'era andata e in più gli avrebbe fatto il culo per aver lasciato partire Blessing. Problemi, problemi, problemi. L'incontro con quel vecchio non aveva portato altro.

Alzò lo sguardo e incontrò quello di Vittoria. Non l'aveva sentita arrivare. Era scalza, appoggiata allo stipite della porta come se soltanto così riuscisse a stare dritta. Aveva il viso stravolto dalla stanchezza, un graffio sul collo e per una volta era pure spettinata. Però gli sorrise.

«Matilde mi ha detto che hai chiesto tu a quell'uomo di tenerla d'occhio» mormorò. «Potevi avvertirmi, è stato un inferno.»

«Ti saresti preoccupata e lui non avrebbe potuto fare il suo lavoro. Comunque mi spiace per quello che è successo. È stata tutta colpa mia, non me lo perdonerò mai.»

«No, le avevi detto di smettere e lei non ti ha dato retta. Mi ha confessato che ieri pomeriggio e questa mattina ha di nuovo cercato di entrare in quel server e quelli se ne sono accorti.»

«È gente potente. Non è facile avere un nome e un indirizzo così in fretta.»

«L'importante è che si sia presa soltanto un brutto spavento. Non riesco nemmeno a pensare cosa sarebbe potuto succederle. Lei è tutto ciò che mi rimane, capisci?»

Max annuì. Vittoria si accucciò sul divano accanto a lui. Gli prese il bicchiere di mano e ne bevve un lungo sorso. Poi lo restituì e sollevò il viso per dargli un bacio leggero sulla guancia.

«Grazie» sussurrò. «Per aver pensato a proteggerla.»

GIOVEDÌ 30 – ORE 19.52.18

«Toglimi una curiosità, non hai pensato che prima o poi il vostro castello di carte sarebbe crollato?»

«Vuoi proprio saperlo? Man mano che si andava avanti mi dicevo che tutto sarebbe stato dimenticato, che la polvere poteva cancellare ogni cosa e il tempo ci avrebbe messo una pietra sopra. Perciò no, non ho mai avuto dubbi che l'avremmo fatta franca.»

«Eppure avresti dovuto sapere che Tiziano Alga era l'anello debole della catena, che prima o poi si sarebbe spezzato.»

«Sai, Alga è sempre stato un degenerato, sono anni che stupra giovani donne dopo averle drogate. Molte nemmeno se ne rendevano conto, e quelle che gli piantavano delle grane le faceva minacciare da Jannello. A parole, quando erano sufficienti. Altrimenti, se le minacce non bastavano, con qualche sberla ben data. Non ci sono mai state denunce e non è neppure improbabile che Jannello sia stato costretto a farne sparire qualcuna. Tanto succede di continuo.

«D'altra parte Alga è un bell'uomo, con un certo fascino del quale ha sempre approfittato. È un maniaco dell'eleganza, lo chiamano l'Outleta perché passa ore a girare negli outlet per comprarsi i vestiti. Qualcuna delle sue vittime la trova lì, le altre se le procura in giro nei bar o alle feste. Questo per raccontarti il tipo: è uno stupratore seriale. Io avrò le mie colpe, non lo nego, ma quelli sono anche peggio di me. Tutto sommato, non potevo immaginare che il mio gesto avrebbe avuto conseguenze tanto drammatiche, mentre Alga sa esattamente quel che succede quando ci si spinge oltre un certo limite. Solo per le porcate che ha fatto a quelle ragazze, lo dovrebbero castrare.»

«Cerca di non cambiare discorso, dimmi cos'è successo dopo l'incendio.»

«Non sto cambiando discorso, se non inquadri per bene i personaggi coinvolti, non puoi capire quali sono state le dinamiche che ci hanno portato a questo casino.»

«Lo so benissimo chi sono quei figli di puttana. Quindi è meglio che parli e mi dici tutto.»

«Ricorda che hai promesso di aiutarmi.»

«Non ho promesso nulla. Ho detto che vedrò cosa posso fare. Probabilmente non dipenderà da me.»

«Cristo... Alla fine l'unico a essere fottuto per bene sarò io. Lo sapevo che sarebbe finita così.»

«Hai ammazzato sedici persone, amico, le hai bruciate vive. E ce n'era una di troppo. Anche se non sapevamo chi fosse, in qualche modo è lui che ci ha portati fin qui. Forza, vai avanti.»

«Quella sera me la ricorderò finché campo, sento ancora le grida e quell'odore nauseabondo. Ma d'altra parte è inutile piangere sul latte versato. Il problema è che sapevo fare troppo bene il mio lavoro, ne conoscevo le dinamiche e i princìpi, quindi non c'è stato nulla da fare. Nessuno lo poteva spegnere, quell'incendio; se avessi saputo che dentro c'era tutta quella gente avrei utilizzato un altro metodo e magari qualcuno si salvava.

«Ma temo che non fosse ciò che si aspettavano Alga e Jannello, loro volevano che morissero tutti. Comunque, quando è venuto fuori che non erano riusciti a identificare il corpo di Cirigliano, i due erano euforici. Mai si sarebbero aspettati un culo del genere. Bastava far credere che se n'era tornato in Africa a lavorare e nessuno avrebbe mai collegato il rogo con la Instant Farma e con Settembrini. Hanno fatto un biglietto aereo a suo nome e hanno spedito giù un tizio che gli somigliava, con passaporto falso e tutto il resto. Così la faccenda era sistemata.

«In sette mesi, grazie a un mucchio di aderenze, amicizie e connivenze, la faccenda dell'incendio l'hanno chiusa in modo definitivo come incidente. Ci sono state delle proteste, questo è ovvio, è addirittura saltato fuori qualche parente di quei negri che sono bruciati, non so chi li abbia portati qui dall'Africa, ma è stata una bella mossa. Di certo qualcuno che non voleva che le indagini venissero chiuse. Però, ci sono stati due processi e due condanne e questo ha accontentato tutti quei forcaioli da divano che volevano un colpevole per fargli pagare la tragedia.»

«Ti riferisci a Romano Barale e alla dottoressa Avesani?»

«Certo, anche i loro processi sono stati piuttosto veloci. Il proprietario del terreno, che detto per inciso non c'entrava nulla, s'è beccato due anni perché per risparmiare non aveva fatto ricaricare gli estintori, rendendoli inutilizzabili. L'Avesani invece, un capro espiatorio volontario, se l'è cavata con un paio di più. È stata difesa dallo studio legale di cui fa parte il consigliere regionale Di Fazio, altro bel pezzo di merda che ha sulle spalle buona parte di quei cadaveri. Ma a lui nessuno farà mai nulla, perché le parole non hanno mai incastrato nessuno. Ci vogliono le prove e quelle le avrà fatte sparire in fretta, assieme a tutto ciò che potrebbe collegarlo a questa storia.

«Del resto, è uno degli avvocati più noti in città. Eppure, nonostante si credesse un principe del foro, non è mica riuscito a impedire che l'Avesani si beccasse i suoi quattro anni di galera. Per farla stare brava le hanno dato mari e monti, sai?, soldi a palate. Hanno sempre avuto paura che un bel giorno decidesse di vuotare il sacco mandando a puttane tutto quanto. In ogni caso, adesso l'hanno tolta di mezzo una volta per tutte, le hanno chiuso la bocca. Se non mi aveste trovato, la sua morte avrebbe fatto comodo anche a me, non lo posso negare.»

«Non spingiamoci troppo avanti. Immagino che dopo la chiusura dell'inchiesta sul rogo, Jannello e Alga abbiano ripreso in mano le fila del loro traffico.»

«Be', diciamo che hanno fatto una certa attenzione. Ciò che era successo rappresentava una buona lezione, quantomeno avevano imparato che le cose possono sfuggirti di mano. Il rischio di finire dentro lascia sempre il segno, te lo dico io. Quindi hanno ridotto l'attività sul territorio italiano e hanno cercato di espandere quella all'estero, specie nel terzo mondo, Africa, India e alcuni Paesi dell'America Latina. In Africa non è stato semplice, negli ultimi decenni i cinesi si sono fatti sotto in maniera pesante, pezzo per pezzo si stanno comprando buona parte del continente.

«Adesso il business sono le terre rare, sai, quella roba come coltan, cerio, lantanio e scandio, quella sarà la guerra del futuro. Cioè, non è che le terre rare siano veramente rare; il cerio, per esempio, è più abbondante del rame. Ciò che rende particolarmente rari questi elementi è che la loro concentrazione è piuttosto scarsa, in natura non sono presenti puri, ma solo legati ad altri...»

«Senti, la lezione di geologia me la fai la prossima volta. Cerca di non uscire dal seminato.»

«Sì, va bene, non ti incazzare. Comunque, in Africa c'è un bel casino, tutti i Paesi occidentali cercano di accaparrarsene un pezzo, quindi la questione per loro era piuttosto delicata. Con i farmaci i guadagni erano ancora pazzeschi, entravano soldi in continuazione. E questo era necessario, perché qui in Italia ormai si facevano solo gli spiccioli. Ma i pulcini da imboccare erano sempre gli stessi e avevano molta fame.

«E poi c'era il rudere bruciato che se ne stava lì nero come il monolito di *Star Wars*. Alga non sopportava di avere quella spada di Damocle sulla testa, continuava a pensare che se non se ne liberavano, prima o poi qualcuno sarebbe tornato a ficcare il naso. Così ha di nuovo chiesto aiuto a Di Fazio, che gli ha presentato il suo amico costruttore, un certo Palato, Edmondo, se non sbaglio. Hanno convinto Barale, il proprietario del terreno...»

«So chi è Barale.»

«Ecco, lo hanno convinto a vendere alla Palatina Srl in modo da poter buttare giù il rudere e costruire qualcos'altro al suo posto. Un mucchio di soldi anche a lui, hanno dato, perché vendesse e non facesse tante storie per la condanna. D'altra parte non ha scontato nemmeno due anni tutti interi, è uscito per buona condotta e se n'è andato a vivere da qualche altra parte con i suoi soldi. Il denaro riesce sempre ad aggiustare tutto, credimi. Ci sono poche persone al mondo che non si lasciano corrompere; in un modo o nell'altro, quelle ti tocca farle fuori.

«Ma tutto è andato come stabilito, la Palatina Srl ha buttato giù il rudere e nel giro di un anno e mezzo ha tirato su il palazzo. Pensa che hanno avuto contro tutto il vicinato, c'è stata una mezza sommossa quando nel quartiere hanno saputo che sul terreno del rogo ci sarebbe stata una speculazione edilizia. Volevano realizzare un memoriale in ricordo delle vittime, pensa te, un giardino con un monumento e tutti i nomi scritti sopra. Barale era pure intenzionato a donare l'intero lotto, forse per mettersi a posto la coscienza, ma Jannello gli ha coperto la scrivania di banconote e l'amico ha subito cambiato idea. Tanto, chi cazzo ha voglia di ricordare quell'episodio, non credi anche tu? I morti vanno lasciati in pace.»

«Però non tutto è andato liscio, mi sbaglio?»

«Certo che no. A quel punto, grazie al cielo, io ero fuori dai giochi, mi avevano sistemato per bene, in pratica avevo avuto la mia parte ed ero scomparso. Ma gli affari andavano avanti. Sai, penso che se a un certo punto si fossero fermati nessuno avrebbe mai scoperto nulla. Dopo il rogo e tutto il resto, cancellata la memoria, avrebbero dovuto chiudere l'attività. Settembrini avrebbe potuto riprendere in mano la Instant Farma e gli altri due si sarebbero potuti inventare un altro business. Tanto avevano soldi a palate. Purtroppo c'erano le tante bocche da sfamare che non erano così dell'idea di restare a digiuno. Di Fazio in testa, che sembra non abbia mai denaro a sufficienza. Ce lo seppelliranno, con il suo patrimonio, quella testa di cazzo.

«In ogni caso, Alga era sempre sul pezzo. Per lavoro aveva cominciato a frequentare una cooperativa che si chiama Oceanica, ci lavorava la volontaria scampata all'incendio, Tagliaferro o qualcosa del genere...»

«Serena Tagliaferri.»

«Proprio lei.»

«È coinvolta in questa storia?»

«Ma va', quella ha in testa soltanto il bene dell'umanità. No, lì a Oceanica Alga ha conosciuto Ismail Durka, un tipo davvero in gamba, uno dei due negri che avevano salvato la Tagliaferri dal rogo della casa di accoglienza. Ismail aveva voglia di lavorare, di fare soldi, perché puntava alla cittadinanza di questo Paese di merda. Sai, non capisco come a qualcuno che arriva da fuori possa venire in mente di prendere la cittadinanza di un Paese del cazzo come questo.»

«Vai avanti, comincio ad averne le palle piene.»

«Sì, scusa, facevo delle considerazioni. Comunque, Ismail era un ragazzo intelligente, capace, voleva farsi una posizione e Alga gli ha offerto una possibilità. Avevano bisogno che qualcuno si occupasse della Millenium Phœnix, giù a Benin City, perché gli affari con l'Africa stavano di nuovo andando a gonfie vele. Ismail era il tipo perfetto, negro come quelli con cui avrebbe avuto a che fare, di bell'aspetto e parlava tre lingue. Così l'hanno preso a bordo, gli hanno dato uno stipendio decente e lo hanno spedito in Nigeria a dirigere il magazzino della Millenium Phœnix.

«Ismail si occupava di gestire la parte commerciale, seguiva le indicazioni della Instant Farma e trattava con le persone del posto. Alga era riuscito a motivarlo e le cose sono andate bene per diversi mesi. Tutto girava come un orologio, lo so perché l'ho visto con i miei occhi. In quel periodo ho fatto ancora qualche lavoretto per loro, anche giù in Africa, un paio di incendi per risolvere alcune noiose scocciature. Non per vantarmi ma in questo sono un asso. Va bene, dài, vado avanti. Per farla breve – non ricordo la data esatta, saranno passati quattro o cinque mesi – dopo un viaggio di ritorno dall'Africa, Ismail si è licenziato. Non ha voluto dare spiegazioni e se n'è andato, punto e basta. Alga era fuori dai gangheri, non riusciva a capire perché quel tipo avesse rinunciato a soldi e futuro. Hanno pensato che fosse successo qualcosa a Benin City, tipo che si era scopato la donna di qualcuno di importante o roba del genere, quindi lui e Jannello sono andati giù a parlare con il personale e i dirigenti. Intanto era passato del tempo e Ismail si era messo a lavorare per un *money-transfer* in periferia e cercava di non farsi trovare.

«Jannello, che di queste cose ci capisce, sentiva puzza di bruciato. Alla fine, chiedi a destra, chiedi a sinistra, si sono resi conto che Ismail aveva scoperto la vera attività della Millenium Phœnix e da quella era risalito fino alla Instant Farma e a tutto il resto. Insomma, sapeva ogni cosa, anche sull'incendio della casa di accoglienza, e questo lo ha trasformato in una mina vagante che andava disinnescata. E sai bene cosa intenda Jannello con la parola "disinnescare".»

«Perché Ismail non li ha denunciati?»

«Non ne ho idea. Tutti ci aspettavamo che lo facesse. È evidente che aveva le sue ragioni, ma Jannello lo considerava una vera e propria spina nel culo.»

«Per questo hanno continuato a cercarlo, per eliminarlo.»

«È naturale. Ma quando sono arrivati era troppo tardi, l'amico se l'era squagliata. Gli sono sempre stati dietro. Per precauzione, subito dopo la defezione di Ismail, Alga ha costretto Settembrini a disfarsi della Millenium Phœnix, in modo da tagliare ogni legame con l'attività illegale in Africa. Anche se poi se l'è comprata Jannello tramite la Subra Net. Una mossa imprudente, a mio parere.

«Nel frattempo i suoi uomini si sbattevano per arrivare a Ismail. È gente che ci sa fare, riescono a raccogliere informazioni anche dove sembra che non ce ne siano. Sanno come muoversi nel giro, tant'è che a un certo punto sono riusciti a mettere in piedi uno stratagemma che, anche se un po' contorto, poteva funzionare. Certo, c'erano accordi e qualche concessione da fare, perché nessuno ti dà niente per niente. E lui ha accettato i compromessi, perché quando Jannello vuole una cosa, di solito riesce a ottenerla. E difatti lo ha trovato.»

TRENTAQUATTRO

Un ultimo sussulto

Mercoledì 29

Quando Jannello arrivò allo scannatoio di via Garelli erano le undici passate. Si trattava di un piccolo edificio a un piano dall'aria anonima, difficile da notare persino passandoci davanti. Che era proprio la ragione per cui lo aveva comprato a quattro soldi. A livello strada si aprivano le porte di un ufficio non meglio identificato, che non vendeva né comprava nulla.

Al piano di sopra, invece, aveva fatto sistemare un'ampia camera da letto – che nelle sue intenzioni doveva essere il non plus ultra dell'eleganza, ma che in realtà sembrava il *pied-à-terre* di un Saddam Hussein di quart'ordine – il luogo perfetto per trascorrere qualche ora con le baldracche o da offrire a politici in cerca di un posto dove dare una spazzolata veloce alle proprie amanti. Anni prima c'era passato pure un alto prelato che poi avevano dovuto portare d'urgenza in rianimazione.

Tuttavia, quella mattina Jannello era furibondo, perché a utilizzare lo scannatoio era stato quello stronzo di Alga con una delle donne che era solito raccattare per strada e che nella maggior parte dei casi procuravano soltanto casini. Doveva essere chiuso lì dentro da almeno due giorni.

Quando entrò nella stanza non riuscì a trattenere una smorfia di disgusto per il puzzo acre di cui era impregnata l'aria, un odore animale che gli ricordò all'istante quello della gabbia delle scimmie allo zoo, quand'era bambino. A parte il disordine, il letto sfatto, vestiti e biancheria sporca mollati ovunque, alcol e cibo versati sul prezioso parquet Versailles che gli era costato un occhio della testa, quello che lo gelò fu il corpo nudo e tumefatto di una giovane donna abbandonata tra le lenzuola. I capelli neri le si erano appiccicati al viso gonfio e insanguinato, il naso doveva essere rotto e, in ogni caso, non aveva per niente l'aria di essere in buona salute. Aveva lividi su tutto il corpo e un pezzo di corda che le aveva scorticato la pelle le teneva la caviglia sinistra legata alla sponda del letto. Le lenzuola erano impregnate di piscio e forse anche d'altro.

Disgustato, Jannello si avvicinò premendo un fazzoletto sul naso. La tipa respirava appena, forse era addirittura in coma. Alzò lo sguardo e lo fissò su Tiziano Alga, che sedeva su una poltroncina, l'aria catatonica e lo sguardo fisso. Aveva ancora in mano il telefonino con cui lo aveva chiamato mezz'ora prima. Indossava dei boxer azzurri spiegazzati e una maglietta della salute strappata sulla spalla. Tutto quanto era imbrattato di sangue.

«Guarda cos'hai combinato, brutta testa di cazzo» disse Luigi con tono schifato. «Ma cos'hai in quella brutta testa, un chilo di merda?»

«Non è colpa mia» biascicò.

«Perché cazzo sei venuto qui?» strillò l'altro inviperito. «Questo appartamento non lo devi mostrare a nessuno, te l'ho detto un milione di volte.»

L'altro voltò il capo con l'espressione di uno che ha sentito un suono particolarmente fastidioso. «Devi aiutarmi, ti giuro che non accadrà più.»

«Lo dici ogni volta, stronzo! Ma io ne ho le palle piene di

te, sei buono solo a darmi dei problemi. Questa volta però ti arrangi, non muoverò un dito.»

«Stava andando tutto bene» piagnucolò Alga. «Poi devo aver sbagliato la dose di GHB, perché a un certo punto si è ripresa. Dev'essersi resa conto che l'avevo... Insomma, cerca di capirmi, si è messa a fare un casino della madonna, sembrava una pazza. Ho avuto paura e l'ho menata.»

Jannello si avvicinò minaccioso. Sul tavolino accanto alla poltrona vide un avanzo di cocaina. Per dividerla in strisce aveva usato un vecchio Opinel arrugginito.

«L'hai menata?» ringhiò furibondo. Gli mollò un ceffone che lo fece rotolare sul pavimento. «L'hai fatta a pezzi, brutto bastardo. E adesso pensi che io rimetta tutto quanto a posto?» Gli assestò un calcio tra le costole. «Be' non lo farò. Questa volta ti ritroveranno a mollo nel fiume.» Lo colpì di nuovo, con cattiveria. Alga gemette e questo non fece che aumentare l'ira di Jannello. Cominciò a riempirlo di pedate ansimando. «Brutto... bastardo... di un... pezzo di merda...» Scandiva le parole con colpi sempre più forti e rabbiosi.

Alga si rannicchiò per ripararsi ma i calci continuavano ad arrivargli sulla testa. In uno sprazzo di lucidità capì che rischiava di farsi ammazzare di botte, quindi per fermarlo gli si aggrappò alle gambe cercando di impedirgli di scalciare. Jannello perse l'equilibrio e cadde a terra rovesciando il tavolino. La coca si sparse nell'aria mentre i due presero a rotolarsi sul pavimento lottando come cani inferociti.

Incapace di reagire, Alga non poté far altro che tentare di difendersi dai pugni, che gli piovevano sul viso come mazzate. Infine, in preda a una furia animale, riuscì a scrollarsi Luigi di dosso e lo allontanò dandogli una testata sul naso. Con un urlo di dolore Jannello ruzzolò all'indietro portando le mani al volto.

Quasi senza rendersene conto, Tiziano si ritrovò in mano il coltello e cominciò a colpirlo alla gola e al petto, menando fendenti come un ossesso. Tutta la frustrazione e l'odio che provava nei riguardi di quell'uomo si condensarono nella sua mano che continuava a vibrare coltellate stretta a pugno attorno al manico di legno. Udiva gorgogliare Jannello sotto di sé, ne sentiva il sangue che gli schizzava in faccia, negli occhi, sulle labbra.

Smise soltanto quando un calcio violento alla tempia lo rovesciò sul pavimento.

Intontito, raccogliendo quel poco di vigore che gli era rimasto nelle braccia, si rimise in ginocchio e si trovò la canna di una rivoltella a pochi centimetri dalla faccia. Dall'altro capo dell'arma riuscì a mettere a fuoco la figura ordinaria di Modafferi. Non l'aveva nemmeno sentito entrare.

«Non... non sparare...» riuscì ad ansimare.

«Butta quel coltello.»

Alga ubbidì e gettò lontano l'Opinel con un gesto secco, come se gli avesse scottato le dita.

«Se ti muovi t'inchiodo» ribadì Modafferi.

Tenendolo sotto tiro si avvicinò a Jannello che giaceva immobile, il corpo scosso a tratti da un tremito. Dalla gola il sangue usciva in getti sempre più deboli allargandosi sul legno del pavimento. Gli occhi spalancati, vagamente sorpresi, guardavano fissi il soffitto. Questione di qualche secondo, pensò Modafferi, poi sarebbe crepato. E nessuno al mondo avrebbe rimpianto la perdita. Il solo rammarico fu di non avergli sparato lui, ma si consolò pensando che non si può avere tutto, dalla vita.

«L'avrei dovuto accompagnare su, 'sto cornuto» brontolò tra sé fissando Alga. «Sai cosa gli piacerebbe che ti facessi, adesso?» domandò.

Tiziano non riusciva a staccare lo sguardo dal cane alzato del revolver. Davanti a quell'uomo che ammazzava la gente per lavoro si sentiva in uno stato di inferiorità insopportabile, mezzo nudo e con il naso pieno dell'odore del sangue di Jannello che aveva addosso.

«Ascolta...» disse. «So che stava sull'anima anche a te. Ora siamo rimasti noi due, possiamo dividerci la torta. È una torta che vale la pena, sai?, ti sistemi una volta per tutte.»

«Se ti tolgo di mezzo ce ne sarà di più per me» ribatté Modafferi sventolandogli la pistola davanti alla faccia.

«Non è così semplice, per avere i soldi hai bisogno di me. Io so i numeri dei conti all'estero, so dove si trova il denaro. Ne avrai una montagna, ci potrai fare il bagno come Zio Paperone.»

«Di quanto stiamo parlando?»

«Jannello faceva la parte del leone, lo sai benissimo. Ha messo via una fortuna. Sono decine di milioni.»

Gli occhi dell'altro ebbero un lampo. «Chi mi garantisce che non mi fregherai?»

«Non lo farò, te lo giuro. Se mi tiri fuori da questo casino te ne sarò riconoscente per tutta la vita, credimi. Diventerai ricco.»

L'uomo lo fissò titubante, il dito ancora sul grilletto. In ginocchio sul pavimento, Alga smise di fissare l'arma per guardare negli occhi Modafferi. Per farlo dovette sollevare il capo, quasi una supplica vergognosa. Nelle sue iridi, prive di empatia, vide un'indecisione, forse dovuta a uno strano senso del dovere che ancora lo legava a Jannello. Di certo, in vita sua si era dovuto accontentare delle briciole, invece adesso aveva a portata di mano l'intera pagnotta.

Capì che non avrebbe sparato quando la ragazza sul letto emise un gemito e il sicario distolse lo sguardo per darle un'occhiata.

«Se cerchi di fregarmi» disse gelido, «te ne faccio pentire. Sono più in gamba di quanto possiate credere tu e quel coglione del tuo amico là in terra.»

«Stai tranquillo, Modì» lo rassicurò Tiziano mostrandogli il palmo delle mani. «Avrai un mucchio di denaro. Avevo già deciso di mollare tutto, di prendermi i soldi e andare all'estero. Lo faremo insieme.»

«Hai tre giorni di tempo. Mi darai un numero di conto con sopra abbastanza soldi da farmi passare la voglia di ammazzarti.»

«D'accordo» deglutì. «Non te ne pentirai.»

«Adesso vai a farti una doccia, perché puzzi da far schifo.»

Siccome aveva abbassato il revolver, Alga si alzò da terra e si ravviò i capelli. Prima di lasciare che si chiudesse in bagno, Modafferi lo ispezionò per assicurarsi che non ci fossero armi nascoste.

Rimasto solo, rimise la rivoltella nel fodero e si guardò attorno. Doveva parlare con Giuseppe per dargli la notizia. Di certo non avrebbe lasciato il suo socio a bocca asciutta. Se insieme la giocavano bene, potevano prendersi anche la parte di Alga. Una volta avuti i soldi, prima di sparire lo avrebbero fatto fuori. Lasciarlo in circolazione era troppo rischioso, se qualcosa fosse andato storto, la madama poteva acchiapparlo e quel verme avrebbe denunciato tutti quanti senza pensarci due volte.

In un angolo della stanza scorse il coltello che Tiziano aveva gettato via. Sopra c'erano le sue impronte e il sangue di Jannello. Lo raccolse prendendolo per la punta della lama e lo infilò in uno dei sacchetti di plastica che portava sempre con sé, poi lo mise in tasca. In caso di problemi, con quello l'avrebbe avuto in pugno.

Nel bagno l'acqua della doccia prese a scrosciare. Da corso

Casale proveniva il brusio del traffico di passaggio, per il resto non si sentiva volare una mosca. Tornò da Jannello e ne constatò la morte. Sogghignò pensando che mai si sarebbe immaginato di crepare in quel modo. Per giunta a fargli la festa era stata la persona che aveva sempre preso per il culo.

La donna si lamentò di nuovo. Modafferi si avvicinò al letto e fissò il viso gonfio. Poteva avere una trentina d'anni, ma ridotta in quello stato non era facile stabilirne l'età. Aveva un seno perfetto e un fisico da modella. Un vero spreco. Oltre al naso rotto e un labbro spaccato, poteva esserci un'emorragia interna. Era stata picchiata con una violenza inaudita, anche le lenzuola erano insanguinate. Per lei non restava altro da fare, si era trovata nel posto sbagliato al momento sbagliato.

Un altro caso irrisolto per la pula.

Sistemò bene i guanti di nitrile nero che indossava, quindi prese un cuscino e glielo premette sulla faccia. Il suo corpo si agitò appena, una debole resistenza che durò pochi minuti. Poi le dita si mossero in un ultimo sussulto.

TRENTACINQUE

Era lui

Giovedì 30

Vedendolo solo in un angolo della stanza, Numero Uno si avvicinò a Max, che ricevette così la seconda pacca sulla spalla della mattinata. La prima era arrivata da Abdel mentre entravano nella cascina. In ogni caso, quella di Numero Uno fu differente, perché scosse il capo con aria desolata, come a significare che avevano fatto un buon lavoro, ma al contempo gli avevano procurato un certo numero di grattacapi che lui, *ça va sans dire*, accettava quale inevitabile strascico di quella vicenda.

«Come sta la ragazzina?» domandò sottovoce. «Matilde, si chiama, non è così?»

«Si è presa uno spavento coi fiocchi, ma a parte qualche graffio ne è uscita illesa.»

«Chi è l'uomo che l'ha salvata?»

Max lo fissò cercando di non mostrare la sorpresa. A quel tipo non si poteva nascondere proprio nulla.

«È un amico, gli ho chiesto io di tenerla d'occhio.»

«Una decisione saggia. E che altro sa di questa storia?»

«Niente, non ha fatto domande.»

«Bene» concluse laconico.

«Comunque» continuò Max, «mi piacerebbe sapere invece che diavolo di interessi ha lei, in questa faccenda.»

«Io ho un solo interesse, signor Ventura, il perseguimento della giustizia.»

«Non cerchi di darmela a bere. Abbiamo scoperchiato una bella pattumiera, lo ammetto, ma la spazzatura era stata archiviata. Che bisogno c'era di tirarla fuori dal secchio, se non per mero interesse personale?»

«Mi sta dicendo che non si fida di me?» domandò Numero Uno con tono bonario. «Tanto tempo fa ho imparato che anche le persone peggiori possono compiere grandi gesti. La redenzione passa attraverso i chiodi e le spine, signor Ventura, ma ci vuole un'occasione.»

«Lei è criptico» sorrise Max, «ma non me la conta. Rimango della mia convinzione.»

«Per ora accontentiamoci di chiudere la nostra indagine. A tempo debito parleremo del resto.»

«È una promessa?»

«Diciamo una possibilità.»

Tornarono dagli altri che stavano leggendo i giornali seduti attorno al tavolo. Tra le notizie di cronaca la sparatoria in montagna aveva un certo rilievo. I forestali, avvisati da Abdel da una cabina telefonica che avevano trovato per strada, erano saliti al rifugio dove avevano raccolto tre cadaveri e due uomini feriti, tutti pregiudicati. I carabinieri ritenevano che si trattasse di un regolamento di conti tra bande legato al traffico di esseri umani con la Francia, ma non escludevano altre piste. Durante la perlustrazione non avevano trovato armi. In ogni caso i due feriti, piantonati in ospedale, si erano rifiutati di rispondere alle domande del magistrato.

«Ciò che è successo lassù» disse Numero Uno «significa che la pressione esercitata dal nostro lavoro su questa gente sta ottenendo alcuni effetti interessanti.»

«Cosa intende dire?»

«Forse vi è sfuggito un articolo al quale è stato dato meno risalto che alla vostra avventura in alta quota.» Prese il giornale e aprì la cronaca cittadina. «Sono certo che la lettura vi appassionerà.»

Il pezzo di taglio basso era accompagnato da due fotografie, una giovane donna bruna e un uomo sulla cinquantina. I cadaveri di entrambi erano stati trovati al primo piano di una palazzina vicino al fiume. La donna, impiegata modello di un noto studio notarile, era stata drogata, stuprata e picchiata a morte. L'altro cadavere, ucciso a coltellate, era quello di Luigi Jannello, imprenditore di dubbia fama e proprietario di una ditta di import-export che si chiamava Subra Net. Dalla polizia, Jannello era ritenuto vicino alla malavita organizzata, anche se ancora non lo avevano preso con le mani nel sacco.

«Accidenti» disse Vittoria, sorpresa quanto gli altri. «Questa è una storia pazzesca. Ma quella povera ragazza cosa c'entra con Jannello?»

Numero Uno fece spallucce. «Da alcuni particolari che la questura non ha lasciato trapelare, posso dirvi che quasi certamente si tratta di una vittima innocente. Per quale motivo ci sia andato di mezzo Jannello, non me lo riesco a spiegare.»

«Immagino che sia al corrente delle voci di corridoio» lo stuzzicò Abdel. «Lei che ha canali così ramificati.»

«Da quello che so, se Luigi Jannello si trovava in quella stanza significa che non aveva alternativa. Potrebbe anche essere caduto in una trappola.»

«Pensa che si sia trattato di un agguato?»

«È una possibilità, anche se remota. È stato colpito da una trentina di coltellate. È strano che uno come lui non abbia subodorato l'insidia. Tra l'altro, dubito che ci sia andato solo, non è certo uno che si muove senza almeno un guardaspalle.»

«Un delitto passionale?»

«Sarei il primo a esserne sorpreso.»

«Ne sa di cose, su questo Jannello» rimarcò Abdel.

«Non quanto vorrei. Se era davvero implicato in questa faccenda, dobbiamo aspettarci soltanto il peggio. Purtroppo non possiamo dimostrare che esistessero rapporti tra Jannello e quel dirigente della Instant Farma...»

«Tiziano Alga?»

«Sì, Alga. Per quel che ne sappiamo potrebbe esserci di mezzo un traffico di farmaci o di stupefacenti.»

«I farmaci mi sembrano una pista più verosimile» disse Vittoria.

Numero Uno la osservò per qualche secondo. «Come mai ne è così convinta?» chiese.

«Per via della dottoressa Avesani. Se l'hanno uccisa in quel modo significa che era coinvolta. L'intero sistema di accoglienza per i richiedenti asilo, di cui era responsabile, sarebbe l'ambiente ideale per un traffico di medicinali contraffatti.»

«Per un'impresa del genere sarebbe necessaria una struttura ufficiale, non credi?» obiettò Max.

«C'è la Instant Farma. Noi diamo per scontato che il proprietario, quel Settembrini, sia una persona perbene. Ma potrebbero aver corrotto pure lui. E guarda caso, Alga è il direttore commerciale. E il giro di persone e società di cui ha raccontato Ismail non fa che rafforzare un'ipotesi del genere. È come se l'andamento della Instant Farma fosse controllato dall'esterno.»

«Se la sua teoria fosse fondata anche solo al cinquanta per cento» la interruppe Numero Uno, «vorrebbe dire che un simile traffico va avanti da anni. In ogni caso sta succedendo qualcosa di grosso; prima hanno ucciso Sofia Avesani, poi hanno spedito una squadra di sicari per eliminare Ismail e ora qualcuno ha ammazzato Jannello. La nostra indagine deve averli messi in agitazione.»

«Hanno anche cercato di stuprare mia figlia» ricordò Vittoria in tono gelido.

«Coinvolgerla è stato imperdonabile» ammise il vecchio. «Tuttavia, molte delle cose che sappiamo le dobbiamo a lei e alla sua abilità informatica.»

Max scosse il capo. «Tramite l'IP, qualcuno è riuscito in brevissimo tempo ad avere il suo nome e l'indirizzo» disse. «Non sono molte le persone che lo possono fare.»

«È probabile che abbiano dei legami con la politica.»

«Comunque ci mancano due informazioni fondamentali» considerò Abdel. «Ancora non conosciamo il nome dello sconosciuto bruciato nella residenza quella notte. E non sappiamo chi è la persona che ha dato fuoco all'edificio.»

«Però Ismail era certo che l'esecutore materiale dell'incendio sia legato alla Millenium Phœnix e a Tiziano Alga» disse Max. «Potrebbe essere uno dei tirapiedi di Jannello.»

«È una tela piena di buchi» borbottò Numero Uno. «Se non li riempiamo alla svelta rischiamo che qualcuno di quei delinquenti finisca per cancellare ogni traccia. Per esempio, nessuno ci assicura che il tizio che ha dato fuoco all'edificio non stia già marcendo in fondo a un pozzo.»

«E Jannello? Chi crede che lo abbia ucciso?»

«Lo ignoro. Ma non lo stesso killer dell'Avesani. Si direbbe piuttosto un omicidio scatenato dalla collera. Forse è la persona che ha stuprato e ucciso quella donna.»

«Sì» disse Vittoria, «è verosimile. Dopo averla violentata e picchiata a morte potrebbe aver chiamato Jannello per farsi aiutare. Forse non era nuovo a questo genere di cose e l'altro si è incazzato. Hanno litigato e lo stupratore lo ha ucciso.»

«Di chi è la casa?» domandò Max.

Il vecchio sospirò. «Pare sia intestata a una vedova, una pensionata che vive a Catanzaro e non ne sapeva nulla.»

Tanto per cambiare, pensò Max, la vita scorreva costellata di occasioni mancate, al punto che finiva per credere che le cose fossero stabilite e molte gli venissero negate a priori.

A volte aveva il sospetto di non essere mai stato una vera persona, ma piuttosto un'esistenza irrequieta, e che tutto ciò che gli serviva, in fondo, fosse sempre stato un rifugio, un luogo dove potersi sentire tranquillo. E adesso che finalmente l'aveva trovato, correva il rischio che l'ennesima occasione mancata glielo togliesse.

«Se non ci facciamo venire un'idea alla svelta» disse, «rischiamo di perderli per strada. Con tutti questi morti e l'attenzione dei media addosso, potrebbero decidere di chiudere baracca e burattini e sparire con il denaro che hanno accumulato.»

«L'Avesani e Jannello sono morti e quei due che hanno recuperato in montagna non diranno una parola» rispose Abdel. «Quanto al proprietario della Instant Farma, non sappiamo se sia coinvolto o meno. E comunque non lo possiamo provare.»

«Se lo fosse sarà sulle spine pure lui» disse Vittoria. «E non dimentichiamo quel consigliere della Regione, come si chiama?»

«Di Fazio.»

«Sì, William Di Fazio. Ha amicizie nella Palatina Srl e al processo, dopo il rogo della palazzina, il suo studio legale ha difeso Sofia Avesani. Tra l'altro, l'Avesani dipendeva dal suo assessorato.»

«Uno come Di Fazio non lo si può toccare senza avere in mano delle solide prove» le ricordò Numero Uno.

«Rimane Tiziano Alga.» Abdel sembrava convinto. «Gira tutto attorno a lui. Quasi certamente sa chi era lo sconosciuto che è bruciato quella notte nella residenza e può portarci al tizio che le ha dato fuoco.»

Max guardò l'ora. Erano quasi le nove. Per partecipare a quella riunione all'alba era stato costretto a mandare Federica al mercato da sola. Erano alla cascina dalle sei e mezzo di mattina e in tutto quel tempo non avevano preso uno straccio di decisione. Tutte le informazioni raccolte, che subito erano parse così straordinarie, erano poi state superate dagli avvenimenti successivi. In ogni caso si stava facendo tardi, doveva correre al ristorante per pianificare la giornata e decidere il menù.

«Potremmo organizzare dei turni per pedinare Alga» propose alzandosi dalla sedia. «È probabile che si muova in macchina, quindi non è il caso di farlo da soli. Nell'eventualità che lasci l'auto e prosegua a piedi bisogna essere in coppia, in modo che uno dei due possa andargli dietro.»

«Un pedinamento rappresenta un'incognita» li interruppe il vecchio. «Non sappiamo quali reazioni abbia provocato in queste persone la morte di Jannello. In ogni caso si può provare a seguire Alga per qualche giorno e vedere come si comporta.»

«D'accordo» tagliò corto Max. «Potremmo cominciare domattina. Adesso devo scappare, mi aspetta un mucchio di lavoro.»

Sanda era rimasta in disparte, pensierosa. A malapena aveva ascoltato ciò che dicevano e per tutto il tempo non aveva spiccicato parola. Quando gli altri si alzarono per andare, rimase seduta.

«Non vieni?» domandò Vittoria.

«No, voglio rileggere tutti gli appunti con un po' di calma» rispose la nera. «Ho in testa un'idea che non riesco a mettere a fuoco, credo di aver perso il filo di questa storia. Sfogliare di nuovo i documenti mi aiuterà a pensare. Ho bisogno di ragionarci da sola, in silenzio.»

«Se ti viene l'illuminazione fatti viva» la prese in giro Abdel.

Sanda gli mostrò la lingua e il kabilo le mandò un bacio sulla punta delle dita. Mentre gli altri si avviavano, Max le lanciò un'occhiata.

«Be'?» disse lei. «Che c'è?»

Ventura sorrise. «Niente» rispose. «Oggi sei molto carina.»

Lo fissò mentre raggiungeva la porta. Chiacchierando uscirono dalla stanza uno dopo l'altro e la lasciarono sola. Aspettò che sulla scala si fossero spenti i loro passi, poi si alzò e andò alla finestra che dava sul piazzale di ghiaietto.

La vecchia cabriolet di Abdel si allontanò passando accanto alla Opel Astra di Sanda, subito seguita dalla Volvo di Max sulla quale era salita anche Vittoria. L'ultima a partire fu la Tesla di Numero Uno. La osservò mentre si allontanava a bassa velocità sul vialetto d'ingresso sollevando piccole nuvole di polvere che il vento disperdeva all'istante. Le chiome degli alberi si muovevano inquiete, come teste di mostri scontenti.

Tornò a sedere. Rimase per qualche momento ferma, le mani in grembo e il dorso adagiato allo schienale, fissando le pile di documenti e fotocopie sparse sul piano del tavolo.

Ripensò al mese passato, così diverso dagli anni precedenti. Si era talmente abituata alla normalità della sua nuova vita che la comparsa di quel vecchio le aveva provocato un vero shock. I primi giorni aveva provato un misto di rabbia e frustrazione che aveva faticato a non riversare sui suoi compagni. Poi, poco per volta, quella stramba indagine aveva cominciato a divertirla, finché la gita in montagna, con il rischio reale di lasciarci la pelle, non l'aveva riportata con i piedi per terra.

Se non fosse stato per Max, se la sarebbero vista brutta. D'altronde era il solo dei quattro ad aver fatto parte della delinquenza vera, quella dove se non sei più in gamba degli altri, muori. Nonostante questo, la tensione provata in quella boscaglia aveva cambiato la sua prospettiva. Era necessario fermare alla svelta quella gente, prima che qualcuno di loro finisse per farsi male.

Sbadigliò slogandosi quasi la mascella, poi si mise a sfogliare le carte cercando una maniera logica di studiarle. Da quando aveva ascoltato la storia di Ismail, tre giorni prima, una serie di dettagli avevano cominciato a girarle per la testa, immagini sfocate che si sovrapponevano tra loro e che non riusciva a rendere nitide. Ad averla colpita in modo particolare era stata la descrizione dell'uomo che aveva viaggiato a Benin City per bruciare quell'ufficio, uccidendo due persone. Lo stesso uomo che, secondo Ismail, aveva dato fuoco alla casa di accoglienza, vale a dire la persona che dovevano trovare a tutti i costi.

Per oltre un'ora rilesse documenti e guardò pagine di giornali sul computer finché a un certo punto si ritrovò sotto gli occhi un articolo che parlava dell'incidente in cui aveva perso la vita Rino Balzano. Diede una scorsa alle prime righe e stava per chiudere la finestra quando una parola attrasse la sua attenzione: imprudenza.

Balzano viveva in una cascina fuori città. Aveva una discreta quantità di terreno, per la maggior parte coltivato a vigna. Produceva un certo numero di bottiglie di Erbaluce, un bianco fermo, che vendeva tramite la cantina sociale. I vicini raccontavano che ogni anno, cascasse il mondo, prendeva le ferie nel periodo della vendemmia. Dando retta ai racconti di paese, la vita di Balzano era divisa fra il corpo dei vigili del fuoco, di cui era un esperto, e la sua vigna.

La notte dell'incidente pioveva forte. Con il suo trattore si era recato sul bordo di un canale, uno di quei piccoli corsi d'acqua che da quelle parti vengono chiamate *bialere*, intasato da un ammasso di rami e foglie portati dalla corrente.

Rischiava di esondare nella vigna, cosa non insolita per quella stagione. Secondo alcuni contadini della zona, tentare di liberare il canale sotto quell'acquazzone era stata un'imprudenza, ma Balzano era attaccato alla sua vigna più di ogni altra cosa.

In sostanza, mentre stava lavorando di pala e piccone, l'argine fradicio di pioggia aveva ceduto e il trattore gli si era rovesciato addosso, schiacciandolo contro il terrapieno. L'autopsia aveva rivelato un'alta percentuale di alcol nel sangue e questo poteva averlo influenzato nella scelta avventata. Il pomeriggio seguente, passando da quelle parti, un cacciatore aveva notato il mezzo capovolto e aveva chiamato i soccorsi.

Pur se in pessime condizioni, il cadavere era stato riconosciuto dai vicini per via di un tatuaggio che Balzano portava sul braccio, il ricordo di un corso di aggiornamento fatto anni prima con la Feuerwehr in Deutschland a Ilmenau, cittadina tedesca gemellata con il borgo in cui viveva.

L'inchiesta dei carabinieri e l'autopsia avevano permesso di archiviare la morte come incidente e, chiuse le indagini, il corpo di Balzano era stato seppellito nel vicino cimitero.

Sanda lesse e rilesse l'articolo cercando un particolare che potesse suggerire un omicidio, ma sembrava che nella morte del vigile del fuoco non ci fosse nulla di sospetto. A parte l'imprudenza, questo era ovvio. Se lo avevano eliminato per chiudergli la bocca, chiunque fosse stato aveva fatto le cose per bene.

Le venne in mente che tempo prima Numero Uno aveva portato delle informazioni su Balzano che nessuno di loro aveva guardato. Forse perché essendo defunto non l'avevano considerata una pista da seguire. Eppure, qualcuna di quelle figure che le giravano per la testa stava rallentando e cominciava a mettersi a fuoco.

Per cercare i documenti fu costretta a spostare tutto ciò

che c'era sulla scrivania. Era un rapporto dei carabinieri, se non ricordava male, chiuso in una busta di colore paglierino. Mise tutto in disordine ma non le riuscì di trovarla, forse il vecchio aveva deciso di portarsela via. Però ricordava il gesto con cui l'aveva posata sul tavolo, davanti a loro. Qualcuno doveva averla spostata.

Si mise a frugare dappertutto, guardò in ogni cassetto, sopra gli scaffali dei dossier, addirittura sotto i pochi mobili che c'erano nella stanza e finalmente la trovò, posata sopra i pacchi di carta nel mobiletto della stampante. La prese e tornò a sedere.

L'aprì e sfilò la copia striminzita del rapporto, una quindicina di pagine a dir tanto. Le sfogliò con calma, leggendo con occhio distratto quel gergo burocratico che faticava quasi a comprendere. A un certo punto si trovò sotto il naso una foto di Balzano. Era a torso nudo nella sua vigna, un cestino pieno d'uva in una mano e un paio di forbici da vendemmia nell'altra. Alle sue spalle due donne e un altro uomo erano intenti a raccogliere i grappoli.

A Sanda bastò un'occhiata per capire e la sorpresa le provocò un fiotto di nausea. Chiuse il dossier con mani tremanti e attese qualche momento prima di riaprirlo sulla foto, come per assicurarsi di non aver avuto un'allucinazione. Aveva tutto davanti, una risposta per ognuna di quelle piccole immagini sfocate che le erano passate per la mente e che adesso trovò tanto nitide da lasciarla di stucco. Sempre che non si sbagliasse.

Eppure non c'erano dubbi, era lui.

TRENTASEI

Anche gli altri

Fuori dai finestrini l'aria era soffusa di una luce tenue e irreale, come se per un malaugurato incidente l'auto fosse scivolata sul fondo di uno stagno e la sola illuminazione provenisse dalla fluorescenza dell'acqua. Forse per questo la scena le trasmetteva una sensazione di irrealtà.

Aveva un leggero batticuore, più per la convinzione di essere giunta all'epilogo di quella storia, che per la paura. E paura ne aveva, certo, chi non l'avrebbe avuta? Le venne in mente ciò che, durante una pausa dell'interrogatorio, ai tempi lontani del suo arresto, un poliziotto della brigata criminale aveva raccontato ai suoi colleghi: quando partecipava a un'azione pericolosa ci arrivava morto di paura; siccome si sentiva già morto, era dunque invulnerabile.

In quel momento lei era davvero spaventata. Ma prima di informare gli altri della sua scoperta, doveva essere certa di aver ragione. E questo significava affrontare il panico e passare oltre.

Chinò il capo per osservare l'edificio sotto cui era parcheggiata da quasi tre ore. Due dei piani avevano le persiane abbassate, segno che chi ci viveva doveva essere già in vacanza. Negli altri appartamenti non si percepiva alcun movimento ed era troppo presto perché ci fossero delle luci. Ma questo non significava che all'interno non ci fosse nessuno.

Una donna e una bambina si erano allontanate su un'auto che era sbucata dalla rampa del garage sotterraneo. L'orologio sul cruscotto segnava le sedici e trenta. Decise di aspettare il ritorno di madre e figlia per introdursi nell'edificio prima che il cancello del garage si richiudesse. Dal sedile accanto prese la relazione dei carabinieri che aveva portato con sé e l'aprì alla fotografia di Balzano. Come sempre succede, più la guardava più i dubbi erodevano le sue certezze. Adesso non era più così sicura dei propri ricordi. Passata l'euforia del primo momento, si rese conto che avevano ricominciato a tornare indistinti. Forse ne avrebbe dovuto parlare con Max, lui sarebbe stato in grado di aiutarla a mettere a fuoco certi particolari.

Prese il telefono e osservò lo schermo sul quale campeggiavano il logo della palestra, il giorno della settimana e l'ora. Pigiò il pulsante della rubrica, ma invece di cercare il numero di Ventura decise di spegnerlo e lo rimise in tasca.

Sulla strada passava solo qualche veicolo. Alcune persone a piedi o in bicicletta erano dirette verso le case nei dintorni. Sull'orizzonte le montagne si stagliavano nitide nell'aria cristallina di quella giornata ventosa. Continuava a pensare a Balzano, a tutte le analogie che aveva scoperto, fatte di parole, frasi, sensazioni e qualche certezza. Guardò i propri occhi nello specchietto retrovisore e si disse che aveva ragione, che *doveva* avere ragione.

Un colpo d'aria fece vibrare l'auto riportando Sanda alla realtà. Due grossi SUV passarono sulla strada, poi apparvero i fari della Mini Clubman che stava rientrando. Assieme alla donna e a sua figlia c'era una seconda ragazzina, forse un'amica o la sorella.

Mentre imboccavano la discesa verso il garage, aprì il cassettino dell'auto. Sotto i documenti era nascosta la Colt Defender di uno dei sicari che li avevano seguiti in montagna.

Era una pistola piccola e potente, con un corto silenziatore avvitato in cima alla canna. Non aveva resistito e invece di gettarla giù dal dirupo assieme al resto delle armi, se l'era tenuta. L'aveva nascosta nello zaino senza che gli altri la vedessero. La infilò nella cintura della gonna e la coprì con le falde della camicetta.

Scese dall'auto e raggiunse la rampa che portava al garage. La Mini stava entrando in quel momento. Attese che avesse girato l'angolo e cercando di non far ticchettare i sandali scese di corsa fino al cancello che stava cominciando a richiudersi. Vestita in quel modo si sentiva esposta e vulnerabile. Invece dei soliti pantaloni della tuta e delle scarpe da ginnastica che la facevano sembrare una nera uscita dal ghetto, quella mattina aveva deciso di indossare qualcosa di femminile, forse per competere con Vittoria che, al contrario di lei, era sempre in tiro. In effetti, Max aveva notato quel cambiamento.

Nei posti assegnati erano ferme solo due altre vetture. Mentre la Mini parcheggiava in fondo alla rimessa, Sanda si nascose dietro una delle colonne che sorreggevano la struttura. Il cuore le batteva nel petto come un tamburo e lo schianto metallico del cancello che si chiudeva la fece sobbalzare.

Prima di lasciare il nascondiglio attese che gli strilli delle ragazzine si spegnessero nel silenzio. Raggiunse il fondo del garage, pronta a trovare un nascondiglio nel caso avesse sentito arrivare qualcuno. L'ascensore era fermo al quarto piano. A pochi metri dalla cabina si apriva una porta di metallo beige con al centro uno stretto vetro smerigliato. L'aprì e prese le scale.

Salì fino al secondo piano e si fermò a metà della rampa per controllare che fosse tutto tranquillo. Una grande finestra faceva entrare la luce del giorno. Aveva di fronte una porta blindata di legno chiaro. Al fondo del pianerottolo, poco distante dall'ascensore, ce n'era un'altra, più semplice, forse l'ingresso di servizio.

Superò i pochi gradini che la separavano dal pianerottolo e si fermò davanti a quella blindata. Diede uno sguardo attorno per controllare che non ci fossero telecamere. Il battente non aveva nemmeno lo spioncino.

Questo le diede un'idea. Riprese le scale e salì fino al quarto dove abitavano la donna e le ragazze. Sul campanello una placca d'ottone diceva: MARINO-INVERNIZZI. Tornò di sotto e si avvicinò alla porta.

Prese la pistola e liberò il caricatore. Dovevano esserci dentro quattro o cinque proiettili. Lo rimise al suo posto, poi si assicurò che ci fosse il colpo in canna e sollevò il cane. Rimase immobile diversi minuti davanti alla porta, lo sguardo accigliato fisso sulla targhetta di cartone su cui era scritto il nome del proprietario. Infine allungò la mano e dopo una breve esitazione premette il pulsante del campanello.

Lo squillo risuonò da qualche parte, smorzato come un'impressione. Udì dei passi all'interno dell'appartamento, poi una voce di uomo chiese: «Sei tu?».

«Sono la signora Invernizzi» disse Sanda con voce agitata. «Scusi se la disturbo, ma mia figlia ha avuto un incidente e ho bisogno di aiuto.»

Trascorsero attimi di silenzio prima che la chiave girasse più volte nella toppa. Non appena si schiuse, Sanda si buttò con la spalla contro la soglia aprendola con violenza. Colpito in pieno, il proprietario andò lungo disteso sul pavimento. Lei entrò e richiuse la porta dietro di sé con una pedata. L'uomo era a terra, l'espressione spaventata. Con un lamento si puntellò sul pavimento cercando di raddrizzare il busto. Sanda gli puntò addosso la pistola e lui sollevò un braccio davanti alla faccia in un assurdo tentativo di proteggersi. Il sangue gli colava dal naso e stava macchiando la camicia bianca che aveva addosso.

«Chi la manda?» balbettò. «Mi vuole sparare?»

«In piedi» ordinò la nera.

«Vuole dei soldi? Non ho mol...»

«Le ho detto di alzarsi.»

Il vecchio riuscì a mettersi in ginocchio e si pulì il naso con la manica della camicia. Aveva il fiatone.

«Forza» insisté Sanda. «Si tiri su.»

«Ascolti, posso darle del denaro e qualche orologio» ansimò.

Invece di rispondere aspettò che l'altro ubbidisse. L'appartamento era una specie di *open space* con il pavimento di piastrelle marmorizzate e le pareti color crema. L'arredamento era scarno, per lo più mobilio da grandi magazzini e quadri orrendi, del tutto privo di personalità e di gusto. Due caloriferi di design salivano quasi fino al soffitto. Sul pavimento erano aperte tre grosse valigie piene di vestiti e oggetti.

«Parte per una lunga vacanza?» domandò con tono sarcastico.

L'altro si limitò a sbuffare intanto che si alzava da terra. Era ancora sorpreso da quell'intrusione e non aveva voglia di parlare.

«Si levi la camicia» ordinò non appena fu più o meno dritto davanti a lei.

L'uomo la guardò sorpreso, senza accennare a farlo. «Ma che cazzo...» esclamò. «Mi vuole violentare?» Sembrava aver ritrovato un briciolo di padronanza.

«Le ho detto di levarsi la camicia» ripeté Sanda gelida.

Lui iniziò a sbottonarla, gli occhi fissi in quelli della donna. La sfilò e rimase a torso nudo, le braccia stese lungo i fianchi e l'espressione imbarazzata. A parte il ventre sporgente, nonostante i sessant'anni il fisico era ancora decente.

Adesso poteva vedere bene il tatuaggio bluastro che girava attorno al bicipite. Vi era raffigurata una fiamma circondata da una ghirlanda di foglie di quercia sotto le quali campeggiavano le lettere F e I: Feuerwehr Ilmenau, immaginò. Il fregio che girava attorno al braccio era formato da una fila di pompieri stilizzati che marciavano a passo di corsa. Il lingotto d'oro di cui aveva parlato Ismail pendeva tra i peli grigi del petto appeso a una catenina. Aveva fatto qualche lavoretto sulla faccia, cambiato forma alle sopracciglia ed era ingrigito, ma non c'erano dubbi che fosse la stessa persona. Ricordò che parlandone con Max, Matilde l'aveva definito un impiegato statale.

«Non posso proprio dire che sia un piacere conoscerla, signor Balzano.» Sanda sogghignò in attesa di una reazione.

Un lampo di sorpresa passò negli occhi del vecchio. «Forse mi ha preso per un altro, io mi chiamo Giuseppe Brasa.»

«Già, la sua nuova identità. Mi piacerebbe sapere chi è finito schiacciato sotto al trattore al posto suo. I suoi compari le hanno dato una mano a scomparire?»

«Le ho detto che mi chiamo...»

«Non perda tempo con queste balle» lo interruppe.

Prese dalla tasca della gonna un foglio piegato in quattro, lo aprì e lo gettò a terra davanti a lui. Brasa si chinò e lo raccolse. Fissò per qualche momento la foto di quando ancora si chiamava Balzano, poi sghignazzò guardandola di sottecchi.

«Ho messo su un po' di pancia» brontolò.

«Chi ha ucciso per poter sparire?» domandò Sanda.

Il vecchio si strinse nelle spalle. «Era un senzatetto. Lo vidi una sera a Porta Palazzo, lui e altri due avevano dato fuoco per sbaglio a una tettoia sotto la quale passavano la notte. Era da un po' che volevo uscire di scena, ne parlai alla persona per cui lavoravo e lui disse che era un'ottima idea. Quindi lo contattammo e gli offrimmo del denaro per prendere il mio posto.»

«Come lo convinse a farlo?»

«Per quello bastavano i soldi. Comunque, dissi che avrebbe dovuto farsi vedere in un posto fingendo di essere me, che avevo bisogno di un alibi. Bastava dargli da bere e quello credeva a qualsiasi balla raccontassi. Gli facemmo un tatuaggio uguale al mio e poi... Be', il resto se lo immagina.»

«Lei è una persona disgustosa.»

«Può darsi, ma era ubriaco fradicio, le assicuro che non se n'è manco accorto. Mi serviva che fosse abbastanza malconcio da nascondere lo scambio di persona. Poi, il tatuaggio ha fatto il resto. Era un'occasione coi fiocchi e loro mi hanno dato una mano.»

«Loro chi, quelli che le hanno regalato l'appartamento?»

«Questa è un'altra storia, bellezza, se la trovi da sola.»

«Sappia che se non esco di qui con una confessione completa, prima di andarmene le sparo.»

Lui la fissò cercando di vedere il bluff. «È una specie di giustiziera?» chiese. Sanda si limitò a fissarlo impassibile. «Adesso mi ricordo di lei» disse a un tratto Brasa. «Lei è quella negra che faceva le fotografie qui sotto. Avrei dovuto capire che stavate ficcando il naso negli affari miei.»

«La colpa è sua» rispose laconica. «Se non avesse fatto lo stronzo, non mi sarei ricordata di lei, del suo tatuaggio o di quella patacca che porta al collo.»

«È oro vero, mica una patacca.»

«In galera ci potrà comprare le sigarette.»

«Io non ho fatto nulla.»

«Ha soltanto ucciso diciassette persone.»

«Erano sedici» si lasciò scappare. Poi fece un gesto con la mano come per dire che si era spiegato male. «Se intende parlare di quella vecchia storia, l'incendio della casa di accoglienza che c'era al posto di questo condominio, i morti sono sedici, non diciassette. Lo so perché ne avevano parlato i giornali.»

«Con il senzatetto schiacciato dal trattore, fanno diciassette. In ogni caso abbiamo la testimonianza di una persona che l'ha sentita vantarsi di quella prodezza.»

L'uomo la fissò accigliato. Non poteva scappare, né toglierle di mano quella pistola e romperle la faccia come si sarebbe meritata. A un certo punto della vita bisogna riconoscere che la partita è terminata, che le carte buone sono finite. La sola cosa da fare è accettarlo, chiudere in bellezza portandosi via qualche briscola.

«Se le racconto tutto, cosa me ne viene in tasca?»

«Dirò che ha collaborato per farle avere un trattamento di favore. Ma non posso promettere nulla, non dipende da me.»

Brasa capì che non valeva la pena discutere. Aveva sempre temuto quel momento, pur immaginandolo differente, con un mucchio di poliziotti che gli entravano in casa, lo buttavano a terra, lo ammanettavano e se lo portavano via. La galera non gli faceva così paura, si rese conto all'improvviso di desiderare la tranquillità. Basta tensione, basta morti, basta con la gentaglia che era costretto a frequentare. Si era dovuto guardare le spalle a sufficienza. In cella non gli sarebbe mancato il tempo di pensare, anche alla carriera che avrebbe potuto fare nei vigili del fuoco se le cose fossero andate diversamente.

Sanda guardò l'ora, erano le cinque e un quarto. «Si sieda sul divano e tenga le mani bene in vista» ordinò.

«Posso rimettere la camicia?» domandò.

Lei acconsentì con un cenno della pistola. Il vecchio la indossò e si mise ad abbottonarla. Poi la infilò nei pantaloni.

«Stia solo attento a come si muove. Ricordi che le conviene vuotare il sacco senza cercare di fregarmi.»

«Lo sto facendo, mi sembra.» Si andò a sedere posando le

mani sui cuscini. «Ho anche ammesso le mie colpe» aggiunse, «non c'è bisogno che mi minacci.»

«Non è una minaccia, è una mancanza di fiducia nei suoi confronti. Non mi sembra il tipo a cui voltare le spalle.»

«È lei ad avere un'arma, no?»

«Appunto, quando qualcuno con la pistola in mano ti fa delle domande, è meglio se rispondi. Voglio sapere tutto quanto. Mi parli di quei galantuomini con cui aveva a che fare.»

Affondato nel divano, Brasa scosse il capo. «Era senz'altro gente senza scrupoli» disse, «non avevano in testa altro che il denaro. Non tutti, all'inizio, ma quando le cose sono andate avanti, allora anche gli altri si sono adeguati.»

TRENTASETTE

Mio figlio

«Perché Ismail non li ha denunciati?» domandò Sanda.

Brasa fece una smorfia. Aveva l'aria provata. Da oltre due ore non aveva smesso di parlare un istante. Aveva bevuto diversi bicchieri di whisky e questo non faceva che accentuare il suo stato di prostrazione.

«Non ne ho idea» borbottò. «Tutti ci aspettavamo che l'avrebbe fatto. È evidente che aveva le sue ragioni, ma Jannello lo considerava una vera e propria spina nel culo.»

«Per questo hanno continuato a cercarlo, per eliminarlo.»

«È naturale. Ma quando sono arrivati era troppo tardi, l'amico se l'era squagliata. Gli sono sempre stati dietro. Per precauzione, subito dopo la defezione di Ismail, Alga ha costretto Settembrini a disfarsi della Millenium Phœnix, in modo da tagliare ogni legame con l'attività illegale in Africa. Anche se poi se l'è comprata Jannello tramite la Subra Net, una mossa imprudente, a mio parere.

«Nel frattempo i suoi uomini si sbattevano per arrivare a Ismail. È gente che si sa muovere, sai?» Alzò il bicchiere come se stesse parlando di chissà quali eccellenze. «Riescono a raccogliere informazioni anche dove sembra che non ce ne siano. Sanno come muoversi nel giro, tant'è che a un certo punto sono riusciti a mettere in piedi uno stratagemma che, anche se un po' contorto, poteva funzionare. Certo, c'erano accordi e qualche concessione da fare, perché nessuno ti dà niente per niente. E lui ha accettato i compromessi, perché quando Jannello vuole una cosa, di solito riesce a ottenerla. E difatti lo ha trovato.»

«Già, ma non è andato tutto come avrebbe voluto.»

L'altro sorrise amaro. «Da quando avete ricominciato a ficcare il naso in questa storia, non c'è stata una sola cosa che andasse per il verso giusto. A parte la fine prematura di quel pezzo di merda di Spadafora. Era uno stronzo, un leccaculo di Jannello, ha avuto quello che si meritava. Come siate riusciti a liberarvi di lui e dei suoi, resta un mistero.»

«Siamo in gamba, non c'è alcun mistero.»

«Non c'è dubbio che vi abbiano sottovalutati.»

«Chi è stato a uccidere Jannello?»

«Chi vuoi che sia stato?» disse allargando le braccia. «Alga l'ha chiamato l'altra mattina, aveva il solito problema. Te l'ho detto, no? Gli piace drogare le donne per portarsele a letto. Comunque, qualcosa dev'essere andato storto e ha chiamato Luigi. Devono aver litigato. A Jannello piaceva insultarlo, lo faceva sempre sentire una merda. Di solito Alga si ritira con la coda tra le zampe, si vede che questa volta ha trovato un briciolo di dignità e ha reagito.»

«Quindi lo ha ucciso lui.»

«Certo, ha ammazzato di botte quella poveretta e ha dato un po' di coltellate a Luigi. Era nell'aria, tra loro non poteva che finire così. O uno o l'altro.»

«E la dottoressa Avesani?» domandò Sanda.

Il vecchio scosse il capo. «Non so come, ma Alga ha saputo che avevate intenzione di interrogarla. Lo ha detto a Di Fazio, che si è messo a fare il diavolo a quattro. Era certo che questa volta sarebbe crollata. Ha riferito la cosa a Jannello e hanno deciso di levarla di mezzo una volta per tutte. Ma non chiedermi chi ha eseguito il lavoro perché tanto non te lo posso dire. Ci tengo alla pelle.»

Rimasero in silenzio, lui seduto sul divano con l'aspetto ascetico di chi si è confessato liberando l'anima dal peso della colpa, lei in piedi, la Colt in pugno e una voglia terribile di usarla. Era tesa, disgustata dalle sue parole, stanca di ascoltare quell'uomo mentre le raccontava di azioni terribili come se fossero state normali.

Lo aveva beccato per il rotto della cuffia. Aveva già le valigie pronte; se avesse aspettato la mattina seguente, con ogni probabilità non l'avrebbe più trovato. Adesso doveva portarlo via di lì per consegnarlo a Numero Uno, cosa che avrebbe chiuso quella storia una volta per tutte.

«Devi venire con me» disse Sanda. «Ti conviene fare quello che ti dico, se cerchi di scappare, ti sparo alle gambe.»

«Dove mi vuoi portare?» domandò Brasa.

Le parve che non avesse nessuna voglia di alzarsi da quel divano. Del resto, dal momento in cui lei era entrata in quella casa, le sue aspettative per il futuro si erano parecchio ridotte. Le fece quasi pena, ebbe bisogno di ricordare che, tra una cosa e l'altra, quel rottame aveva assassinato almeno una ventina di persone. Per giunta, alla sua età non avrebbe certo scontato tutti gli anni di galera che meritava.

«Dove ti porto sono affari miei» rispose. «Tu devi soltanto ubbidire.»

«Mi vuoi ammazzare?»

«Non sono quel genere di persona, ma non mi tentare. Consideralo una specie di arresto.»

«E con quale diritto vorresti arrestarmi?»

«Con questo.» Gli sventolò la pistola davanti alla faccia. «Dài, alzati da quel divano.»

«Non credo proprio, brutta stronza di una negra» sghignazzò il vecchio.

Sanda percepì come un movimento d'aria alle proprie spalle. Non fece in tempo a rendersene conto che qualcosa la colpì con violenza sulla testa. La pistola le cadde di mano e sentì le gambe che diventavano di gelatina. Per non cascare in avanti cercò di aggrapparsi allo schienale di una poltrona, ma l'aggressore la picchiò di nuovo sulla nuca facendola crollare sul pavimento.

In una sorta di narcosi si rese conto che quando aveva suonato il campanello, Brasa aveva chiesto: «Sei tu?». Stava aspettando qualcuno e lei non era stata abbastanza in guardia.

Ebbe la sensazione di mani che l'afferravano, la strattonavano, la sollevavano, la rigiravano e la ributtavano in basso. Non riusciva a vedere nulla, si sentiva sballottata come un pezzo di legno in un oceano in tempesta, le pareva di finire sott'acqua per poi tornare di nuovo in superficie, incapace di rimanere a galla in quel mare di dolore in cui le botte sulla testa l'avevano precipitata.

Percepiva voci come un'eco di risacca, erano lontane, con uno strano rimbombo metallico. In un momento di lucidità ebbe l'impressione che la stessero trascinando sul pavimento tenendola per le braccia. Ebbe un debole guizzo e in cambio ricevette un paio di calci.

Di nuovo le voci accompagnate dalla percezione che l'orizzontalità del suo corpo stesse subendo un cambiamento. Il nuovo stato spaziale delle membra le inviò piccole ondate di nausea che la scossero appena mantenendola in un limbo torbido e melmoso in cui le sembrò di essere sospesa.

Col passare del tempo lo stordimento divenne ansia, poi paura, infine terrore, la nausea si tramutò in una mano che le stringeva lo stomaco quasi con cattiveria. Teneva il capo chino, gli occhi chiusi come per rifiutare quel cambiamento di prospettiva così improvviso e spaventoso. Non sapeva quanto tempo fosse passato dal momento in cui l'avevano colpita, ma attraverso le palpebre abbassate percepiva un chiarore rosato che doveva essere quello del sole al tramonto.

Poco per volta rientrò in possesso dei propri sensi, successe grazie al dolore, alle fitte che le attraversavano la testa simili a scosse elettriche. Sentì la schiena umida, qualcosa di appiccicaticcio che le scendeva sul collo e su un lato della faccia. Si leccò le labbra secche e sentì il sapore del sangue.

Aveva le spalle indolenzite. Provò a muovere le braccia ma non ci riuscì. Era seduta per terra, i polsi legati alti sopra la testa da alcune fascette di plastica che li tenevano agganciati a uno degli elementi superiori del termosifone.

Con un gemito cercò di cambiare posizione. Una mano l'afferrò per i capelli e le sollevò il capo. Socchiuse gli occhi e una figura indistinta si mosse davanti a lei.

«Hai smesso di fare la furba, adesso, non è vero, stronza?» disse la voce ruvida di Brasa. Cercò di metterlo a fuoco senza riuscirci. «Allora? Non dici niente?» L'afferrò per i ricci e le sbatté più volte la nuca contro il metallo del calorifero, senza troppa cattiveria. «Adesso vedrai che fine fanno le persone in gamba.»

Una seconda figura si avvicinò a loro. Questa volta, aprendo e chiudendo gli occhi, Sanda riuscì ad avere una visione meno appannata. Il nuovo venuto, quello che l'aveva picchiata in testa, era un tizio sulla cinquantina, con un cappello di feltro grigio sulla testa, un giubbotto di cotone e le dita delle mani piene di anelli. Le diede l'impressione di essere un gitano. Il volto era segnato, quasi malinconico.

«Mi sa che non ci conosciamo» disse.

Anche se l'aspetto dell'uomo accendeva un campanello lontano, Sanda scosse piano il capo in un cenno di diniego.

«Di' un po'» scherzò Brasa, «non è che l'hai picchiata troppo forte?»

«Meglio per lei, se è un po' rimbambita non si renderà conto di quello che succede.»

Un fiotto di adrenalina le diede una specie di scossa. Si agitò debolmente e l'uomo con il cappello si accucciò davanti a lei. Posò sul pavimento uno straccio e un rotolo di nastro adesivo.

«Cosa... cosa volete farmi?» chiese Sanda.

Il gitano fece un'espressione addolorata. «Diamo fuoco all'appartamento, signora. Mi dispiace, non abbiamo alternative.»

«Non potete...» balbettò. «Sanno che sono venuta...»

«Può anche darsi, ma in ogni caso è bene che non riferisca a nessuno ciò che ha saputo dal mio amico. Abbiamo bisogno che Tiziano Alga sia ancora libero per qualche giorno e se la lasciassi andare lo farebbe arrestare immediatamente.»

«Al quarto piano ci sono delle persone» ribatté la nera in preda al panico. «Hanno due bambine, siete pazzi.»

«Stia tranquilla, non appena vedranno il fumo avranno il tempo di lasciare l'edificio.»

Prese da terra lo straccio, lo appallottolò e vincendone la debole resistenza lo spinse a fondo tra le labbra di Sanda, poi prese il rotolo di scotch e la imbavagliò girandole più volte il nastro attorno alla testa.

«Non deve avere paura, signora» disse infine. «Non se ne accorgerà neppure. Prima che arrivino le fiamme soffocherà a causa del fumo.»

L'uomo smise di occuparsi di lei e tornò da Brasa. L'ex pompiere aveva intanto finito di riempire le tre valigie e insieme le portarono accanto all'ingresso.

Con la testa che le scoppiava e il terrore che quasi le impediva di ragionare, Sanda ne seguiva i movimenti come attraverso il vetro di un acquario. Ogni tentativo di liberare le mani le provocava fitte simili a frustate che subito smorzavano ogni sua velleità di lottare.

«Scendo a prendere la benzina» disse Brasa a un certo punto.

L'uomo con il cappello si accomodò sul divano e prese dalla tasca un telefonino sul quale si mise a scrivere un messaggio. Prima di uscire, l'altro si tolse la camicia bianca macchiata di sangue e indossò una polo blu che aveva lasciato sul bracciolo del divano.

Raggiunse la porta e uscì. I secondi che seguirono, Sanda se li sarebbe ricordati per un pezzo.

Udì un tonfo accompagnato da un grido soffocato e Brasa rientrò in casa ruzzolando sul pavimento del salotto. Nel vano dell'ingresso apparve un uomo che indossava un abito blu.

Il tipo con il cappello saltò su dal divano con uno scatto impensabile per uno della sua età. In mano gli si era materializzato un revolver che però non fece in tempo a usare. Una detonazione secca, fortissima, e cadde in avanti mandando in mille pezzi il tavolino di cristallo che aveva di fronte.

Il braccio armato sempre teso, il nuovo arrivato venne avanti senza levare gli occhi dal corpo esanime riverso a terra. Si avvicinò, controllò che fosse fuori combattimento, poi ripose la pistola nel fodero sotto l'ascella e allontanò la rivoltella con un calcio. Brasa emise un lamento. Lui lo raggiunse, lo voltò pancia sotto e gli ammanettò i polsi dietro la schiena.

«È tutto libero, signore» disse a qualcuno che aspettava sul pianerottolo.

L'intera sequenza non era durata che qualche secondo, lasciando la nera sbigottita. Sorpresa che aumentò quando dalla porta vide entrare Numero Uno.

Così come era montata, la tensione mollò di colpo e Sanda si mise a tremare scossa dai singhiozzi. Non riusciva a smettere, perdeva moccio dal naso e attraverso il bavaglio emetteva strani versi soffocati. Il vecchio si chinò accanto a lei posando un ginocchio a terra. Prese un temperino dalla tasca del suo abito grigio, ne aprì la lama e con cautela, per non ferirla, tagliò il nastro adesivo liberandole le labbra, cosa che le permise di sputare la palla di stracci che le riempiva la bocca.

«Lei è un'incosciente, signora Jordano» disse Numero Uno.

La nera avrebbe voluto rispondere, ringraziare, urlare, ma continuava a piangere come una fontana. Ci volle del bello e del buono prima che potesse biascicare uno stupito: «Come ha fatto a trovarmi?».

«Questa mattina la stavo osservando» raccontò il vecchio tagliando le fascette che le segavano i polsi. «In anni di lavoro ho affinato una certa abilità nel cogliere questi particolari.»

Le mani le caddero in grembo. Oltre le spalle di Numero Uno vide l'altro tizio che stava parlando al cellulare.

«Quali particolari?» domandò tirando su col naso.

«Lei aveva un'idea in testa, era palese» disse il vecchio. «In genere non perde occasione per esternare il suo sarcasmo, oggi invece era stranamente taciturna.» Con delicatezza le ripulì il viso con un fazzoletto. «Era piuttosto turbata, segno che qualcosa l'aveva colpita. Ma era evidente che le mancavano alcuni elementi per trasformare un'ipotesi in certezza.»

«È andata così, infatti» ammise. «Ero convinta di aver trovato la persona che stavamo cercando, ma volevo esserne sicura.»

«Ho visto poliziotti ai miei ordini avere delle brillanti intuizioni, so riconoscere quando succede. E stamattina lei stava avendo un'intuizione. Se fossimo stati all'inizio di questa indagine avrei lasciato perdere, ma siamo alla fine e aveva elementi sufficienti per poter elaborare un'idea decisiva.»

Il capo chino di lato, Sanda lo fissò dubbiosa. «Ci ha per caso messo addosso dei segnalatori?»

Numero Uno rise. «No, signora Jordano, niente di tutto questo. Ho lasciato il mio autista all'ingresso della cascina, con il compito di seguirla nel caso se ne fosse andata in giro. Quando mi ha chiamato per dirmi che era venuta qui, l'ho raggiunto. Volevamo aspettare che uscisse, ma l'arrivo di Luca Modafferi ci ha indicato che si era messa nei guai.»

«Modafferi?»

Il vecchio indicò il cadavere davanti al divano. «Una vecchia conoscenza. Un tipo piuttosto schivo. C'era il sospetto che fosse un sicario di Jannello, ma mancava una prova tangibile.»

«Modì...» mormorò lei. «Ne ha parlato Ismail.»

«Già. Peccato non averlo preso vivo. Lui sì che avrebbe avuto tante cose da raccontare.»

Tacquero osservandosi quasi con curiosità, come se in quel momento si vedessero per la prima volta. Nel silenzio si sentiva soltanto la voce dell'autista che parlava al telefono. La luce che entrava dalle finestre aveva perso colore, adesso era rosata e presto sarebbe diventata fredda. Poi ci sarebbe stata la notte e quella giornata terribile sarebbe finita.

«Grazie» disse Sanda di punto in bianco. «Mi avete salvato la vita.»

«Come si sente?»

«Come se mi avessero usata per spaccare delle pietre.»

Numero Uno l'aiutò a rimettersi in piedi. Le diedero un asciugamano bagnato con il quale poté pulirsi meglio dal sangue e dal moccio. Infine la fecero sedere su una poltrona in attesa che arrivassero le ambulanze. L'autista tirò su Brasa da terra e lo portò fuori dall'appartamento.

«È stato Brasa a dar fuoco alla casa di accoglienza» disse Sanda una volta rimasti soli. «Il suo vero nome è Balzano.»

«L'esperto dei vigili del fuoco che ha fatto la perizia sul rogo?»

«Proprio lui. Ha finto di morire per poter scomparire cambiando identità. La vittima era un senzatetto. Ho anche scoperto chi era lo sconosciuto bruciato tra le fiamme.»

«Lo ha saputo da Balzano?»

«Sì. Il suo nome era Ruggero Cirigliano, un impiegato della Instant Farma. Per caso ha scoperto il traffico di medicinali falsi e si è messo a indagare. L'incendio è stato appiccato per uccidere lui e la dottoressa con cui aveva una relazione.»

«Brasa ha fatto in tempo a raccontarle ogni cosa?»

«Tutto quanto.» Sanda indicò un mobile di metallo. «Prima di cominciare a interrogarlo, ho nascosto il mio telefono dietro al vaso che c'è su quello scaffale. Ho registrato ogni parola.»

Il vecchio annuì. Si spostò verso il fondo della stanza e si avvicinò alla finestra. In quel momento le parve che fosse da qualche altra parte, immerso nei propri pensieri. L'indomani ci sarebbero stati molti arresti e forse voleva godersi il successo in santa pace, oppure stava decidendo cosa farne di loro, adesso che la questione era stata risolta. O magari intendeva soltanto contemplare il tramonto. Invece a un certo punto si voltò e le rivolse un sorriso stanco.

«Ruggero Cirigliano non era un impiegato» disse. «Il suo vero nome era Antoine. Si trattava di un poliziotto dell'Interpol, sezione crimine organizzato. Erano riusciti a infiltrarlo nella struttura di Alga e Jannello facendolo assumere alla Instant Farma.»

«Un poliziotto?»

«Proprio così, signora Jordano. E c'è un'altra cosa che deve sapere. Lui era mio figlio.»

TRENTOTTO

Casi eccezionali

Sabato 2

Ricomporre una storia è un esercizio soggettivo, che va fatto con cura, perché è quasi sempre impossibile stabilire con precisione quale possa essere il finale. Ogni momento è influenzato da quello che lo precede, e così quello successivo, una sequenza che potrebbe proseguire all'infinito, perché una storia è come un pezzo di argilla, la puoi plasmare così tante volte che alla fine non riesci più a tenere conto di come si trasforma.

Questo Max lo aveva imparato a furia di sbatterci la testa e quella mattina, di fronte alle pagine dei quotidiani che raccontavano la vicenda – ogni giornalista lo faceva a modo suo – la materia di cui sono fatte le storie pareva ancora più inconsistente.

Se Sanda non fosse stata con lui, il giorno in cui erano andati sul sito del rogo, o non si fosse messa a fare le fotografie, o avesse anche solo evitato di litigare con quel tizio al secondo piano, era probabile che non sarebbero mai arrivati al fondo della vicenda. Così, invece, le circostanze avevano preso la forma corretta, fornendo gli indizi che almeno una di loro aveva potuto leggere e decifrare. Rischiando pure di rimetterci la pelle.

Il giorno prima gli scudieri della vicequestore Olivero avevano fatto il diavolo a quattro in giro per la città, armati di verbali d'arresto, informazioni di garanzia e di una vitalità che non si vedeva da tempo.

In seguito, assieme a questore e prefetto, la dottoressa Olivero aveva tenuto una conferenza stampa per i giornalisti nella quale aveva fatto un riassunto della lunga indagine che aveva risolto diversi omicidi, dato un colpetto alla tratta di esseri umani dall'Africa e portato alla luce un grosso traffico di medicinali falsi che coinvolgeva personaggi di ogni tipo. Dalla malavita organizzata fin su – o giù, a seconda dei punti di vista – alle personalità della politica. Quindi, lo smantellamento di un traffico che, bene o male, andava avanti da anni era diventata una notizia che aveva tutti i numeri per occupare le pagine dei quotidiani per diversi giorni.

C'erano stati quaranta arresti. Tiziano Alga era stato fermato alla frontiera con la Svizzera e Paolo Settembrini si era trovato l'ufficio pieno di poliziotti. Edmondo Palato, il proprietario dell'impresa di costruzioni Palatina Srl, era indagato per favoreggiamento e il consigliere William Di Fazio, esponente della giunta regionale, si era beccato un'informazione di garanzia per associazione di tipo mafioso alla quale il suo avvocato aveva reagito dichiarandolo estraneo ai fatti e indignato per un'accusa tanto infamante. Insomma, niente di nuovo sotto il sole.

Nonostante nessuno di loro fosse comparso nelle carte dell'inchiesta, dopo due giorni convulsi in cui avevano dovuto correre da una parte o dall'altra per seguirne gli sviluppi assieme a Numero Uno, si erano trovati tutti alla cascina con le facce stanche, un sacchetto pieno di croissant e un enorme bricco di caffè.

Avevano fatto colazione chiacchierando e assaporando la

sensazione di non dover più correre dietro a nessuno. Anche Sanda si era unita alla compagnia; il medico le aveva diagnosticato una leggera commozione cerebrale e ricucito il cuoio capelluto con una mezza dozzina di punti. Per il resto, a parte qualche livido e la necessità di un paio di occhiali scuri, sembrava abbastanza in forma.

Anche l'incriminazione di Rino Balzano aveva riaperto quella vecchia storia. Un giornalista ne aveva sottolineato il macabro umorismo: Brasa, il cognome che aveva scelto per scomparire, in dialetto significava brace.

Diverse associazioni per i richiedenti asilo avevano annunciato che si sarebbero costituite parte civile al processo nel quale era imputato l'autore della strage.

Grazie alla collaborazione della Olivero, Numero Uno aveva deciso di non rivelare i suoi legami di famiglia con il morto e aveva chiesto a loro di mantenere lo stesso riserbo. Di conseguenza, adesso il cadavere dello sconosciuto bruciato aveva un nome: Ruggero Cirigliano, impiegato della Instant Farma, eliminato perché sapeva troppo.

«Penso di dovervi alcune spiegazioni» disse il vecchio posando sul tavolo la tazzina vuota. «Ma prima vi voglio ringraziare. Tenendo conto che fino a oggi avete lavorato dall'altra parte della barricata, devo dire che avete fatto un buon lavoro.»

«Quello che ci interessa è il nostro futuro» replicò Abdel. «Deve dirci quali sono le sue intenzioni nei nostri confronti.»

«Lei ha ragione, signor Soltani, ma la prego di lasciarmi parlare. In realtà avete fatto qualcosa di assai più importante, se non fosse per voi adesso non sarei qui.»

Sanda fece spallucce. «Certo» brontolò, «immagino che se non le avessimo levato le castagne dal fuoco, avrebbe fatto una bella figura di merda. Tuttavia le ricordo che abbiamo lavorato per lei soltanto perché non avevamo scelta.»

Il vecchio fece un cenno infastidito con la mano, come per dire che quel particolare era secondario.

«Sì, lo so, Sanda, lo so. Lei ha ragione. Ma non è questo che intendo. Sto parlando di un episodio successo parecchi anni fa e che vi coinvolge tutti quanti, la signora Merz in particolare.» Si alzò e si avvicinò a Vittoria, rimanendo in piedi davanti a lei. Sorpresa, la donna si raddrizzò sulla sedia. «Immagino che sappia riconoscere una ferita come questa» disse disfando il nodo della cravatta e slacciando i primi due bottoni della camicia.

Aprì il colletto e le mostrò la gola, sulla quale si vedeva una cicatrice rotonda, una piccola depressione scura. Essendo un gesto tanto insolito, gli altri guardavano la scena incuriositi. Vittoria, al contrario, era rimasta a bocca aperta.

«Il segno lasciato da una tracheotomia» riuscì a dire con un filo di voce.

Ora anche Max aveva capito. Sanda e Abdel osservavano la scena indecisi, all'epoca non si erano nemmeno avvicinati. Lui, al contrario, le aveva dato una mano.

«Lei è...» mormorò.

Numero Uno non aveva distolto lo sguardo da quello di Vittoria, che sembrava ipnotizzata dal segno sulla pelle.

«Quel giorno poteva ignorarmi, ero solo un poliziotto di scorta, un nemico. Invece, prima di scappare si è occupata di me. Con la tracheotomia lei mi ha salvato lo vita, signora Merz.»

Le parole di Numero Uno li avevano lasciati di stucco. Ciascuno di loro rivide i momenti concitati dopo l'incidente che aveva quasi disintegrato il furgone penitenziario, la sorpresa di ritrovarsi ancora vivi al fondo del terrapieno. Il poliziotto boccheggiante fra i rottami del veicolo, invece, lo ricordavano appena, visto che in seguito avevano avuto ben altro a cui pensare. Le scarse possibilità che avesse di sopravvivere, grazie a un piccolo intervento artigianale, erano state l'ultima delle loro preoccupazioni.

«E così, lei è quel poliziotto sbalzato fuori dal furgone» disse Abdel accigliato. «Se l'avessimo lasciata crepare, tutto questo non sarebbe successo.»

Il vecchio lo fissò divertito mentre riannodava la cravatta dopo aver abbottonato la camicia. In pochi secondi assunse di nuovo l'aria impeccabile con cui era solito presentarsi davanti a loro.

«Un'affermazione piuttosto dura» rispose. «Ma non sempre le buone azioni hanno una ricompensa immediata. Per lo meno all'apparenza. In realtà, l'avermi ritrovato vivo grazie a voi ha fatto sì che non vi considerassero troppo pericolosi. Le ricerche sono partite in ritardo e questo vi ha dato il tempo di allontanarvi.»

«Insomma» brontolò Sanda, «se ho capito bene, in qualche modo dobbiamo a lei la nostra lunga latitanza.»

«Non a me. Sui giornali la storia di un gruppo di evasi che durante la fuga salva la pelle di uno dei loro carcerieri ha fatto presa sull'opinione pubblica. Non dico che vi abbiano considerati degli eroi, ma penso che la vostra azione abbia convinto molta gente ad aiutarvi.»

«In sostanza» si intromise Max, «lei chi diavolo è? Mi piacerebbe sapere com'è riuscito a trovarci.»

«È una storia lunga, signor Ventura» disse il vecchio. «Uscito dall'ospedale, dopo l'incidente in autostrada, chiesi di entrare nell'Interpol. Ero avanti con l'età, ma avevo una certa esperienza sul campo e conoscevo il modo di pensare dei detenuti. Così, la mia richiesta fu accettata. Per anni ho diretto una squadra che ricercava persone evase. In giro per l'Europa ne ho catturate parecchie, sa?»

«Se l'era legata al dito» borbottò Sanda.

«Io sono un poliziotto, quando siete scappati eravate affidati alla mia responsabilità. Per questo ho sempre pensato che il mio compito fosse quello di trovarvi. All'inizio ne avevo fatto una questione personale, non lo nego. Sono andato a un pelo dall'acciuffarvi quando la vostra presenza è saltata fuori a Milano, ma siete di nuovo riusciti a far perdere le vostre tracce. E per me si stava avvicinando l'ora della pensione.»

«E suo figlio, cosa c'entra in tutto questo?» chiese Vittoria.

Numero Uno avvicinò la poltroncina al tavolo e si sedette. «In qualche modo, è stato proprio lui a portarmi qui. Antoine, mio figlio, è voluto entrare nell'Interpol quando aveva vent'anni. Com'è naturale, ha scelto un altro campo d'azione. La sua attività riguardava i traffici illegali e la malavita organizzata.»

«Quindi non dipendeva da lei» disse Max.

«Purtroppo no. In ogni caso, quando è diventato operativo io ero già andato in pensione e avevo fondato la BEST, una agenzia di investigazioni internazionali con mansioni governative.»

«Che genere di investigazioni?»

«Prendiamo appalti dall'Interpol, dall'Europol e, a volte, anche dalle polizie dei vari Stati, specie se hanno bisogno di indagini riservate all'estero.»

«Si fanno un sacco di soldi, no?» lo provocò il kabilo.

«Dacci un taglio, Abdel» sbottò Ventura.

«Non mi lamento» disse Numero Uno ignorando la provocazione. «Comunque, mentre io mi occupavo di far crescere la mia attività, la squadra di Antoine è riuscita a infiltrarlo all'interno di un'organizzazione sospettata di traffico internazionale di medicinali falsi. Io l'ho saputo dopo e comunque non lo avrei potuto impedire. Lui non me lo avrebbe permesso.»

Max accese la pipa. «Immagino che, quando Antoine è riuscito a entrare alla Instant Farma, Settembrini fosse già un burattino nelle mani di Alga e Jannello.»

«Mio figlio era un bravo poliziotto, dubito che abbia parlato con Settembrini delle prove che aveva raccolto. Non avrebbe mai commesso una bestialità del genere. Balzano mente, se lo hanno scoperto è perché ha commesso un errore o qualcosa è andato storto quando lo hanno mandato alla Millenium Phœnix a Benin City. Comunque questo non cambia il risultato.»

«E noi?» chiese Abdel. «Come ha fatto a trovarci? Ha per caso guardato nella sua sfera di cristallo?»

Il vecchio si versò un altro po' di caffè, aggiunse una nuvola di latte e una zolletta di zucchero. Mentre lo girava con il cucchiaino, il suo sguardo accigliato passò dall'uno all'altro.

«I colleghi di Antoine non sapevano che fine avesse fatto» sospirò infine. «Ignoravano che avesse una relazione con quella donna. Quando è scomparso l'Interpol ha mandato un po' di gente a cercarlo, ma non hanno trovato alcuna traccia. Poi è venuta fuori la storia di quell'ultimo volo in Nigeria e hanno pensato che a Benin City lo avessero scoperto ed eliminato.

«Io non volevo darmi per vinto. Grazie alle relazioni che ancora mantenevo, sono riuscito ad avere le carte dell'inchiesta e ho deciso di proseguire per conto mio. Avevo amici qui, nella polizia municipale, ma le risorse erano piuttosto limitate. Inoltre continuavo a cercarvi, anche dopo essermi congedato. Per me catturarvi era ormai una questione d'onore. Una mattina mi hanno segnalato il suo ristorante, signor Ventura, e con mia enorme soddisfazione, ho visto la signora Merz seduta a un tavolino assieme a una ragazzina.»

«Come poteva...» disse Vittoria.

«Ricordarmi di lei? Ho avuto il suo volto davanti agli occhi mentre riprendevo a respirare, come può pensare che potessi dimenticarlo? Da allora non è cambiata così tanto, e poi avevo questa con me.»

Prese il portafogli dalla tasca interna della giacca e ne sfilò un foglietto sgualcito, piegato in due, che diede alla donna. Vittoria lo aprì. Era la foto segnaletica che le avevano fatto il giorno dell'arresto. Aveva l'aria di essere rimasta in quel portafogli per anni. Sollevò il capo e incontrò lo sguardo del vecchio senza sapere bene cosa dire.

«Immagino che qualcuno ci abbia traditi» borbottò Abdel. «Altrimenti non sarebbe mai riuscito a trovarci.»

«Nulla di così teatrale. Diverse persone vi stavano cercando per conto mio.»

«E così è riuscito ad acchiapparci.» Sanda si tolse gli occhiali scuri. «Prima o poi doveva succedere.»

«Poteva andarvi peggio» le ricordò Numero Uno. «In qualche modo vi ero riconoscente, per questo ho pensato che invece di farvi arrestare potevo costringervi a lavorare per me. Siete riusciti a sfuggirmi per oltre sedici anni, il che implica un'abilità al di fuori del normale. Per giunta, come ho già avuto occasione di dirvi, ciascuno di voi aveva capacità tali da rendervi le persone adatte a risolvere i miei problemi.»

«Molto premuroso, da parte sua» mormorò la nera.

Il vecchio la ignorò. «Non avevo in mano granché, ma le poche tracce che sono riuscito a trovare portavano al rogo di quella notte. Non ero certo che lo sconosciuto fosse Antoine, ma c'erano buone possibilità che avessi ragione. Due elementi collegavano il suo lavoro con quella casa di accoglienza: Tiziano Alga e la dottoressa Avesani. Quindi ho deciso di partire da lì.»

«Già, la sua vendetta privata» disse Sanda.

«Nessuna vendetta» rispose il vecchio. «Si tratta solo di

giustizia. Avete trovato l'assassino di mio figlio, in qualche modo vi sono debitore.»

«Cerchi di non dimenticarsene» s'intromise Vittoria.

«Sto facendo in modo di sdebitarmi, stia tranquilla.»

«E il suo nome, adesso lo possiamo sapere?»

Invece di rispondere, Numero Uno indossò la sua lobbia e si sistemò per bene la giacca. Poi prese la cartella.

«Signor Ventura» disse. «Le posso chiedere di accompagnarmi alla macchina?»

Si avviò verso la scala per il piano di sotto seguito da Max, che ubbidì dopo aver scambiato un'occhiata criptica con i suoi compagni. Prima di scendere, il vecchio gli cedette il passo, poi si voltò verso gli altri che li stavano guardando incuriositi e confusi dal suo comportamento.

«Potete chiamarmi Bertrand» disse con un sorriso. «Ma soltanto in casi eccezionali.»

TRENTANOVE

Anelli di fumo

Si accorse di avere le spalle contratte. Le teneva sollevate senza rendersene conto se non nel momento in cui si abbassavano, come se si fossero rilassate all'improvviso.

Aveva vissuto in uno stato di tensione continua, una tensione emotiva che alla fine era diventata fisica. Quell'ultimo mese non c'era stato un solo attimo senza qualche preoccupazione, per il ristorante, per la sua relazione con Federica, per quello stramaledetto lavoro che li aveva costretti a fare il *signor* Bertrand. A volte per cose reali, a volte per cose che immaginava potessero accadere. Era stata una sorta di tensione preventiva che aveva tolto spazio ai pensieri positivi e alla serenità.

Si era sentito come un criceto sulla ruota, che girava, girava e non portava da nessuna parte. A volte si era immaginato di poter spezzare quel giro vizioso e invece non aveva fatto altro che cullarsi in un limbo di quieta disperazione.

Adesso, finalmente, poteva smettere di autocommiserarsi perché la ruota, dopo un tempo che gli era parso infinito, li aveva portati a destinazione.

Uscirono sul piazzale e si fermarono accanto alla Tesla di Numero Uno. Max rimase in silenzio, perché gli sembrava che ci fosse qualcosa che il vecchio voleva dirgli. Lui aprì la portiera e mise la cartella sul sedile posteriore, poi la richiuse e si voltò verso di lui.

«Sembra sciocco, ma quel giorno, quando al ristorante mi sono trovato davanti lei e Vittoria, ho avuto l'impressione che la mia ricerca fosse stata inutile. Non ero più sicuro di volervi arrestare.»

«Posso immaginarlo.»

«No, non può. Non ha idea di cosa voglia dire non riuscire a respirare. Apri la bocca e non entra nulla, soffocare è una sensazione spaventosa. Quando Vittoria ha permesso che l'aria ricominciasse a entrare nei miei polmoni, è stato come tornare a vivere.»

«È una decisione che abbiamo preso tutti insieme, senza immaginare che fosse la prima di tante.»

«Ma lei ha compiuto il miracolo. Non dimenticherò mai il suo volto che mi guardava respirare. Nei suoi occhi c'era una luce, forse la consapevolezza di avermi salvato.»

Rimasero in silenzio per qualche momento. Arrivava a tratti l'odore del fiume, ricordava quel lezzo di salmastro e marcio che si sente in certi porti. Max pulì gli occhiali con un lembo della polo.

«Immagino che non ci rivedremo» disse di punto in bianco.

Il vecchio annuì senza troppa convinzione. «Avete fatto un buon lavoro» ammise. «Con un pizzico di fortuna, magari, ma avete svolto il vostro compito in maniera eccellente.»

«Adesso tocca a lei» rispose Max.

«Sa, signor Ventura, non sono il personaggio orribile che sembro. Avevo perso il desiderio di rimandarvi dentro, ho soltanto, come dire… esercitato un po' di pressione.»

«Questo avrebbe dovuto dircelo all'inizio.»

«Se lo aveste saputo, non sareste arrivati da nessuna parte. Volevo l'assassino di mio figlio e questo mi ha un po' preso la mano.»

«Significa che adesso siamo liberi?»

«Significa diverse cose. Per esempio che siete una squadra affiatata, una vera famiglia. C'è qualcosa che vi unisce profondamente, un legame che va parecchio oltre la semplice amicizia, e questo è più di quanto potrei mai chiedere ai miei uomini.»

«Sta per caso cercando di indorare la pillola?»

Il vecchio rise di gusto. «No, Max, non sto indorando nessuna pillola. Sto cercando di proporle un accordo.»

«L'ascolto.»

«Ho qualche altro caso che mi piacerebbe affidarvi. Sarebbe un peccato se la nostra collaborazione finisse qui. Non crede?»

Ventura prese dalla tasca la scatola del tabacco e si mise a riempire la pipa con calma, un lavoretto coi fiocchi. Del resto, il segreto di una buona fumata sta tutto lì, nel modo corretto di accumulare il tabacco nel fornello.

«Devo sentire gli altri» disse infine. «Comunque, se ci tiene proprio tanto, potrebbe provare a farci una di quelle offerte che non si possono rifiutare. Questo aiuterebbe senz'altro.» Mise la pipa tra le labbra e ripose la scatola.

«Mi sta dicendo che siete persone venali?» chiese l'altro.

Max si strinse nelle spalle. «Diciamo che ognuno di noi ha delle esigenze. Abdel ha intenzione di ristrutturare l'officina, Sanda dice sempre che vorrebbe cambiare le macchine della palestra e so che a Vittoria piacerebbe una buona università per Matilde, magari negli Stati Uniti.»

«E a lei, Max, cos'è che piacerebbe?»

«Io non ho particolari esigenze» disse scuotendo la scatoletta dei fiammiferi. «Ma avere un po' di denaro senza doverlo rubare è sempre stato un mio pallino.»

Numero Uno gli tese la mano, Ventura la strinse.

«Grazie ancora» disse il vecchio. «Se mi viene in mente una proposta adeguata, ci sentiremo.»

Salì al volante della sua auto e posò il cappello sul sedile del passeggero. La vettura si mise in moto senza emettere alcun suono. Uscì dal parcheggio con una breve retromarcia, poi, dopo un saluto, al quale Max rispose con un cenno, si allontanò lungo la sterrata che portava all'uscita.

Lo seguì con lo sguardo finché non fu scomparso oltre le piante del viale, poi accese un fiammifero e lo avvicinò al tabacco. Il sapore forte e asciutto del Latakia gli parve di puro benessere, uno stato di grazia che non provava da tempo. Si voltò verso la cascina e sollevò il capo. Da una delle finestre su in alto Sanda e Vittoria lo stavano osservando.

Resse il loro sguardo stringendo la pipa tra i denti, infine diede un tiro profondo e si mise a fare gli anelli di fumo.

Torino, agosto 2021

nero

Nella stessa collana

1. Enrico Pandiani, *Un giorno di festa*
2. Bruno Morchio, *Un piede in due scarpe*
3. Roberto Perrone, *L'estate degli inganni*
4. Corrado De Rosa, *L'uomo che dorme*
5. Maurizio de Giovanni, *Sara al tramonto*
6. Daniele Autieri, *Ama il nemico tuo*
7. Piergiorgio Pulixi, *Lo stupore della notte*
8. Carlotto – De Cataldo – de Giovanni, *Sbirre*
9. Luca Crovi, *L'ombra del campione*
10. Andrea Cotti, *Il cinese*
11. Olivier Norek, *Tra due mondi*
12. Piero Colaprico, *Il fantasma del ponte di ferro*
13. Gianni Mattencini, *L'onore e il silenzio*
14. Enrico Pandiani, *Ragione da vendere*
15. Cristina Rava, *Di punto in bianco*
16. Maurizio de Giovanni, *Le parole di Sara*
17. Gabriella Genisi, *Pizzica amara*
18. Roberto Perrone, *L'ultima volontà*
19. Giancarlo De Cataldo, *Alba nera*
20. Piera Carlomagno, *Una favolosa estate di morte*
21. Frédéric Dard, *Il montacarichi*
22. Piergiorgio Pulixi, *L'isola delle anime*
23. Thomas Mullen, *La città è dei bianchi*
24. Enrico Franceschini, *Bassa marea*

25. Gianni Zanolin, *Il senso del limite*
26. Marco Felder, *Tutta quella brava gente*
27. Girolamo De Michele, *Le cose innominabili*
28. Arturo Pérez-Reverte, *I cani di strada non ballano*
29. Sandrone Dazieri, *La danza del Gorilla*
30. Giuseppe Fabro, *Il sangue dei padri*
31. Luca Crovi, *L'ultima canzone del Naviglio*
32. Cristina Rava, *I segreti del professore*
33. Bruno Morchio, *Dove crollano i sogni*
34. Sandrine Destombes, *Nel monastero di Crest*
35. Maurizio de Giovanni, *Una lettera per Sara*
36. Giampaolo Simi, Piera Degli Esposti, *L'estate di Piera*
37. Luigi Bernardi, *Atlante freddo*
38. Piergiorgio Pulixi, *Un colpo al cuore*
39. Anthony Horowitz, *I delitti della gazza ladra*
40. Gabriella Genisi, *La Regola di Santa Croce*
41. Maurizio de Giovanni, *Gli occhi di Sara*
42. Massimo Carlotto, *E verrà un altro inverno*
43. Lorenzo Scano, *Via libera*
44. Frédéric Dard, *I bastardi vanno all'inferno*
45. Cristina Rava, *Il pozzo della discordia*
46. Valeria Corciolani, *Con l'arte e con l'inganno*
47. Enrico Franceschini, *Ferragosto*
48. Andrea Cotti, *L'Impero di Mezzo*
49. Frédéric Dard, *Gli scellerati*